367
Clive Cus
Virus

Clive Cussler è nato nel 1931 ad Alhambra, in California, da madre americana e padre tedesco. Interrotti gli studi al Pasadena City College, si è arruolato nell'Aviazione, partecipando alla guerra di Corea. Negli anni '60 ha lavorato nella pubblicità, dapprima come *copy writer* e in seguito come direttore creativo di una delle più importanti agenzie degli Stati Uniti.

Ha esordito nella narrativa nel 1973 con *Enigma*, che racconta la... seconda straordinaria avventura di Dirk Pitt, l'eroe che ha conquistato i lettori di tutto il mondo (la prima, infatti, è narrata in *Vortice*, romanzo rimasto inedito fino al 1982). «C'è un pezzo di me in Dirk Pitt e un pezzo di lui in me», scrive Cussler a proposito del suo personaggio. «Siamo alti entrambi un metro e novanta. I suoi occhi sono più verdi dei miei e lui indubbiamente affascina le signore più di quanto io non abbia mai fatto. Abbiamo lo stesso gusto per l'avventura, anche se le sue imprese sono molto più estreme delle mie.»

Nel 1978 ha fondato la National Underwater & Marine Agency (NUMA), un'associazione *non-profit* specializzata nella localizzazione, identificazione e recupero di relitti marini di importanza storica. In vent'anni di attività, che lo stesso Cussler ha raccontato in *Cacciatori del mare* (già pubblicato nelle edizioni TEA), la sua squadra di ingegneri e sommozzatori ha portato a termine con successo oltre sessanta operazioni (la più famosa delle quali è il recupero del sottomarino confederato «Hunley»). La sua seconda passione, dopo l'avventura, sono le automobili d'epoca, di cui possiede una vasta e assai famosa collezione, comprendente oltre ottanta pezzi.

Sposato con Barbara Knight da quarant'anni, Cussler divide il suo tempo tra le montagne del Colorado e i deserti dell'Arizona. Ha tre figli: Teri, Dirk e Dana.

Le avventure di Dirk Pitt pubblicate nelle edizioni TEA sono, in ordine cronologico: *Vortice, Enigma, Iceberg, Virus, Salto nel buio, Cyclops, Tesoro, Dragon, Sahara, L'oro dell'Inca, Onda d'urto, Alta marea* e *Atlantide.*

CLIVE CUSSLER
VIRUS

Romanzo

Traduzione di
Roberta Rambelli

Visita *www.InfiniteStorie.it*
il grande portale del romanzo

TEA - Tascabili degli Editori Associati S.p.A.
Corso Italia, 13 - 20122 Milano
www.tealibri.it

Titolo originale
Vixen 03

Prima edizione TEADUE ottobre 1995

Ristampe: 21 20   19 18   17 16   15 14   13
            2005   2004   2003   2002

VIRUS

Alla classe del '49 del liceo Alhambra
che finalmente si è ritrovata

OBLIO

IL Boeing C-97 Stratocruiser sembrava una cripta. Forse l'immagine era suggerita dalla gelida notte invernale, forse dalle folate di neve che si ammucchiava sulle ali e sulla fusoliera in una coltre di ghiaccio. Le luci tremule della cabina di pilotaggio che filtravano attraverso il parabrezza e le ombre fuggevoli degli specialisti addetti alla manutenzione contribuivano ad accentuare la sensazione di disagio.

Il maggiore Raymond Vylander, dell'Aeronautica degli Stati Uniti, non era entusiasta di ciò che vedeva. Rimase a osservare in silenzio dalla finestra mentre l'autocisterna si allontanava e spariva nell'oscurità tempestosa. La rampa di carico fu fatta rientrare nella parte posteriore del grande ventre di balena, poi i portelloni della stiva si chiusero lentamente. Rivolse lo sguardo alle file gemelle delle luci bianche che fiancheggiavano i tremilatrecento metri della pista della Base Aerea della Marina di Buckley, nelle pianure del Colorado. La luminescenza spettrale si perdeva nella notte dietro il velo di neve.

Girò di nuovo gli occhi e studiò la faccia stanca riflessa nel vetro. Il berretto spinto all'indietro rivelava un ciuffo di folti capelli scuri. Le spalle dell'uomo erano incurvate in avanti e contribuivano a dargli l'aspetto teso di un centometrista che attende lo sparo della partenza. L'immagine trasparente che filtrava oltre il vetro e si inquadrava in quella degli aerei sullo sfondo lo fece rabbrividire. Chiuse gli occhi, relegò la scena nell'angolo più remoto della mente e si voltò.

L'ammiraglio Walter Bass, seduto sul bordo di una scrivania, piegò con cura una carta meteorologica, si asciugò con un fazzoletto la fronte sudata e fece un cenno a Vylander.

« Il fronte del maltempo si sta spostando dal versante orientale delle Montagne Rocciose. Dovrebbe uscire dalle nubi più o meno sullo spartiacque continentale. »

« Purché riesca a far alzare da terra quel sacco di patate. »

« Ci riuscirà. »

« Decollare con un aereo così pesante con il pieno di carburante e un carico di trentun tonnellate e mezzo durante una tempesta di neve con un vento trasversale di trenta nodi e da un'altitudine di millecinquecento metri non è esattamente uno scherzo. »

« Tutti i fattori sono stati tenuti nella dovuta considerazione », disse freddamente Bass. « Il carrello dovrebbe staccarsi da terra con un margine di novecento metri di pista. »

Vylander si lasciò cadere su una sedia come un pallone sgonfio. « Vale la pena di rischiare la pelle dei miei uomini, ammiraglio? Cosa c'è di tanto indispensabile per la Marina degli Stati Uniti, per trascinare un carico di ciarpame su un'isola del Pacifico? »

Per un momento Bass avvampò, ma si calmò subito. Parlò in tono gentile, quasi di scusa. « È molto semplice, maggiore. Il ciarpame, come lo chiama lei, è un carico di massima priorità destinato a un segretissimo programma di collaudo. Dato che il suo Stratocruiser era l'unico trasporto pesante nel raggio di milleseicento chilometri in grado di compiere la missione, l'Aeronautica ha acconsentito a prestarlo temporaneamente alla Marina. E questo include anche lei e il suo equipaggio, ecco tutto. »

Vylander gli lanciò un'occhiata penetrante. « Non vorrei sembrarle insubordinato, ammiraglio, ma non è tutto. Neppure per idea. »

Bass girò intorno alla scrivania e sedette. « Deve considerarlo un volo normale, niente di più. »

« Le sarei grato, signore, se si degnasse di dirmi cosa c'è dentro i contenitori nella mia stiva. »

Bass evitò il suo sguardo. « Mi dispiace, ma si tratta di materiale segretissimo. »

Vylander si rese conto che non c'era niente da fare. Si alzò, stancamente, prese la cartelletta trasparente con il piano di volo e le carte e si avviò alla porta. Poi esitò, si voltò. « Nell'eventualità che dovessimo sbarazzarci del carico... »

« No! Se si presentasse una situazione d'emergenza », esclamò Bass in tono solenne, « atterri in una zona spopolata. »

« Mi sta chiedendo troppo. »

« Non le chiedo nulla. Il mio è un ordine! Lei e l'equipaggio non dovrete abbandonare l'aereo in nessuna circostanza, fra qui e la destinazione. »

Vylander si oscurò. « Allora immagino che non ci sia altro. »

« C'è un'altra cosa. »

« E cioè? »

« Buona fortuna », disse Bass, con un sorriso forzato.

A Vylander quel sorriso non piaceva neppure un po'. Aprì la porta e, senza rispondere, uscì nell'aria gelida.

Nella cabina di pilotaggio, stravaccato sul sedile e con la nuca appoggiata di un buon palmo sotto il poggiatesta, il copilota, tenente Sam Gold, stava effettuando i controlli previsti, mentre dietro di lui, sulla sinistra, il capitano George Hoffman, il navigatore, giocherellava con un goniometro di plastica. Nessuno dei due badò a Vylander quando entrò dalla stiva.

« Rotta impostata? » chiese Vylander a Hoffman.

« Tutto lo sporco lavoro preliminare l'hanno sbrogliato gli esperti della Marina. Ma non sono d'accordo con il percorso panoramico che hanno scelto. Vogliono farci sorvolare le zone più desolate dell'ovest. »

Sul volto di Vylander apparve un'espressione preoccupata che non sfuggì a Hoffman. Il maggiore girò la testa per guardare gli enormi contenitori metallici fissati al pavimento della sezione di carico e cercò di immaginarne il contenuto.

La sua contemplazione fu interrotta dall'apparizione della faccia inespressiva del sergente maggiore Joe Burns, il motorista, che si era affacciato al portello della cabina di pilotaggio. « Tutto chiuso. Pronti per avventurarci nell'ignoto, maggiore. »

Vylander annuì senza staccare gli occhi dai contenitori. « Okay, mettiamo in moto questa camera degli orrori. »

Il primo motore si accese scoppiettando, seguito dagli altri tre. Poi venne staccato il gruppo elettrogeno ausiliario, i ceppi che bloccavano le ruote furono tolti, e Vylander guidò l'apparecchio sovraccarico verso l'estremità della pista principale. Le guardie del servizio di sicurezza e gli addetti alla manutenzione si allontanarono in fretta per andare a ripararsi nel tepore di un hangar mentre l'aria smossa dalle eliche sferzava loro la schiena.

Nella torre di controllo l'ammiraglio Bass guardava lo Stratocruiser che avanzava come uno scarafaggio gravido sul campo spazzato dalla neve. Prese un telefono e parlò nel microfono, a voce bassa.

« Può comunicare al presidente che il Vixen 03 si sta preparando al decollo. »

« Per che ora prevede l'arrivo? » chiese la voce severa di Charles Wilson, il segretario della Difesa.

« Tenendo conto di uno scalo per il rifornimento a Hickam Field, nelle Hawaii, il Vixen 03 dovrebbe atterrare nell'area del test approssimativamente alle quattordici, ora di Washington. »

« Ike ha fissato l'ora per le otto di domani. Esige un rapporto dettagliato sugli esperimenti in programma e un aggiornamento continuo sul volo del Vixen 03. »

« Partirò immediatamente per Washington. »

« Non ho bisogno di ricordarle, ammiraglio, quel che succederebbe se l'aereo precipitasse su una grande città o nelle vicinanze. »

Bass esitò. Vi fu un silenzio lungo e terribile. « Sì, signor segretario. Sarebbe veramente un incubo che nessuno di noi potrebbe sopportare. »

« La pressione di alimentazione e la coppia sono un po' sotto il minimo », annunciò il sergente Burns che spiava il quadro dei motori con l'intensità di un furetto.

« Abbastanza per abbandonare la missione? » chiese Gold in tono speranzoso.

« Mi dispiace, tenente. I motori a pistoni nell'atmosfera rarefatta di Denver non danno le stesse prestazioni che hanno al livello del mare. Tenendo conto dell'altitudine, la lettura degli strumenti è normale. »

Vylander fissò la striscia di asfalto che si estendeva davanti a lui. La neve cadeva meno fitta, e lui riusciva quasi a vedere il segnale di metà pista. Il suo cuore cominciò a battere più forte, allo stesso ritmo dei tergicristalli. Dio, pensò, non sembra più grande di un campo di bocce. Come se fosse in trance, tese la mano e prese il microfono.

« Torre di controllo di Buckley, qui Vixen 03. Pronti per il decollo. Passo. »

« È tutta vostra, Vixen 03 », disse la voce stridula dell'ammiraglio Bass attraverso la cuffia. « Mi tenga da parte una bella indigena. »

Vylander interruppe la trasmissione, sbloccò i freni e spinse al massimo le manette dei quattro motori.

Il C-97 avventò il muso tondeggiante nella neve che turbinava e incominciò a procedere faticosamente sul lungo nastro d'asfalto mentre Gold annunciava con voce monotona l'aumento della velocità.

« Cinquanta nodi. »

Troppo presto, un cartello luminoso con un grande numero 9 sfrecciò accanto all'aereo.

« Ancora duemilasettecento metri », disse Gold. « Velocità settanta. »

Le luci bianche della pista si sgranavano confuse oltre le estremità delle ali. Lo Stratocruiser si avventò, con i potenti motori Pratt e Whitney che fremevano sui supporti, le eliche a quattro pale che artigliavano l'aria rarefatta. Le mani di Vylander erano cementate sul volante, le nocche delle dita erano sbiancate, le labbra alternavano preghiere e bestemmie.

« Cento nodi... restano duemilacento metri. »

Burns non staccava gli occhi dal quadro degli strumenti
e studiava ogni fremito degli indicatori, pronto a scoprire
il primo segno di difficoltà. Hoffman non poteva far altro
che restare immobile a guardare la pista che spariva a una
velocità eccessiva.

« Centoventicinque. »

Ora Vylander lottava con i comandi mentre il rabbioso
vento trasversale investiva gli alettoni e il timone. Un rivo-
lo di sudore gli scorreva sulla guancia sinistra. Attendeva
un segno che indicasse che l'aereo incominciava ad alleg-
gerirsi; ma aveva sempre l'impressione che una mano gigantesca premesse sul tettuccio della cabina.

« Centoventicinque nodi. E abbiamo superato il segnale
dei millecinquecento metri. »

« Alzati, bello, alzati », implorò Hoffman mentre gli an-
nunci di Gold cominciavano a succedersi sempre più rapidamente.

« Centoquarantacinque nodi. Restano mille metri. » Si
rivolse a Vylander. « Abbiamo appena superato il punto
del *go, no-go*. »

« Con tanti saluti al margine di sicurezza dell'ammiraglio Bass », borbottò Vylander.

« Ci avviciniamo ai seicento metri. Velocità centocin-
quantacinque. »

Vylander vedeva le luci rosse in fondo alla pista. Gli
sembrava di pilotare un macigno. Gold continuava a sbir-
ciarlo nervosamente, in attesa di quel movimento dei gomiti che avrebbe annunciato il distacco delle ruote dalla
pista. Vylander era immobile come un sacco di cemento.

« Oh, Dio... Il cartello dei trecento metri... si avvicina, si
avvicina... superato! »

Vylander tirò indietro il volantino. Per quasi tre secondi,
un'eternità, non successe nulla. Poi, con una lentezza tormentosa, lo Stratocruiser si staccò dal terreno quando mancavano meno di cinquanta metri al termine della pista.

« Su il carrello! » ordinò con voce rauca.

Trascorsero alcuni istanti d'inquietudine fino a quando il carrello non rientrò e Vylander non sentì aumentare leggermente la velocità.

« Carrello rientrato e bloccato », annunciò Gold.

Gli alettoni furono riportati in posizione normale e gli uomini presenti esalarono un sospiro di sollievo mentre Vylander virava verso nord-ovest. Le luci di Denver brillarono sotto l'ala sinistra e sparirono quando le nubi si chiusero intorno all'aereo. Vylander non si rilassò completamente fino a che la velocità non superò i duecento nodi e l'altimetro indicò una distanza di mille metri fra l'apparecchio e il suolo.

« Su, su e via », sospirò Hoffman. « Non mi vergogno di ammetterlo, qualche piccolo dubbio l'ho avuto. »

« Anche noi », rispose Burns con un sorriso.

Non appena uscì dalle nubi e portò lo Stratocruiser in assetto orizzontale a quattromilaottocento metri su una rotta verso ovest e sopra le Montagne Rocciose, Vylander fece un cenno a Gold.

« Prenda i comandi. Io vado a dare un'occhiata in coda. »

Gold lo fissò. Di solito il maggiore non lasciava tanto presto i comandi.

« Va bene », disse Gold, e posò le mani sul volantino.

Vylander sganciò le cinture di sicurezza ed entrò nella stiva, poi si chiuse la porta alle spalle.

Contò trentasei contenitori di acciaio inossidabile, fissati saldamente al pavimento. Cominciò a controllare con cura la superficie di ogni contenitore, cercando le solite stampigliature che rivelavano il peso, la data di fabbricazione, le iniziali dell'ispettore, le istruzioni. Non c'era niente.

Dopo un quarto d'ora circa stava per desistere e tornare nella cabina di pilotaggio quando notò una piastrina d'alluminio caduta a terra. La parte posteriore era adesiva, e Vylander scoprì un tratto viscoso dell'acciaio inossidabile dove era stata fissata. Accostò la piastrina alla luce fioca e socchiuse le palpebre per vedere meglio. La minuscola incisione confermò i suoi timori.

Per un po' rimase immobile a guardare la piastrina. All'improvviso un brusco sussulto dell'aereo lo strappò alle sue riflessioni. Attraversò correndo la stiva e spalancò la porta della cabina.

Era piena di fumo.

«Maschere a ossigeno!» gridò Vylander. Riusciva appena a distinguere le sagome di Hoffman e Burns. Gold era avvolto completamente dalla foschia azzurrognola. Brancolando, raggiunse il sedile e cercò a tentoni la maschera a ossigeno rabbrividendo all'odore acre del corto circuito.

«Torre di controllo di Buckley, qui Vixen 03», stava gridando Gold nel microfono. «Abbiamo fumo in cabina. Chiediamo istruzioni per atterraggio d'emergenza. Passo.»

«Prendo i comandi», annunciò Vylander.

«È tutto suo», rispose Gold senza esitare.

«Burns?»

«Signore?»

«Che diavolo è successo?»

«Non saprei dirlo, con tutto questo fumo, maggiore.» La voce di Burns, dietro la maschera a ossigeno, era cavernosa. «Si direbbe un corto circuito nella zona della radio trasmittente.»

«Torre di Buckley, qui Vixen 03», insistette Gold. «Rispondete.»

«È inutile, tenente», ansimò Burns. «Non possono sentirla. Nessuno può sentirla. L'interruttore del circuito degli apparati radio non funziona.»

Gli occhi di Vylander lacrimavano tanto che non riusciva quasi a vedere. «Lo riporto a Buckley», annunciò con calma.

Ma prima che potesse completare la virata di centottanta gradi, il C-97 incominciò a vibrare bruscamente all'unisono con un suono di metallo dilaniato. Il fumo sparì come per magia e un soffio d'aria gelida penetrò nella cabina, assalendo la superficie cutanea scoperta degli uomini con la violenza di mille vespe. L'aereo stava andando a pezzi per le vibrazioni.

«Una pala dell'elica del motore numero tre è partita!» gridò Burns.

«Gesù Cristo... Spenga il numero tre!» ordinò Vylander. «E metta in bandiera quel che resta dell'elica.»

Le mani di Gold volarono sul quadro comandi, e poco dopo la vibrazione cessò. Con una stretta al cuore, Vylander controllò. Il suo respiro divenne affannoso mentre la paura ingigantiva dentro di lui.

«La pala dell'elica ha sfondato la fusoliera», riferì Hoffman. «C'è uno squarcio di due metri nella parete della stiva. I cavi elettrici e idraulici sono stati tranciati.»

«Questo spiega perché è sparito il fumo», disse ironicamente Gold. «È stato risucchiato all'esterno quando la cabina si è squarciata.»

«E spiega anche perché gli alettoni e il timone non rispondono», soggiunse Vylander. «Possiamo salire e possiamo scendere, ma non possiamo virare.»

«Forse possiamo far girare l'aereo aprendo e chiudendo i flabelli sui motori uno e quattro», propose Gold. «Almeno quanto basterebbe per permetterci di arrivare a Buckley.»

«Non ci arriveremo mai», disse Vylander. «Senza il motore numero tre stiamo perdendo quota al ritmo di circa trenta metri al minuto. Dovremo scendere in mezzo alle Montagne Rocciose.»

L'annuncio fu accolto da un silenzio sbigottito. Gli sembrava di leggere la paura negli occhi dei suoi uomini, e quasi ne sentiva l'odore.

«Mio Dio», gemette Hoffman. «È impossibile. Andremo a sbattere contro il fianco d'una montagna.»

«Abbiamo ancora potenza e una certa capacità di controllo», disse Vylander. «Siamo fuori delle nubi e possiamo almeno vedere dove andiamo.»

« È una vera fortuna », borbottò Burns.

« La nostra direzione? » chiese Vylander.

« Due-due-sette sud-ovest », rispose Hoffman. « Abbiamo deviato di quasi ottanta gradi dalla rotta. »

Vylander annuì. Non c'era altro da dire. Si concentrò per mantenere lo Stratocruiser in linea. Ma era impossibile arrestare la rapida discesa. Anche con i tre motori superstiti al massimo, l'aereo troppo carico non poteva mantenere la quota. Lui e Gold non potevano far altro che assistere, impotenti, mentre iniziavano una lunga planata verso terra fra le valli circondate dalle vette delle Montagne Rocciose del Colorado, che arrivavano quattromiladuecento metri.

Poco dopo scorsero gli alberi che spuntavano dalla coltre di neve sulle montagne. A tremilaquattrocento metri le cime irregolari incominciarono a sollevarsi più in alto delle punte delle ali. Gold accese le luci per l'atterraggio e aguzzò gli occhi per cercare un tratto di terreno scoperto. Hoffman e Burns erano immobili, in attesa dello schianto inevitabile.

L'ago dell'altimetro scese al di sotto dei tremila metri. Tremila metri. Era un miracolo che ce l'avessero fatta fino a quella quota, un miracolo che una muraglia di roccia non si fosse presentata all'improvviso per bloccare la planata. Poi, quasi esattamente di fronte a loro, gli alberi si aprirono e i fari di atterraggio rivelarono un prato pianeggiante e coperto di neve.

« Un pascolo! » gridò Gold. « Un bellissimo pascolo alpino, cinque gradi a destra. »

« Lo vedo », confermò Vylander. Riuscì a modificare leggermente la rotta dello Stratocruiser giostrando con i flabelli della cappottatura dei motori e regolando la manetta.

Non c'era tempo per effettuare i controlli previsti. Doveva essere una manovra di avvicinamento tipo o la va o la spacca, un atterraggio da manuale con il carrello retratto. Il mare di alberi sparì sotto il muso dell'aereo; Gold chiuse l'alimentazione e i circuiti elettrici mentre Vylander te-

neva in stallo lo Stratocruiser a circa tre metri dal suolo. I
tre motori superstiti si spensero e la grande oscurità sottostante salì rapidamente a inghiottire la fusoliera.

L'impatto fu meno violento di quanto si aspettassero. Il
ventre dell'aereo baciò la neve e rimbalzò dolcemente, una
volta, due volte, poi si posò come uno sci gigantesco. Vylander non avrebbe saputo dire per quanto tempo continuasse quella corsa incontrollabile. I secondi sembravano
minuti. Poi l'aereo si arrestò goffamente. Scese un silenzio
profondo, minaccioso.

Burns fu il primo a reagire.

«Per Dio... ce l'abbiamo fatta!» mormorò con le labbra tremanti.

Cinereo in viso, Gold fissava il finestrino. I suoi occhi
vedevano solo il bianco. Una coltre impenetrabile di neve
s'era ammucchiata contro il parabrezza. Si girò verso Vylander e aprì la bocca per dire qualcosa, ma le parole gli
morirono in gola.

Una vibrazione rombante scosse lo Stratocruiser, e fu
seguita da uno schianto secco e dallo stridore torturato del
metallo che si distorceva.

Il biancore all'esterno dei finestrini si dissolse in una
muraglia di nero gelido, e poi non rimase nulla... assolutamente nulla.

Nel suo ufficio al Comando della Marina, a Washington,
l'ammiraglio Bass studiava assorto una mappa che indicava la rotta prevista per il Vixen 03. Era tutto impresso nei
suoi occhi stanchi, nelle rughe incise sulle guance pallide e
scavate, nelle spalle curve. Negli ultimi quattro mesi Bass
era molto invecchiato. Il telefono sulla scrivania squillò. Si
affrettò a rispondere.

«Ammiraglio Bass?» chiese una voce notissima.

«Sì, signor presidente.»

«Il segretario Wilson mi ha detto che intende interrompere le ricerche del Vixen 03.»

« È giusto », disse Bass. « Non ha senso prolungare questo tormento. I mezzi di superficie della Marina, gli aerei da ricerca e le unità terrestri dell'Esercito hanno setacciato ogni centimetro di terra e di mare per ottanta chilometri sui due lati della rotta fissata per il Vixen 03. »

« La sua opinione? »

« Secondo me, è finito sul fondo del Pacifico », rispose Bass.

« Ritiene che fosse riuscito a superare la costa occidentale? »

« Sì. »

« Speriamo che abbia ragione lei, ammiraglio. Dio ci aiuti se è precipitato sulla terraferma. »

« Se fosse andata così, a quest'ora l'avremmo saputo », disse l'ammiraglio.

« Sì... » Il presidente esitò. « Immagino che lo sapremmo. » Un altro breve silenzio. « Chiuda la pratica del Vixen 03. E la insabbi, la insabbi profondamente. »

« Provvederò, signore. »

Bass posò il ricevitore sulla forcella e si abbandonò sulla poltroncina. Era un uomo sconfitto alla conclusione di una lunga e rispettabile carriera nella Marina.

Guardò di nuovo la mappa. « Dove? » chiese a voce alta. « Dove sei? Dove diavolo sei finito? »

La risposta non venne mai. Non si trovarono spiegazioni della scomparsa dello sventurato Stratocruiser. Era come se il maggiore Vylander e il suo equipaggio fossero scomparsi nell'oblio.

PARTE PRIMA
IL VIXEN 03

1.

DIRK PITT si svegliò, sbadigliò soddisfatto e prese atto di ciò che lo circondava. Era buio quando era arrivato nella baita; e le fiamme del grande camino di pietra e la luce delle lampade al cherosene avevano rischiarato in misura piuttosto limitata le pareti di assi di pino.

Fissò lo sguardo su un vecchio orologio Seth Thomas appeso a una parete. L'aveva regolato e caricato la notte precedente. Gli era sembrato logico. Poi guardò la testa massiccia di un wapiti, tutta festonata di ragnatele, che lo fissava con gli occhi di vetro impolverati. Accanto al wapiti c'era una finestra panoramica che offriva una vista sensazionale della catena dei Sawatch, nell'interno delle Montagne Rocciose del Colorado.

Quando il sonno lo abbandonò completamente, Pitt si trovò alle prese con la prima decisione della giornata: doveva continuare ad ammirare lo scenario maestoso oppure dedicare la sua attenzione sul corpo ben modellato di Loren Smith, eletta alla Camera dei Rappresentanti del Colorado e che in quel momento era seduta tutta nuda su un tappeto trapunto ed eseguiva un esercizio yoga?

Con molto buon senso, Pitt optò per Loren Smith.

Era seduta a gambe incrociate nella posizione del loto, con i gomiti e la testa appoggiati al tappeto. Il nido fra le cosce e i seni sodi, pensò Pitt, faceva sfigurare al confronto le vette di granito dei Sawatch.

« Come si chiama quella specie di contorsione così indegna di una signora? » chiese.

« Il Pesce », rispose lei senza muoversi. « Serve a rassodare il petto. »

« Dal mio punto di vista maschile », obiettò Pitt con finta solennità, « non approvo le tette dure come sassi. »

« Le preferisci flosce e cadenti? » Gli occhi viola di Loren si girarono verso di lui.

« Be'... non proprio. Ma forse un po' di silicone qui, un po' di silicone lì...»

« Ecco cosa non va nella mentalità maschile », scattò lei. Si raddrizzò e spinse all'indietro i capelli color cannella. « Pensi che tutte le donne dovrebbero avere ghiandole mammarie grosse come palloni, come quelle pupattole insipide nei paginoni delle riviste scioviniste. »

« Non c'è niente di male a desiderarlo. »

Loren s'imbronciò. « Peccato. Dovrai accontentarti delle mie tette misura B. Non ho altro. »

Pitt le passò un braccio intorno alla vita e la trascinò per metà sul letto e per metà fuori. « Colossali o piccoline », disse, mentre si chinava a baciarle i capezzoli, « nessuna donna potrà mai accusare Dirk Pitt di discriminazione. »

Loren s'inarcò e gli mordicchiò l'orecchio. « Quattro giorni interi tutti per noi. Niente telefoni, niente sedute della Commissione, niente cocktail party, niente assistenti che non mi danno tregua. Sembra quasi troppo bello per essere vero. » Insinuò la mano sotto le coperte e accarezzò lo stomaco di Pitt. « Ti andrebbe un po' di sport prima di colazione? »

« Hai detto la parola magica. »

Loren gli rivolse un sorriso ammiccante. « 'Sport' o 'colazione'? »

« Prima hai parlato della tua posizione yoga. » Pitt balzò dal letto facendola cadere all'indietro. « Da che parte è il lago più vicino? »

« Il lago? »

« Sicuro. » Pitt rise dell'espressione confusa della donna. « Dove c'è un lago, ci sono pesci. Non possiamo sprecare la giornata oziando a letto quando una grassa trota arcobaleno non aspetta altro che abboccare all'amo. »

Loren inclinò la testa e lo guardò con aria interrogativa. Pitt era alto più di un metro e novanta, ed era completamente abbronzato tranne la fascia chiara intorno ai fianchi. I folti capelli neri incorniciavano un viso che sembrava eternamente cupo e deciso, ma era capace di schiudersi in un sorriso accattivante. In quel momento non sorrideva, ma Loren lo conosceva abbastanza per riconoscere l'espressione allegra degli occhi incredibilmente verdi.

«Presuntuoso», scattò. «Mi hai preso in giro, eh?»

Si alzò, gli diede una testata nello stomaco e lo spinse riverso sul letto. Non s'illuse neppure un secondo per l'esito della sua manifestazione di forza. Se Pitt non si fosse rilasciato, sarebbe schizzata via come un pallone.

Prima che Pitt potesse fingere di protestare, Loren gli saltò a cavalcioni sul petto e gli premette le mani sulle spalle. Pitt si tese, la cinse con le braccia e le strinse i glutei morbidi. Loren lo sentì ingigantire, e il calore le si irradiò attraverso la pelle.

«A pesca?» disse con voce un po' roca. «L'unica canna che sai usare non ha il mulinello.»

Fecero colazione a mezzogiorno. Pitt fece la doccia, si vestì e tornò in cucina. Loren stava china sul lavello e puliva energicamente una padella annerita. Aveva addosso un grembiulino e niente altro. Pitt si fermò sulla soglia a guardare il movimento dei seni minuscoli mentre si abbottonava lentamente la camicia.

«Chissà cosa direbbero i tuoi elettori se ti vedessero in questo momento.»

«Al diavolo gli elettori», disse lei con un sorriso malizioso. «La mia vita privata non li riguarda.»

«Al diavolo gli elettori», ripeté Pitt gesticolando come se prendesse appunti. «Un altro particolare scandalo della vita della piccola Loren Smith, rappresentante del settimo Distretto del Colorado, notoriamente dominato dalla corruzione.»

«Non sei spiritoso.» Loren si voltò e lo minacciò con la padella. «Non c'è corruzione nel settimo Distretto, e io sono l'ultima, in tutto il Campidoglio, che possa essere accusata di prendere tangenti. »

« Ah... ma i tuoi eccessi sessuali! Pensa come si divertirebbero i media. Forse mi deciderò io a smascherarti, e scriverò un bestseller. »

« Finché non faccio figurare i miei amanti sul libro paga del mio incarico e sul mio conto spese, nessuno può toccarmi. »

« E io? »

« Hai pagato metà delle provviste, ricordi? » Loren asciugò la padella e la mise nella credenza.

« Cosa posso guadagnarci a farmi mantenere », disse mestamente Pitt, « se ho per amante una donna così tirchia? »

Lei gli cinse il collo con le braccia e gli baciò il mento. « La prossima volta che rimorchi una ragazza assatanata a un cocktail party di Washington, ti consiglio di chiederle un riepilogo della sua situazione patrimoniale. »

Dio buono, pensò, quella festa orribile offerta dal segretario per l'Ambiente. Loren detestava il mondo sociale della capitale. Se una festa non era legata agli interessi del Colorado o a un argomento che riguardava la sua Commissione, di solito dopo il lavoro tornava a casa da un gatto spelacchiato che si chiamava Ichabod, e guardava i film alla televisione.

Gli occhi di Loren erano stati attratti da Pitt nella luce palpitante delle torce accese sul prato. Lo aveva fissato sfacciatamente mentre continuava a discutere con un altro membro del Congresso, anche lui del partito indipendente, Morton Shaw della Florida.

Sentì il cuore che, stranamente, le batteva più forte. Accadeva di rado, e Loren si chiedeva perché stava accadendo in quel momento. Lui non era bello, non certo quanto poteva esserlo un Paul Newman; ma aveva un'aria virile e sbrigativa che le piaceva. Ed era alto, e lei preferiva gli uomini alti.

Era solo e non parlava con nessuno; osservava la gente che gli stava intorno con aria di sincero interesse anziché con distacco annoiato. Quando si accorse che Loren lo fissava, ricambiò l'occhiata con aperta curiosità.

«Chi è quel tipo che fa da tappezzeria nell'ombra?» chiese a Morton Shaw.

Shaw si voltò a guardare nella direzione che Loren indicava con un cenno del capo. Batté le palpebre e rise. «Sei a Washington da due anni e non sai chi è?»

«Se lo sapessi non lo chiederei», ribatté Loren con noncuranza.

«Si chiama Pitt, Dirk Pitt. È direttore dei progetti speciali della National Underwater and Marine Agency, la NUMA. Sai... quel tale che ha diretto le operazioni per il recupero del *Titanic*.»

Loren si sentiva un po' sciocca per non aver intuito il nesso. La fotografia e la storia del fortunato recupero del famoso transatlantico erano apparse sulle prime pagine dei giornali per diverse settimane. Quello, dunque, era l'uomo che aveva accettato una sfida impossibile e l'aveva vinta. Si scusò con Shaw e si avviò verso Pitt.

«Signor Pitt», disse. E s'interruppe. La brezza fece ondeggiare in quell'attimo le fiamme delle torce, e la nuova angolazione fece brillare un riflesso negli occhi di Pitt. Loren sentì nello stomaco una febbre che aveva conosciuto una sola volta in vita sua, quando era giovanissima e aveva preso una cotta per uno sciatore. Per fortuna, la semioscurità nascose il rossore che le era salito alle guance.

«Signor Pitt», ripeté. Le sembrava di non riuscire a trovare le parole adatte. Lui la guardava dall'alto e attendeva. Presentati, idiota, si disse lei! Invece balbettò: «Adesso che ha riportato a galla il *Titanic*, cosa conta di fare?»

«È un po' difficile superare un'impresa del genere», disse lui con un sorriso caloroso. «Ma il mio prossimo progetto mi darà una grossa soddisfazione personale e lo intraprenderò con il massimo piacere.»

« E sarebbe? »

« La seduzione della deputata Loren Smith. »

Lei sgranò gli occhi. « Sta scherzando? »

« Non scherzo mai, quando si tratta di sesso con una deliziosa esponente della politica. »

« Simpatico. È stato il partito d'opposizione a suggerirglielo? »

Pitt non rispose. La prese per mano e la guidò attraverso la casa che era affollata da molti dei personaggi più importanti di Washington, e la condusse fuori, alla sua macchina. Loren lo seguì senza protestare, più per curiosità che per obbedienza.

Mentre Pitt immetteva la macchina nella strada alberata, Loren gli chiese: « Dove mi porti? »

« Prima fase. » Pitt le rivolse un sorriso elettrizzante. « Troviamo un piccolo bar molto discreto dove possiamo rilassarci e confidarci i nostri desideri più intimi. »

« E la seconda fase? » chiese lei a voce bassa.

« Ti porto a fare una corsa a centocinquanta all'ora nella baia di Chesapeake con una barca da competizione. »

« Niente da fare. »

« Ho una teoria », continuò Pitt. « L'avventura e l'emozione non mancano mai di trasformare le affascinanti donne politiche in belve scatenate. »

Più tardi, mentre il sole del mattino accarezzava la barca che andava alla deriva, Loren sarebbe stata l'ultima persona al mondo disposta a contestare la teoria di Pitt. Notò con soddisfazione sensuale che per provarlo gli aveva lasciato ben visibili sulle spalle i segni dei denti e delle unghie.

Loren lasciò la presa e spinse Pitt verso la porta della baita. « Basta con il divertimento. Ho un mucchio di corrispondenza da sbrigare prima che possiamo scendere a Denver domani per far spese. Perché non vai a farti una passeggiata ecologica o qualcosa del genere per qualche ora? Poi preparerò una cena ricca di grassi e passeremo un'altra serata di depravazione davanti al fuoco.»

«Credo di non essere depravato, per il momento», disse lui stiracchiandosi. «E le passeggiate ecologiche non sono il mio genere.»

«Allora vai a pescare.»

Pitt la guardò. «Non ti sei ancora decisa a dirmi dove posso andare.»

«Quattrocento metri dopo la collina dietro la baita. Il Table Lake. Papà prendeva sempre una quantità di trote.»

«Grazie a te», disse Pitt squadrandola severamente, «partirò in ritardo.»

«Che peccato.»

«Non ho portato l'attrezzatura da pesca. Tuo padre ha lasciato qui la sua?»

«Sotto la baita, nel garage. È lì che la teneva. Le chiavi sono sulla mensola del camino.»

La serratura era indurita dal disuso, e Pitt vi sputò sopra e girò la chiave con tutta la forza che poteva usare senza correre il rischio di spezzarla. Finalmente gli ingranaggi scattarono e Pitt riuscì ad aprire i vecchi battenti scricchiolanti. Dopo un momento d'attesa per abituarsi al buio, entrò e si guardò intorno. C'erano un banco di lavoro polveroso, con l'attrezzatura appesa in ordine, barattoli e latte di varie dimensioni sui ripiani. Alcuni contenevano vernici, altri chiodi e minuterie metalliche assortite.

Trovò quasi subito sotto il banco una scatola con il mulinello. Impiegò un po' più di tempo per rintracciare una canna, ma finalmente ne scorse una in un angolo poco illuminato. Fra lui e la canna c'era un oggetto ingombrante e avvolto in un telo, che lo ostacolava; e quindi cercò di arrampicarvisi sopra. L'oggetto si spostò sotto il suo peso. Pitt cadde riverso e si afferrò al telo nel vano tentativo di riprendere l'equilibrio prima di finire sul pavimento lurido.

Imprecò, si spolverò alla meglio e osservò ciò che gli impediva di raggiungere la canna da pesca. Un'espressione sconcertata apparve sul suo viso. S'inginocchiò e passò la mano sui due grossi oggetti che aveva scoperto per caso. Poi si alzò, uscì e chiamò Loren.

Lei si affacciò al balcone. «Cos'è successo?»

«Puoi scendere un momento?»

Loren si infilò un impermeabile beige e scese. Pitt la fece entrare nel garage e indicò. «Dove li ha trovati, tuo padre?»

Lei si chinò e socchiuse le palpebre. «Cosa sono?»

«Quello giallo e rotondo è una bombola d'ossigeno in uso sugli aerei. L'altro è un carrello di prua, completo di ruote e gomme. Maledettamente vecchi, a giudicare dalla corrosione e dalla sporcizia.»

«Non li avevo mai visti.»

«Eppure dovresti averli notati. Non usi mai il garage?»

Loren scosse la testa. «No, da quando mi sono presentata alle elezioni. È la prima volta che vengo nella baita di papà, dopo che è morto in un incidente tre anni fa.»

«Non hai sentito parlare di un aereo precipitato da queste parti?» insistette Pitt.

«No, ma questo non significa che non sia successo. Vedo raramente i vicini, e quindi ho poche occasioni di aggiornarmi sui pettegolezzi locali.»

«Da che parte?»

«Eh?»

«I tuoi vicini più vicini. Dove abitano?»

«Avanti su questa strada, in direzione della città. Prima svolta a sinistra.»

«Come si chiamano?»

«Raferty. Lee e Maxine Raferty. Lui era in Marina, e adesso è in pensione.» Loren gli prese la mano, la strinse forte. «Perché mi fai tante domande?»

«Per curiosità, nient'altro.» Pitt le baciò la mano. «Ci vediamo a cena.» Si voltò e si avviò corricchiando lungo la strada.

«Non vai a pescare?» gridò Loren.

«È uno sport che ho sempre odiato.»

«Non prendi la jeep?»

« La passeggiata ecologica è stata un'idea tua, ricordi? »
gridò Pitt voltandosi.

Loren rimase a guardarlo fino a quando non sparì oltre
un gruppo di pini, poi scosse la testa in segno di disap-
provazione per i capricci incomprensibili degli uomini e
tornò in fretta nella baita per sfuggire al freddo del primo
autunno.

2.

MAXINE RAFERTY aveva un'aria molto western. Era tarchiata e portava un abito stampato, gli occhiali con la montatura a giorno e una retina sui capelli argentei dai riflessi bluastri. Era seduta sotto il portico d'una baita di tronchi di cedro e leggeva un giallo tascabile. Lee Raferty, un uomo alto e magro, stava accosciato a ingrassare i cuscinetti a sfere dell'asse anteriore di un vecchio camion International quando Pitt si avvicinò e li salutò.

« Buonasera. »

Lee Raferty si tolse dalla bocca un mozzicone di sigaro spento e mordicchiato, e fece un cenno di saluto. « Ehilà. »

« Bella giornata per fare un po' di moto », disse Maxine mentre scrutava Pitt al di sopra del libro.

« La brezza fresca fa bene », osservò Pitt.

Avevano tutti e due un'aria cordiale, ma anche un'innata diffidenza verso gli estranei, soprattutto gli estranei con l'aspetto del cittadino. Lee si pulì le mani con uno straccio bisunto e si avvicinò.

« Posso esserle utile? »

« Sì, se voi due siete Lee e Maxine Raferty. »

Maxine si alzò. « I Raferty siamo noi. »

« Mi chiamo Dirk Pitt e sono ospite di Loren Smith nella baita in fondo alla strada. »

Le espressioni di disagio lasciarono il posto ad ampi sorrisi. « La piccola Loren Smith, ma certo », disse Maxine. « Siamo molto orgogliosi di lei, qui, perché ci rappresenta a Washington. »

« Pensavo che potreste darmi qualche informazione sui dintorni. »

« Con piacere », accondiscese Lee.

« Non star piantato lì come un albero », disse Maxine al

marito. «Portagli qualcosa da bere. Non vedi che ha sete?»

«Sicuro. Le va una birra?»

«Ottima idea», rispose Pitt con un sorriso.

Maxine gli aprì la porta per farlo entrare. «Deve fermarsi a pranzo con noi.» Era quasi un ordine, e Pitt non poté far altro che annuire.

Il soggiorno era molto alto, e c'era un loft che serviva come stanza da letto. L'arredamento era un agglomerato di lussuosi mobili art déco, e Pitt ebbe l'impressione di essere finito negli anni '30. Lee andò in cucina e tornò con due birre stappate. Le bottiglie, notò Pitt, erano prive di etichetta.

«Spero che le piaccia la birra fatta in casa», disse Lee. «Ci ho messo quattro anni a trovare il punto giusto fra il troppo dolce e il troppo amaro. Il contenuto alcolico è dell'otto per cento.»

Pitt assaggiò la birra. Era diversa da quel che si aspettava. Se non avesse sentito una traccia di lievito, avrebbe detto che era un prodotto commercializzabile.

Maxine apparecchiò e accennò ai due uomini di sedere a tavola. Portò un'abbondante insalata di patate, una pentola di fagioli stufati e un piatto di fette di carne. Lee si affrettò a rimpiazzare le bottiglie di birra vuote con due piene e cominciò a passare i piatti.

L'insalata di patate era robusta, con il giusto sentore di asprigno. I fagioli stufati erano polposi. Pitt non riconobbe la carne, ma gli sembrò deliziosa. Anche se aveva mangiato appena un'ora prima in compagnia di Loren, il profumo di quel pasto casereccio lo indusse a rimpinzarsi di buon appetito.

«Vivete qui da molto?» chiese fra un boccone e l'altro.

«Venivamo in vacanza nei Sawatch già alla fine degli anni '50», disse Lee. «E ci siamo stabiliti qui definitivamente quando ho lasciato la Marina per mettermi in pensione. Facevo il palombaro, ma poi ho avuto un brutto caso di embolia gassosa e mi sono congedato in anticipo. Vediamo, dev'essere stato nell'estate del '71.»

« Del '70 », lo corresse Maxine.

Lee Raferty strizzò l'occhio a Pitt. « Max non dimentica mai niente. »

« Sapete se è precipitato un aereo da queste parti, diciamo in un raggio di quindici chilometri? »

« Io non lo ricordo. » Lee guardò la moglie. « E tu, Max? »

« Santo cielo, Lee, hai perso la memoria? Non ricordi quel povero dottore e la sua famiglia? Morirono tutti quando il loro aereo si schiantò dietro Diamond... Come le sembrano i fagioli, signor Pitt? »

« Ottimi », rispose Pitt. « Diamond è una cittadina della zona? »

« Lo era. Ormai ci sono soltanto un crocicchio e un ranch per turisti. »

« Sì, adesso ricordo », disse Lee mentre si serviva una seconda porzione di carne. « Era un piccolo monomotore. Bruciò come un fiammifero e di esso non restò niente. Gli uomini dello sceriffo impiegarono più di una settimana a identificare i resti. »

« Successe nell'aprile del '74 », specificò Maxine.

« No, a me interessa un aereo molto più grande », spiegò pazientemente Pitt. « Un aereo di linea, precipitato con molte probabilità trenta o quarant'anni fa. »

Maxine alzò il viso tondo verso il soffitto e rifletté. Poi scosse la testa. « No, non ho mai sentito parlare di un disastro aereo così grave, almeno da queste parti. »

« Perché ce lo domanda, signor Pitt? » disse Lee.

« Ho trovato certi vecchi pezzi d'aereo nel garage della signorina Smith. Credo che ce li avesse messi suo padre. Forse li aveva trovati nei dintorni, fra le montagne. »

« Charlie Smith », ricordò malinconicamente Maxine. « Pace all'anima sua. Inventava una quantità di piani per arricchirsi, più di un truffatore disoccupato. »

« Può darsi che avesse comprato i pezzi in qualche magazzino di residuati bellici di Denver, per poter costruire uno dei suoi apparecchi che non funzionavano mai. »

« Mi sembra di capire che il padre di Loren fosse un inventore frustrato. »

« Oh, sì, davvero. » Lee rise. « Ricordo quando cercò di costruire un lanciaesche automatico per canne da pesca: buttava le esche dappertutto, quell'arnese, tranne che in acqua. Povero vecchio Charlie. »

« Perché dice 'povero vecchio Charlie'? »

Sul viso di Maxine apparve un'espressione di rammarico. « Perché è morto in modo orribile. Loren non gliel'ha detto? »

« Mi ha detto soltanto che è morto tre anni fa. »

Lee indicò la bottiglia di Pitt, che era quasi vuota. « Vuole un'altra birra? »

« No, grazie. Va bene così. »

« La verità », disse Lee, « è che Charlie saltò in aria. »

« Che cosa? »

« Dinamite, credo. Nessuno l'ha mai saputo con precisione. Le uniche cose riconoscibili che trovarono, dopotutto, erano uno stivale e un pollice. »

« Secondo il rapporto dello sceriffo, era un'altra delle invenzioni sbagliate di Charlie », soggiunse Maxine.

« Io sono convinto che è una balla! » borbottò Lee.

« Vergognati! » Maxine lanciò al marito un'occhiata di rimprovero.

« No, sono sicuro. Charlie conosceva gli esplosivi meglio di chiunque altro al mondo. Nell'Esercito era stato un esperto di demolizioni. Diavolo, durante la seconda guerra mondiale aveva disinnescato bombe e proiettili d'artiglieria in tutta l'Europa. »

« Non gli dia ascolto », disse Maxine a Pitt. « Lee si è messo in testa che Charlie sia stato assassinato. È ridicolo! Charlie Smith non aveva un nemico al mondo. La sua morte fu un incidente, punto e basta. »

« Tutti hanno diritto di avere le loro opinioni », protestò Lee.

« Vuole un po' di dessert, signor Pitt? » chiese Maxine. « Ho preparato i dolcetti alle mele. »

«Non ce la farei a mandar giù un altro boccone, grazie.»

«E tu, Lee?»

«Non ho più fame», borbottò il marito.

«Non se la prenda, signor Raferty», lo consolò Pitt. «Sembra che anch'io mi sia lasciato dominare dall'immaginazione. Trovare pezzi di un aereo fra le montagne... Naturalmente ho pensato che fossero i rottami di un velivolo vittima di un incidente.»

«Certe volte gli uomini sono come i bambini.» Max rivolse a Pitt un sorriso candido. «Spero che il pranzo le sia piaciuto.»

«Era degno di un buongustaio», garantì Pitt.

«Però avrei dovuto cuocere un po' di più le ostriche delle Montagne Rocciose. Erano un po' crude. Non ti sembra, Lee?»

«Per me andavano benissimo.»

«Ostriche delle Montagne Rocciose?» chiese Pitt.

«Sicuro», disse Maxine. «I testicoli di toro fritti.»

«Ha detto 'testicoli'?»

«Lee vuole che glieli prepari almeno due volte la settimana.»

«Sono molto meglio del polpettone», spiegò Lee con una risata.

«Davvero?» mormorò Pitt. Si guardò lo stomaco e si chiese se i Raferty tenevano in casa l'Alka-Seltzer. Adesso rimpiangeva di non essere andato a pesca.

3.

ALLE tre del mattino Pitt era sveglissimo. Era a letto con Loren raggomitolata contro di lui; guardava dalla finestra panoramica il profilo delle montagne, e intanto nella sua mente le immagini passavano come in un caleidoscopio. L'ultimo pezzo di un rompicapo molto credibile rifiutava di andare a posto. Il cielo incominciava a schiarirsi a oriente quando si alzò, infilò un paio di calzoncini e uscì senza far rumore.

La vecchia jeep di Loren era ferma sul vialetto. Pitt prese la torcia elettrica dal vano portaoggetti ed entrò nel garage. Tolse il telo e studiò la bombola d'ossigeno. Era cilindrica, alta poco più di un metro e con un diametro di circa quarantacinque centimetri. La superficie era graffiata e ammaccata, ma erano le condizioni degli attacchi a destare l'interesse di Pitt. Dopo qualche minuto passò a osservare il carrello anteriore.

Le ruote gemelle erano unite da un asse fissato ai mozzi come il tratto superiore di una T all'asta centrale. I pneumatici avevano forma di ciambella, e il battistrada era poco consumato. Erano alti poco meno d'un metro e, stranamente, contenevano ancora aria.

La porta del garage scricchiolò. Pitt si voltò e vide Loren che sbirciava all'interno. Puntò il fascio luminoso su di lei. Loren indossava soltanto una vestaglia di nylon azzurra. I capelli erano spettinati e il viso esprimeva un miscuglio di paura e di incertezza.

« Sei tu, Dirk? »

« No », rispose lui con un sorriso. « Sono il lattaio. »

Loren sospirò di sollievo, lo raggiunse e gli si aggrappò al braccio. « Come comico non vali molto. E poi, che ci fai qui? »

« Questa roba non mi convinceva. » Pitt puntò la torcia sui rottami. « Adesso ho capito che cos'è. »

Loren rabbrividì nel garage polveroso. « Ti agiti troppo per niente », mormorò. « L'hai detto anche tu. I Raferty ti hanno spiegato come mai è finita qui. Probabilmente papà l'aveva comprata in un deposito di rottami. »

« Non ne sono tanto sicuro », disse Pitt.

« Comprava sempre vecchio ciarpame », insistette lei. « Guardati intorno. Il garage è pieno delle sue strane invenzioni mai finite. »

« Mai finite, d'accordo. Ma almeno costruiva sempre qualcosa con quel ciarpame. La bombola e il carrello anteriore, invece, non li aveva mai toccati. Perché? »

« Non c'è nessun mistero. Molto probabilmente papà morì prima di cominciare a occuparsene. »

« Può darsi. »

« Allora è tutto risolto », disse Loren in tono deciso. « Torniamo a letto o morirò congelata. »

« Scusami, ma non ho ancora finito. »

« Cosa ti resta da vedere? »

« Diciamo che è un sassolino nella scarpa della logica », ribatté Pitt. « Guarda gli attacchi della bombola. »

Loren si chinò per vedere meglio. « Sono rotti. Che cosa ti aspettavi? »

« Se è stata asportata da un vecchio aereo in un deposito di rottami, i supporti e gli attacchi sarebbero stati staccati con le chiavi inglesi, oppure tagliati con una fiamma ossidrica o un paio di grosse tronchesine. Questi, invece, sono stati rotti da una forza enorme. E lo stesso vale per il carrello di prua. Il sostegno è stato piegato e spezzato appena al di sotto degli ammortizzatori idraulici. Però è strano: la frattura non è avvenuta di colpo. Come puoi vedere, quasi tutto l'orlo irregolare è corroso, ma un piccolo tratto in alto sembra ancora nuovo. Si direbbe che il danno maggiore e la frattura finale siano avvenuti a distanza di molti anni. »

« E questo che cosa prova? »

« Niente di eccezionale. Però indica che questi pezzi non venivano da un deposito di rottami e tanto meno da un magazzino di residuati di guerra. »

« E adesso sei soddisfatto? »

« Non del tutto. » Pitt sollevò la bombola, la portò all'esterno e la caricò sulla jeep. « Non ce la faccio a trasportare da solo il carrello. Dovresti darmi una mano. »

« Cosa intendi fare? »

« Hai detto che saremmo andati a Denver a far spese. »

« E allora? »

« E allora, mentre tu vuoti i negozi della città, io andrò con questa roba all'aeroporto Stapleton e cercherò qualcuno in grado di identificare il tipo di aereo. »

« Pitt », disse Loren. « Tu non sei Sherlock Holmes. Perché vuoi prenderti tanto disturbo? »

« Per avere qualcosa da fare. Mi annoio. Tu hai la tua posta che ti aiuta a passare il tempo, ma io mi sono stancato di passare le giornate a parlare con gli alberi. »

« Ma la notte hai tutta la mia attenzione. »

« L'uomo non vive di solo sesso. »

Loren rimase a guardare in silenzio mentre Pitt prendeva due lunghe assi e le appoggiava alla sponda posteriore della jeep.

« Pronta? » chiese.

« Non sono vestita nel modo adatto. » Loren aveva un tono gelido e la pelle accapponata.

« Allora togli la vestaglia, così non la sporcherai. »

Come in un sogno, Loren appese la vestaglietta a un chiodo e si chiese perché le donne assecondino istintivamente le idiosincrasie infantili degli uomini. Poi tutti e due, Pitt in calzoncini, Loren Smith nuda, spinsero il carrello polveroso su per la rampa e lo caricarono sulla jeep.

Mentre Pitt fissava di nuovo la sponda con la catenella, nella prima luce dell'alba, Loren guardò il terriccio e il grasso che le macchiavano le cosce e lo stomaco e si chiese perché mai s'era scelta un pazzo per amante.

4.

HARVEY DOLAN, capo ispettore per la manutenzione dell'Ufficio Distrettuale dell'Aeronautica, alzò gli occhiali controluce, non vide macchie e se li assestò sul naso piramidale.

« Dice di averli trovati fra le montagne, eh? »

« Una cinquantina di chilometri a nord-ovest di Leadville, nella catena dei Sawatch », rispose Pitt. Era costretto a parlare a voce alta per farsi sentire nonostante il fracasso dell'elevatore che trasportava il carrello e la bombola dalla jeep all'interno dell'hangar per le ispezioni.

« Non è molto », disse Dolan.

« Però può fare qualche ipotesi. »

Dolan alzò le spalle senza sbilanciarsi. « È la situazione di un poliziotto che ha trovato per la strada un bambino sperduto. Vede che è un bimbo con due braccia e due gambe e ha circa due anni. I vestiti sono J.C. Penny, le scarpe Buster Browns. Il piccolo dice che il suo nome è Jocy, ma non conosce il cognome, l'indirizzo e il numero di telefono. Signor Pitt, noi siamo nella stessa barca. »

« Può tradurre questa analogia in particolari concreti? » chiese Pitt con un sorriso.

« Osservi, prego. » Dolan prese una biro dal taschino e la usò per indicare. « Abbiamo davanti a noi il carrello anteriore di un aereo, un aereo che pesava fra le trentuno e le trentasei tonnellate. Era a elica, perché i pneumatici non risultano essere in grado di reggere lo stress dell'atterraggio di un jet ad alta velocità. Inoltre, la struttura metallica di supporto è di un tipo che è uscito dalla produzione negli anni '50. Perciò ha fra i trenta e i quarantacinque anni. I pneumatici erano della Goodyear, le ruote della Rantoul Engineering di Chicago. Ma per quanto riguarda il tipo di aereo e il suo proprietario, purtroppo non ci sono molti indizi su cui basarci. »

« Quindi tutto finisce qui », disse Pitt.

« Non si arrenda troppo presto », ribatté Dolan. « Sulla gamba del carrello c'è un numero di serie perfettamente leggibile. Possiamo accertare il tipo di apparecchio per cui fu progettato; poi si tratta semplicemente di risalire al costruttore e di scoprire di che aereo si trattava. »

« Ne parla come se fosse una cosa facile. »

« Ci sono altri frammenti? »

« No, solo quelli che vede. »

« Come mai li ha portati qui? »

« Ho pensato che se qualcuno era in grado di identificarli, doveva essere l'amministrazione dell'Aviazione Federale. »

« Vuole metterci in difficoltà, eh? » chiese Dolan con un sorriso.

« Senza cattiveria », rispose Pitt.

« Non abbiamo molti indizi di base », disse Dolan. « Ma non si sa mai. Potremmo avere un colpo di fortuna. »

Indicò con un gesto un punto contrassegnato da un cerchio rosso sul pavimento. L'addetto al carrello elevatore annuì e abbassò il pallet che conteneva i rottami. Poi indietreggiò, girò ad angolo retto e si avviò sferragliando verso un altro angolo dell'hangar.

Dolan prese la bombola, la girò fra le mani come un intenditore che ammira un vaso greco. Poi la posò. « Sarà impossibile risalire alla provenienza di questa », disse. « Le bombole standard di questo tipo vengono ancora prodotte da diversi fabbricanti per almeno venti diversi modelli di aereo. »

Dolan cominciava a scaldarsi. S'inginocchiò, esaminò centimetro per centimetro il carrello, poi chiese a Pitt di aiutare a spostarlo. Passarono cinque minuti senza che pronunciasse una parola.

Fu Pitt a rompere il silenzio. « Le dice qualcosa? »

« Mi dice molto. » Dolan si rialzò. « Purtroppo, però, non mi fornisce la risposta decisiva. »

« Ho il sospetto che sia la classica caccia al serpente di

mare», commentò Pitt. «Non mi sembra giusto causarle tanto disturbo.»

«Sciocchezze», gli assicurò Dolan. «È per questo che mi pagano, i contribuenti. Negli archivi dell'Aviazione ci sono dozzine di aerei scomparsi il cui destino è rimasto ignoto. Quando abbiamo la possibilità di chiudere un caso, ci buttiamo.»

«Come si fa a scoprire che tipo di aereo era?»

«Normalmente chiamerei i tecnici ricercatori della nostra divisione tecnica. Ma in questo caso tenterò una scorciatoia. Phil Devine, il capo della manutenzione delle United Airlines, è un'enciclopedia ambulante in materia di aerei. Se c'è qualcuno che può dircelo alla prima occhiata, è lui.»

«È così efficiente?» chiese Pitt.

«Mi creda sulla parola», disse Dolan con un sorriso saputo. «È così efficiente.»

«Si capisce che non sei un fotografo. L'illuminazione fa schifo.»

Una sigaretta senza filtro penzolava dalle labbra di Phil Devine mentre studiava le foto polaroid che Dolan aveva fatto al carrello. Devine era un personaggio alla W.V. Fields, ciccione e con la voce lenta e piagnucolosa.

«Non sono venuto a chiedere una recensione sulle mie abilità artistiche», ribatté Dolan. «Sei in grado di identificare il carrello oppure no?»

«Mi sembra vagamente familiare, direi un pezzo di un vecchio B-29.»

«Non basta.»

«Che ti aspetti da un fascio di foto sfuocate? Un'identificazione inconfutabile?»

«Sì, speravo proprio questo», rispose tranquillamente Dolan.

Pitt cominciava a chiedersi se gli sarebbe toccato fare da arbitro a una rissa. Devine notò la sua espressione un po' allarmata.

«Stia tranquillo, signor Pitt», disse con un sorriso. «Fra me e Harvey c'è una specie di patto: non siamo mai gentili tra noi durante l'orario di lavoro. Ma dopo le cinque del pomeriggio la piantiamo e andiamo a farci una birra insieme.»

«E di solito pago io», commentò seccamente Dolan.

«Stavamo parlando del carrello...» intervenne Pitt.

«Oh, già. Credo di poter trovare qualcosa.» Devine si alzò dalla scrivania e aprì un armadietto pieno di grossi volumi rilegati in vinyl nero. «Vecchi manuali di manutenzione», spiegò. «Probabilmente sono l'unico maniaco in tutta l'Aviazione commerciale che li conservi.» Prese un volume sepolto nella massa e cominciò a sfogliarlo. Dopo un minuto trovò quel che cercava. Passò il libro aperto al di sopra della scrivania. «Può andare?»

Pitt e Dolan si tesero ed esaminarono il disegno di un carrello anteriore.

«I modelli delle ruote, i pezzi e le dimensioni corrispondono», dichiarò Dolan battendo l'indice sulla pagina.

«Che aereo è?» chiese Pitt.

«Boeing Stratocruiser», rispose Devine. «Per la verità non sbagliavo di molto quando ho pensato a un B-29. Lo Stratocruiser era basato sul progetto del bombardiere. La versione da trasporto militare era designata C-97.»

Pitt guardò la copertina del manuale e trovò una foto dell'aereo in volo. Aveva un aspetto strano: la fusoliera a due ponti gli dava la configurazione di una grande balena panciuta.

«Ricordo di averne visti, da bambino», disse Pitt. «Li aveva la Pan American.»

«E anche l'United», gli fece eco Devine. «Li usavano sulla rotta per le Hawaii. Erano ottimi aerei.»

«E adesso?» Pitt si rivolse a Dolan.

«Adesso manderò il numero di serie del carrello alla Boeing, a Seattle, e chiederò che mi comunichino di quale aereo si trattava esattamente. E farò una telefonata alla Commissione Nazionale per la Sicurezza dei Trasporti, a

Washington. Mi sapranno dire se gli risulta che qualche Stratocruiser commerciale sia andato perduto negli Stati Uniti continentali. »

« E se saltasse fuori che ne è scomparso uno? »

« L'Amministrazione dell'Aviazione Federale aprirà un'inchiesta ufficiale », disse Dolan. « E vedremo che cosa succederà. »

5.

Pitt trascorse i due giorni successivi a bordo di un elicottero preso a nolo e zigzagò sulle montagne in una griglia sempre più ampia. In due occasioni lui e il pilota identificarono luoghi dove erano avvenuti incidenti, ma scoprirono che si trattava di rottami già noti. Dopo diverse ore di volo, con le natiche intormentite, tutto il corpo sfinito dalle vibrazioni dell'apparecchio e dai sobbalzi dovuti a raffiche improvvise di vento, ringraziò il cielo quando scorse la baita di Loren e il pilota fece posare l'elicottero su un prato vicino.

I pattini affondarono nell'erba bruna, le pale smisero di ruotare rumorosamente e si fermarono. Pitt sganciò la cintura di sicurezza, aprì il portello e scese stirandosi soddisfatto.

« Domani alla stessa ora, signor Pitt? » Il pilota aveva l'accento dell'Oklahoma e i capelli a spazzola.

Pitt annuì. « Punteremo verso sud e proveremo a esplorare l'estremità inferiore della valle. »

« Pensa di saltare i pendii al di sopra della linea degli alberi? »

« Se un aereo fosse precipitato in un tratto scoperto non sarebbe rimasto inosservato per trent'anni. »

« Non si sa mai. Ricordo un jet da addestramento dell'Aeronautica che andò a sbattere contro il fianco di una montagna, giù nei monti San Juan. L'urto provocò una frana e i rottami finirono sepolti. Le vittime sono ancora sotto quelle rocce. »

« Immagino che sia una possibilità remota », disse stancamente Pitt.

« Se vuole la mia opinione, è l'unica possibilità. » Il pilota s'interruppe per soffiarsi il naso. « Un aereo piccolo e leggero potrebbe precipitare in mezzo agli alberi e restare invisibile per l'eternità, ma non un quadrimotore. I pini e gli abeti non potrebbero mai coprire un relitto di quelle dimensioni. E anche se fosse andata così, qualche cacciatore avrebbe finito per trovarlo casualmente. »

« Sono disposto ad ascoltare tutte le teorie utili », disse Pitt. Con la coda dell'occhio vide Loren che arrivava correndo dalla baita. Chiuse il portello e salutò a cenni il pilota, poi si voltò mentre il motore si riaccendeva. L'elicottero si sollevò in aria e si allontanò rombando sopra le cime degli alberi.

Loren gli si buttò fra le braccia, ansimando per la corsa nell'aria rarefatta. Era viva e vibrante nei pantaloni bianchi attillati e il maglione rosso. Il viso ben modellato sembrava splendere nel sole del tardo pomeriggio, e la luce obliqua le dorava la pelle. Pitt la sollevò, la fece volteggiare, le insinuò la lingua fra le labbra, fissandola negli occhi violetti. Trovava divertente che Loren tenesse sempre gli occhi aperti quando si baciavano o facevano l'amore: diceva che non voleva perdersi nulla.

Alla fine Loren si staccò per respirare e lo scostò arricciando il naso. « Puah, come puzzi. »

« Scusami, ma stare tutto il giorno seduto sotto la cupola di plastica di un elicottero è come disidratarsi in una serra. »

« Non devi scusarti. L'odore del sudore maschile eccita le donne. Naturalmente, il fatto che puzzi anche di benzina e olio da motore non migliora la situazione », concluse sorridendo.

« Allora andrò subito a fare la doccia. »

Loren diede un'occhiata all'orologio. « Più tardi. Se ci sbrighiamo, puoi ancora trovarlo. »

« Chi? »

« Harvey Dolan. Ha telefonato. »

« Come ha fatto? Tu non hai il telefono », esclamò Pitt.

« So soltanto che un ranger della Forestale è venuto a dirmi che devi chiamare Dolan nel suo ufficio. È importante. »

« Dove troviamo un telefono? »
« Dove? A casa dei Raferty. »

Lee era in città, ma Maxine mise subito il telefono a disposizione di Pitt. Lo fece sedere davanti a una vecchia scrivania e gli porse il ricevitore. La centralinista era efficiente; in meno di dieci secondi Dolan fu in linea.

« Perché mi chiama a spese del destinatario? » borbottò.

« Perché il governo se lo può permettere », disse Pitt.

« Come ha fatto a pescarmi? »

« Con la radio citizen band che ho in macchina. Ho trasmesso un messaggio via satellite alla stazione dei ranger nella Foresta Nazionale del White River e ho chiesto che lo inoltrassero. »

« Che cosa ha da dirmi? »

« Una buona notizia e una meno buona. »

« Me le dia in quell'ordine. »

« La buona notizia è che si è fatta viva la Boeing. Il carrello di prua fu installato come dotazione di serie su una fusoliera numero 75403. La notizia meno buona è che quell'aereo fu venduto ai militari. »

« All'Aeronautica, immagino. »

« A quanto pare. Comunque alla Commissione Nazionale per la Sicurezza dei Trasporti non risulta che sia mai scomparso uno Stratocruiser commerciale. Temo di non poter fare di più. Da questo momento, se vuole continuare le indagini come privato cittadino, dovrà rivolgersi ai militari. La loro sicurezza aerea esorbita dalla nostra giurisdizione. »

« Farò come dice lei », rispose Pitt. « Se non altro, per mettere fine alle mie fantasie su un aereo fantasma. »

« Speravo che dicesse così », commentò Dolan. « Perciò mi sono preso la libertà di inviare una richiesta, naturalmente a suo nome, per conoscere lo status attuale del Boeing 75403. L'ho mandata all'ispettore generale per la Sicurezza della base aerea di Norton in California. Un certo colonnello Abe Steiger si metterà in contatto con lei appena troverà qualcosa. »

« Che funzioni ha questo Steiger? »

« In pratica è il mio equivalente militare. Conduce le indagini sulle cause degli incidenti di volo dell'Aeronautica nella regione occidentale. »

« Allora avremo presto la soluzione dell'enigma? »

« Sembra di sì. »

« Lei cosa ne pensa, Dolan? » chiese Pitt. « Mi dica la sua opinione, sinceramente. »

« Ecco... » esordì Dolan. « Non voglio mentirle, Pitt. Personalmente credo che il suo aereo scomparso salterà fuori nella documentazione di qualcuno che commercia in residuati bellici. »

« E io pensavo che fra noi fosse nata una bella amicizia. »

« Mi ha chiesto la verità e io gliel'ho detta. »

« No, sul serio, Harvey, le sono grato per il suo aiuto. La prima volta che verrò a Denver mi farò vivo per pranzo. »

« Non rifiuto mai un invito. »

« Bene. Sarà un piacere. »

« Aspetti, non riattacchi. » Dolan respirò profondamente. « Se ho ragione io, e se c'è una spiegazione terra-terra per la presenza di quei pezzi nel garage della signorina Smith... che cosa succede? »

« Ho l'impressione che non sarà così », rispose Pitt.

Dolan posò il ricevitore e lo fissò. Un brivido di freddo gli scorse lungo la schiena e gli fece accapponare la pelle. Gli era sembrato che la voce di Pitt provenisse da una tomba.

6.

LOREN portò via i piatti e tornò con due tazze di caffè fumante su un vassoio. Pitt era seduto sul balcone, con i piedi appoggiati alla ringhiera. Nonostante l'aria fresca della sera settembrina, portava una maglietta a maniche corte.

«Caffè?» chiese Loren.

Come se fosse in trance, Pitt si voltò a guardarla. «Come?» Poi mormorò: «Scusa, non ti avevo sentita arrivare».

Gli occhi viola lo studiarono. «Mi sembri un invasato», disse all'improvviso Loren, senza sapere il perché.

«Forse sto diventando psicopatico», replicò lui con un lieve sorriso. «Comincio a vedere rottami di aerei dappertutto.»

Lei gli porse una tazza e tenne l'altra fra le mani per scaldarle. «Quella stupida ferraglia di papà. Da quando siamo arrivati non pensi ad altro. Gli hai attribuito troppa importanza.»

«Nemmeno io riesco a spicgarmelo.» Lui s'interruppe per assaggiare il caffè. «Sarà la maledizione dei Pitt: non sono capace di lasciar perdere un problema se non trovo una soluzione funzionale.» Si girò verso di lei. «Ti sembra strano?»

«Immagino che certe persone si sentano obbligate a trovare spiegazioni per ogni incognita.»

Pitt continuò a parlare con lo stesso tono introspettivo. «Non è la prima volta che ho un'intuizione così forte.»

«E non sbagli mai?»

Pitt alzò le spalle e sorrise. «Per essere sincero, la mia percentuale di successi è uno su cinque.»

«E se risultasse che i rottami di papà non provenivano da un aereo precipitato nei dintorni?»

«Allora non ci penserò più e rientrerò nel mondo concreto.»

Su di loro scese il silenzio e Loren si avvicinò e gli sedette sulle ginocchia, cercando di assorbire il suo tepore nella brezza fresca che scendeva dai monti.

« Ci restano ancora dodici ore, prima di prendere l'aereo per tornare a Washington. Non voglio che qualcosa rovini l'ultima notte che passeremo da soli. Ti prego, rientriamo e andiamo a letto. »

Pitt sorrise e la baciò teneramente sugli occhi. La sollevò fra le braccia e si alzò, reggendola agevolmente come se fosse una bambola. La portò nella baita.

Aveva deciso, prudentemente, che non era il momento adatto per dirle che sarebbe rientrata da sola nella capitale, e che lui sarebbe rimasto per continuare le ricerche.

7.

DUE sere dopo, Pitt era seduto tutto solo nella sala da pranzo della baita ed esaminava una quantità di carte topografiche. Si appoggiò alla spalliera della sedia e si strofinò gli occhi. Gli unici risultati dei suoi sforzi erano una Loren indispettita e un conto astronomico della società che gli aveva noleggiato l'elicottero.

Un suono di passi echeggiò sulla scala esterna, e poco dopo una testa completamente rasata e una faccia dai cordiali occhi castani e dagli enormi baffi alla Kaiser Guglielmo comparve dietro il vetro della porta d'ingresso.

« Ehi, di casa », chiamò una voce che sembrava provenire da un paio di enormi stivali.

« Avanti », rispose Pitt senza alzarsi.

L'uomo era tozzo e massiccio e doveva pesare, calcolò Pitt, intorno ai cento chili. Tese una mano carnosa.

« Lei deve essere Pitt. »

« Sì, sono Pitt. »

« Bene. L'ho trovata al primo tentativo. Temevo di aver sbagliato a svoltare, con questo buio. Sono Abe Steiger. »

« Il colonnello Steiger? »

« Lasci perdere il grado. Come vede, sono venuto conciato come un rigattiere. »

« Non mi aspettavo che venisse fin qui apposta. Mi sarebbe bastata una lettera. »

Steiger sorrise. « Il fatto è che non volevo rinunciare a un viaggio di prospezione per la modica spesa di un francobollo. »

« Un viaggio di prospezione? »

« Sto prendendo due piccioni con una fava, per così dire. Uno, la settimana prossima devo tenere una conferenza alla base di Chanute, Illinois, sulla sicurezza aerea. Due, lei si trova nel cuore della zona mineraria del Colorado e, dato che sono maniaco delle prospezioni, mi sono preso la libertà di fare una tappa nella speranza di cercare un po' d'oro prima di proseguire. »

« Sarò lieto di averla qui con me. Al momento vivo tutto solo. »

« Signor Pitt, la ringrazio per l'ospitalità. »

« Ha portato qualche bagaglio? »

« Sono fuori, sulla macchina che ho preso a noleggio. »

« Li porti dentro mentre preparo il caffè. » Poi Pitt chiese: « Le andrebbe di cenare? »

« Grazie. Ho mangiato qualcosa con Harvey Dolan prima di venire qui. »

« Allora ha visto il carrello? »

Steiger annuì e aprì una vecchia borsa di pelle. Porse a Pitt un fascicolo fissato con i punti metallici. « È il rapporto sullo status del Boeing C-97 dell'Aeronautica, numero 75403, comandato da un certo maggiore Vylander. Lo esamini pure mentre disfo i bagagli. E se ha qualche domanda da fare, mi dia un fischio. »

Steiger sistemò la sua roba in una stanza per gli ospiti e raggiunse Pitt. « Soddisfa la sua curiosità? »

Pitt alzò gli occhi dal fascicolo. « Secondo il rapporto, lo 03 sparì sul Pacifico durante un volo di routine fra la California e le Hawaii nel gennaio 1954. »

« È quel che dice la documentazione dell'Aeronautica. »

« E come spiega la presenza del carrello qui in Colorado? »

« Non è un mistero. Mentre l'aereo era in servizio, il carrello fu probabilmente sostituito da un altro nuovo. Succede abbastanza spesso. I meccanici avevano trovato un difetto nella struttura. Un atterraggio un po' duro aveva incrinato il supporto. Forse rimase danneggiato mentre veniva rimorchiato. Ci sono molte ragioni che possono giustificare la sostituzione. »

« E la documentazione mostra che la sostituzione ci fu? »

« No. »

« Non è un po' strano? »

« Forse irregolare; ma non è strano. Gli addetti alla manutenzione dell'Aeronautica sono famosi per le riparazioni meccaniche che eseguono, non per la precisione burocratica. »

« E qui è scritto che non si è mai trovata traccia dell'aereo e dell'equipaggio. »

« Sì, lo ammetto, questo è un rompicapo. I documenti provano che le ricerche furono ampie e meticolose, molto più delle procedure mare-aria richieste dai regolamenti. Tuttavia le unità dell'Aeronautica e della Marina non trovarono nulla di nulla. » Steiger fece un cenno di ringraziamento quando Pitt gli porse una tazza di caffè fumante. « Ma sono cose che succedono. I nostri archivi sono pieni di aerei scomparsi nell'oblio. »

« Scomparsi nell'oblio. Molto poetico. » Pitt non si sforzò di nascondere un tono cinico.

Steiger non gli badò e bevve il caffè. « Per chi indaga sulla sicurezza aerea, ogni incidente non risolto è una spina nel fianco. Siamo come i chirurghi che ogni tanto perdono un paziente sul tavolo operatorio. Gli aerei che spariscono non ci fanno dormire di notte. »

« E lo 03? » chiese Pitt. « Anche quello non la fa dormire? »

« Mi sta parlando di un incidente accaduto quando avevo quattro anni. Non riesco a immaginare come possa riguardarmi. Per me e per l'Aeronautica, signor Pitt, la scomparsa dello 03 è una pratica chiusa. È finito sul fondo del mare per tutta l'eternità, e ha portato con sé il segreto della sua tragedia. »

Pitt lo fissò per un momento, poi gli riempì di nuovo la tazza. « Si sbaglia, colonnello Steiger, si sbaglia. Una spiegazione c'è, e non è a cinquemila chilometri da qui. »

Dopo colazione Pitt e Steiger si separarono: Pitt andò a curiosare in un burrone profondo e stretto dove l'elicottero non aveva potuto penetrare; Steiger andò in cerca di un corso d'acqua per tentare di trovare qualche pagliuzza d'oro. L'aria era frizzante. Poche nubi soffici si libravano sulle cime delle montagne e la temperatura era intorno ai quindici gradi.

Era mezzogiorno passato quando Pitt uscì dal burrone e si avviò verso la baita. Seguì una pista appena visibile che serpeggiava fra gli alberi e arrivò sulla riva del Table Lake. Un chilometro e mezzo più avanti, lungo la riva, trovò un fiumicello, un emissario del lago, e lo seguì fino a quando non incontrò Steiger.

Il colonnello era seduto su un macigno piatto in mezzo alla corrente e faceva girare nell'acqua una grande bataia metallica.

« Come va? » gli gridò Pitt.

Steiger si voltò, agitò un braccio e tornò a guado verso la riva. « Non potrò fare un grosso deposito a Fort Knox. Se mi andrà bene, troverò mezzo grammo d'oro. » Lanciò a Pitt un'occhiata amichevole ma scettica. « E lei? Ha scovato quello che stava cercando? »

« È stata un'escursione inutile », rispose Pitt. « Ma salutare. »

Steiger gli offrì una sigaretta, e Pitt rifiutò.

« Sa una cosa? » disse Steiger mentre faceva scattare l'accendino. « Lei è il tipo classico dell'ostinato. »

« Me l'hanno detto altre volte », rispose Pitt con una risata.

Steiger sedette, aspirò profondamente ed esalò il fumo dalle labbra mentre parlava. « Guardi me. Sono il tipo che molla, ma solo per le cose che non contano molto. Parole crociate, libri noiosi, progetti per rimettere in ordine la casa, tappeti all'uncinetto... non riesco mai a finirne uno. Penso che senza lo stress psicologico vivrò dieci anni di più. »

« È un peccato che non smetta di fumare. »

« *Touché* », disse Steiger.

In quel momento due giovani, un ragazzo e una ragazza

che indossavano giubbotti di piumino e stavano ritti su una zattera improvvisata, superarono un'ansa del fiumicello e passarono oltre. Ridevano allegramente e non badavano ai due uomini sulla riva. Pitt e Steiger li seguirono con lo sguardo, in silenzio, fino a che non sparirono verso valle.

« Così va la vita », fu il commento di Steiger. « Quand'ero ragazzo, scendevo con la zattera il fiume Sacramento. Lei ha mai provato? »

Pitt non sentì la domanda. Continuava a fissare il punto dove aveva perduto di vista i due giovani. L'espressione del suo viso passò improvvisamente dalla pensierosità più profonda all'illuminazione.

« Che le succede? » gli chiese Steiger. « Si direbbe che abbia visto Dio. »

« La verità continuava a sbattermi in faccia, e io la ignoravo », mormorò Pitt.

« Che cosa ha ignorato? »

« E questo dimostra che i problemi più difficili hanno la soluzione più semplice. »

« Non ha risposto alla mia domanda. »

« La bombola d'ossigeno e il carrello anteriore », disse Pitt. « So da dove vengono. »

Steiger si limitò a guardarlo con gli occhi velati dallo scetticismo.

« Voglio dire », continuò Pitt, « che abbiamo trascurato l'unica caratteristica comune a tutti e due. »

« Non riesco a vedere il nesso », disse Steiger. « Quando sono installati a bordo di un aereo funzionano grazie a due sistemi di flusso completamente diversi. Uno è a gas, e l'altro è idraulico. »

« Sì. Ma li tolga dall'aereo, e vedrà che hanno qualcosa in comune. »

« Che cosa? »

Pitt fissò Steiger e sorrise. Continuò a sorridere per un po'. Quindi pronunciò le parole magiche.

« Galleggiano. »

8.

A FIANCO degli *executive jets* più slanciati ed eleganti, il Catlin M-200 sembrava un rospo volante. Era più lento nel volo e aveva un'unica qualità che lo riscattava, una qualità che nessun altro aereo delle sue dimensioni possedeva. Il Catlin era stato creato per atterrare e decollare nei posti più impossibili portando carichi pari al doppio del suo peso.

Il sole brillava sulle sfumature acquamarina che ornavano la fusoliera mentre il pilota virava e faceva posare l'aereo sulla stretta pista asfaltata dell'aeroporto di Lake County nei pressi di Leadville e lo faceva arrestare bruscamente con un margine di circa seicento metri, quindi si girava per dirigersi verso l'area dove erano in attesa Pitt e Steiger. Quando fu più vicino, sulla fiancata spiccò più nitida la sigla NUMA. Il Catlin si fermò, i motori si spensero e dopo pochi istanti il pilota scese e andò incontro ai due uomini.

« Mille grazie, amico », disse rivolgendosi a Pitt con una smorfia.

« Mi ringrazi per una vacanza nelle Montagne Rocciose con tutte le spese pagate? »

« No, perché mi hai tirato giù dal letto nel cuore della notte, mentre ero in compagnia di una rossa scatenata, per mettere insieme il carico e arrivare fin qui da Washington. »

Pitt si girò verso Steiger. « Colonnello Abe Steiger, le presento Al Giordino, che qualche volta è per me un abile assistente, ma più spesso è un grosso grattacapo, della National Underwater and Marine Agency. »

Giordino e Steiger si squadrarono come due pugili professionisti. Se non fosse stato perché Steiger aveva la testa rasata e i lineamenti semitici, mentre Giordino ostentava un malizioso sogghigno italiano e una quantità di riccioli neri, avrebbero potuto passare per fratelli. Avevano la stessa statura e lo stesso peso, e persino i muscoli che cercavano di erompere dagli indumenti sembravano colati nello stesso stampo. Giordino tese la mano.

«Colonnello, mi auguro che noi due non dovremo mai litigare.»

«È un sentimento pienamente ricambiato», disse Steiger con un sorriso amichevole.

«Hai portato l'equipaggiamento che ho chiesto?» indagò Pitt.

Giordino annuì. «Ho dovuto intrallazzare un po'. Se l'ammiraglio venisse a conoscenza del tuo progettino segreto, farebbe una delle sue celebri sfuriate.»

«L'ammiraglio?» chiese Steiger. «Non capisco cosa c'entri la Marina con questa storia.»

«Non c'entra», rispose Pitt. «Ma l'ammiraglio in pensione James Sandecker è il direttore della NUMA. È anche una specie di zio Paperone, e disapprova le spese clandestine da parte di collaboratori che non sono inclusi nel bilancio fiscale dell'agenzia.»

Steiger inarcò le sopracciglia. «Questo significa che lei ha detto a Giordino di prendere un aereo e di portarlo a spese del governo e senza autorizzazione attraverso metà degli Stati Uniti... per non parlare dell'equipaggiamento rubato?»

«Qualcosa del genere, sì.»

«E ci riusciamo benissimo», disse Giordino con aria imperturbabile.

«Si risparmia un mucchio di tempo», dichiarò Pitt. «Gli impicci burocratici sono una tale seccatura.»

«Incredibile», disse Steiger a voce bassa. «Probabilmente finirò davanti alla corte marziale come vostro complice.»

«No, se noi ce la caveremo impunemente», lo incoraggiò Pitt. «Intanto, se voi due slegate il carico, io accosto la jeep all'aereo a marcia indietro.» E si avviò verso il parcheggio.

Steiger lo seguì per un momento con lo sguardo, poi si rivolse a Giordino. «Lo conosce da molto tempo?»

«Dalla prima elementare. Ero il bullo della classe. Quando Dirk venne a stare nel quartiere e si presentò a scuola per il primo giorno, me lo lavorai a dovere.»

«Gli fece capire chi comandava?»

«Non proprio.» Giordino aprì il portello della stiva. «Gli feci sanguinare il naso e gli annerii un occhio, ma lui si alzò e mi tirò un calcio all'inguine che mi costrinse a camminare storto per una settimana.»

«A sentirla, sembra un tipo subdolo.»

«Diciamo semplicemente che Pitt ha molto fegato, l'intelligenza necessaria e lo strano dono di travolgere tutti gli ostacoli che incontra sulla sua strada, naturali o artificiali che siano. Ha il cuore tenero con i bambini e gli animali e aiuta le vecchiette a salire sulle scale mobili. Per quanto mi risulta, non ha mai rubato un soldo in vita sua e non si è mai servito dei suoi talenti subdoli per interesse personale. A parte questo, è un individuo straordinario.»

«Pensa che questa volta potrebbe essersi spinto troppo in là?»

«Allude alla caccia a un aereo inesistente?»

Steiger annuì.

«Se Pitt le dice che Babbo Natale esiste, le consiglio di preparare un posto per una mandria di renne, perché sarà meglio per lei credergli.»

9.

INGINOCCHIATO sul fondo di una barca a remi d'alluminio, Pitt stava regolando il monitor della TV. Steiger era seduto a poppa e usava i remi. Giordino era su un'altra barca, circa sei metri più avanti, seminascosto da una foresta di trasmittenti a batteria. Mentre remava, continuava a tener d'occhio il cavo che passava sopra la poppa e spariva nell'acqua. All'altra estremità del cavo c'era una telecamera chiusa in un involucro impermeabile.

«Svegliatemi quando va in onda un bel film dell'orrore», disse Giordino con uno sbadiglio.

«Continui a remare», borbottò Steiger. «Comincio a ridurre la distanza che ci separa.»

Pitt non partecipava a quel dialogo ozioso. La sua attenzione era concentrata sullo schermo. La fredda brezza pomeridiana scendeva dalle pendici dei monti e sollevava minuscole onde sulla superficie del lago. Per Giordino e Steiger era piuttosto difficile mantenere allineate le barche con le braccia indolenzite.

Fin dalla prima mattina i soli oggetti apparsi sul monitor erano mucchi di pietre sparsi sul fondo fangoso, resti imputriditi di alberi morti da molto tempo che con i rami sfrondati cercavano di afferrare la telecamera, e qualche trota arcobaleno che, sorpresissima, si affrettava a girare alla larga.

«Non sarebbe stato più facile compiere una ricerca con l'attrezzatura subacquea?» chiese Steiger, interrompendo l'attento scrutinio di Pitt.

Pitt si stropicciò gli occhi stanchi. «La TV è molto più efficiente. E in certi tratti il lago è profondo sessanta metri. Un sommozzatore potrebbe restarci solo pochi minuti. E tenga conto del fatto che quindici metri sotto la superficie l'acqua si avvicina al punto di congelamento. Nel complesso, la situazione è molto scomoda. Se un uomo è fortunato può reggere il freddo poco più di dieci minuti. »

« E se trovassimo qualcosa? »

« Allora metterò una muta e mi immergerò per dare un'occhiata. Ma non lo farò neppure un attimo prima. »

Qualcosa si materializzò sul monitor e Pitt si tese in avanti per vedere meglio, schermando la luce del giorno con un telo nero.

« Credo che abbiamo trovato il film dell'orrore chiesto da Giordino », annunciò.

« E sarebbe? » chiese ansiosamente Steiger.

« Sembra una vecchia baita di tronchi. »

« Una baita? »

« Guardi un po'. »

Steiger si curvò sulla spalla di Pitt e osservò lo schermo. La telecamera, a una profondità di trentacinque metri sotto le barche, trasmetteva attraverso l'acqua gelida l'immagine di quella che sembrava una struttura distorta. La luce tremolante del sole che filtrava sotto la superficie smossa e la scarsa visibilità congiuravano per offrire un'immagine spettrale.

« Come c'è arrivata? » chiese Steiger in tono sorpreso.

« Non è un mistero », spiegò Pitt. « Il Table Lake è un lago artificiale. Nel 1945 lo stato sbarrò con una diga il fiume che attraversa la valle. Una segheria abbandonata che sorgeva in riva al vecchio letto fu sommersa quando salì il livello dell'acqua. La baita che vediamo doveva essere uno dei dormitori. »

Giordino ritornò indietro per dare un'occhiata. « Manca solo il cartello 'Vendesi'. »

« È straordinariamente conservata », mormorò Steiger.

« Sì, grazie all'acqua dolce e freddissima », precisò Pitt. Poi: « E questa era l'attrazione turistica locale. Vogliamo continuare? »

« Ancora per molto? » chiese Giordino. « Gradirei un po' di nutrimento liquido, preferibilmente del tipo che esce da una bottiglia. »

«Fra un paio d'ore sarà buio», disse Steiger. «Propongo di fermarci, per oggi.»

«Sono d'accordo.» Giordino guardò Pitt. «Cosa ne dici, capitano Bligh? Devo recuperare la telecamera?»

«No, tienila immersa. La rimorchieremo fino al molo.»

Giordino girò la barca di centottanta gradi e incominciò a remare per tornare alla base.

«Credo che la sua teoria non regga», disse Steiger. «Abbiamo rastrellato per due volte il centro del lago e ci abbiamo guadagnato soltanto muscoli indolenziti e l'immagine di una baracca cadente. Si arrenda all'inevitabile, Pitt. In questo lago non c'è niente d'interessante, tranne i pesci.» Si interruppe e indicò l'attrezzatura televisiva. «A proposito... che cosa non darebbe un pescatore per aver a disposizione tutta questa roba!»

Pitt alzò gli occhi verso Steiger con aria pensierosa. «Al, punta verso il vecchio che sta pescando a riva, sulla tua sinistra.»

Giordino si voltò nella direzione che Pitt indicava. Annuì in silenzio e cambiò rotta. Steiger lo imitò.

Dopo pochi minuti le barche arrivarono a portata di voce di un anziano pescatore che in quel momento stava lanciando la lenza accanto a un grosso macigno affiorante dalla superficie del lago. Il vecchio alzò la testa e accennò un saluto quando Pitt lo chiamò.

«Come va?»

«Non è molto originale», borbottò Steiger.

«Oggi va un po' a rilento», rispose il pescatore.

«Viene spesso a pescare nel Table Lake?»

«Ci vengo ogni tanto da ventidue anni.»

«Sa dirmi qual è la parte del lago dove i pesci mangiano più esche?»

«Come ha detto?»

«C'è una parte del Table Lake dove i pescatori perdono spesso le esche?»

«Là, verso la diga, c'è un tronco sommerso dove succede spesso.»

«A che profondità?»

«Due metri e mezzo, forse tre.»

«Io sto cercando un posto molto più profondo», disse Pitt.

Il vecchio pescatore rifletté per un momento. «Su, verso la palude all'estremità nord del lago c'è una fossa. L'estate scorsa ci ho rimesso due dei miei *spinners* migliori. Molti pesci grossi stanno nelle acque profonde quando fa caldo. Ma non vi consiglio di provare là, se non siete comproprietari di un negozio di articoli da pesca.»

«La ringrazio per il consiglio», disse Pitt, e salutò con la mano. «Buona fortuna.»

«Anche a voi», disse di rimando il vecchio pescatore. Ricominciò a lanciare la lenza e dopo pochi istanti la sua canna si inarcò: un pesce aveva abboccato.

«Hai sentito, Al?»

Giordino guardò con nostalgia il pontile, poi l'estremità nord del lago, che distava circa quattrocento metri. Si rassegnò, sollevò la telecamera perché non strusciasse sul fondo, si assestò i guanti e riprese i remi. Steiger lanciò a Pitt un'occhiata fulminante ma alzò bandiera bianca.

Per mezz'ora dovettero lottare con le onde trasversali e procedettero lentamente. Steiger e Giordino sgobbavano in silenzio: Giordino perché aveva una cieca fiducia nel giudizio di Pitt, Steiger perché non voleva arrendersi davanti a Giordino. Pitt rimase incollato al monitor. Ogni tanto ordinava a Giordino di regolare la profondità.

Il fondo del Table Lake incominciò a salire mentre si avvicinavano alla palude. All'improvviso il fondale si abbassò e l'acqua diventò più scura.

Si fermarono per abbassare la telecamera, poi ripresero a remare.

Dopo pochi metri, un oggetto curvo apparve sullo schermo.

La forma non era definita nettamente, e non aveva un contorno naturale.

«Fermi!» ordinò Pitt.

Steiger si accasciò sul sedile e si rilassò; ma Giordino lanciò uno sguardo penetrante attraverso la breve distanza che separava le due barche. Aveva sentito altre volte Pitt usare quel tono di voce.

La telecamera si avvicinò lentamente all'oggetto che si andava materializzando sul monitor. Pitt rimase immobile come un macigno quando davanti ai suoi occhi apparve una grande stella bianca su sfondo blu. Attese che la telecamera continuasse a muoversi. Aveva la bocca arida come la polvere del Kansas.

Giordino si era avvicinato e teneva accostate le due barche. Steiger percepì la tensione, alzò la testa e guardò Pitt con aria interrogativa.

« Trovato qualcosa? »

« Un aereo con contrassegni militari », rispose Pitt che si sforzava di dominare l'eccitazione.

Steiger si portò prudentemente a poppa e guardò il monitor, incredulo. La telecamera era passata sopra l'ala e adesso tornava indietro lungo la fusoliera. Sullo schermo apparve un portello quadrato e sovrastato dalla scritta MILITARY AIR TRANSPORT SERVICE.

« Gesù! » esclamò Giordino. « Un aereo da trasporto militare del MATS! »

« Riconosce il modello? » chiese febbrilmente Steiger.

Pitt scosse la testa. « Ancora no. L'angolazione della telecamera ha mancato la sezione più facile da identificare, quella dei motori e del muso. Ha incontrato la punta dell'ala sinistra e, come può vedere, si sta spostando verso la coda. »

« Il numero di serie dovrebbe essere dipinto sullo stabilizzatore verticale », mormorò Steiger come se pregasse.

Continuarono a guardare affascinati quella scena straordinaria. L'aereo era affondato profondamente nel fango. La fusoliera si era spaccata a poppa delle ali, e la sezione di coda era storta.

Giordino azionò leggermente i remi e rimorchiò la telecamera su una rotta nuova per correggere il campo visivo.

La risoluzione era così perfetta che riuscivano quasi a scorgere i rivetti sulla superficie d'alluminio. Era uno spettacolo strano e incongruo. Per loro era difficile accettare l'immagine offerta dall'attrezzatura televisiva.

Poi trattennero il respiro mentre dalla destra incominciava ad apparire il numero stampigliato sullo stabilizzatore verticale. Pitt zumò in modo che non ci fossero errori nell'identificazione. Prima un 7, poi un 5, poi un 4 e infine 03. Per un momento Steiger fissò Pitt: l'effetto sconvolgente della verità che stentava ad accettare rendeva vitrei i suoi occhi come quelli di un sonnambulo.

« Mio Dio, è lo 03. Ma è impossibile! »

« Lo vede, no? » disse Pitt.

Giordino si tese e strinse la mano dell'amico. « Io non ne avevo mai dubitato. »

« Prendo atto della tua fiducia in me », commentò Pitt.

« E adesso che facciamo? »

« Caliamo una boa e per oggi chiudiamo. Domattina scenderemo a vedere quel che possiamo trovare nel relitto. »

Steiger continuava a scuotere la testa. « Non dovrebbe essere qui... non dovrebbe essere qui. »

Pitt sorrise. « Il bravo colonnello rifiuta di credere ai propri occhi. »

« Non è questo », disse Giordino. « Steiger ha un problema psicologico. »

« Un problema? »

« Sì. Non crede a Babbo Natale. »

Nonostante l'aria fredda del mattino, Pitt sudava nella muta. Controllò la valvola del respiratore, alzò i pollici per segnalare a Giordino che andava tutto bene e si tuffò dalla barca.

L'acqua gelida si insinuò fra la pelle e il rivestimento interno della tuta di neoprene; fu come una scossa elettrica. Per qualche istante rimase appena al di sotto della superficie in attesa che il calore corporeo aumentasse la temperatura dell'acqua intrappolata. Quando diventò sopportabile, si liberò le orecchie, scalciò con le pinne, e discese in un mondo bizzarro dove l'aria e il vento erano sconosciuti. La cima che partiva dalla boa scendeva verso il fondo, e Pitt la seguì.

Il fondale parve salire verso di lui. La pinna destra strusciò nel fango prima che Pitt si portasse in assetto orizzontale, e sollevò una nube grigia che si diffuse a fungo, come il fumo dell'esplosione d'una petroliera.

Pitt controllò il profondimetro: quarantadue metri. Poteva restare sul fondo per circa dieci minuti prima di cominciare a preoccuparsi per la decompressione.

Il nemico principale era la temperatura dell'acqua. La pressione gelida avrebbe influito sulla sua concentrazione e sulla sua capacità di agire. Il calore corporeo sarebbe stato risucchiato molto presto dal freddo, avrebbe spinto la sua capacità di resistenza oltre il limite, verso la stanchezza eccessiva.

La visibilità non superava i due metri e mezzo, ma non era un ostacolo. La boa di segnalazione aveva mancato di pochi centimetri l'aereo sommerso e Pitt non doveva far altro che tendere la mano per toccare la superficie metallica. Si era chiesto quali sensazioni avrebbe provato. Era certo che la paura e l'apprensione avrebbero cercato di afferrarlo con i loro tentacoli, ma non fu così. Provava invece una strana soddisfazione, come se fosse arrivato alla fine d'un viaggio lungo e sfibrante.

Nuotò sopra i motori, le pale delle eliche piegate all'indietro come i petali di un iris, le testate dei cilindri che non avrebbero più conosciuto il calore della combustione. Passò accanto ai finestrini della cabina di pilotaggio. I vetri erano ancora intatti ma coperti dalla fanghiglia che impediva di vedere nell'interno.

Era sul fondo già da due minuti. Si avvicinò allo squarcio nella fusoliera, entrò e accese il faretto.

Le prime cose che i suoi occhi distinsero nell'oscurità

furono i grandi contenitori argentei. Le cinghie si erano spezzate, e i contenitori erano rotolati sul pavimento della stiva. Cautamente, Pitt li aggirò e varcò la porta aperta della cabina di pilotaggio.

C'erano quattro scheletri ai loro posti, trattenuti dalle cinture di sicurezza. Le dita ossute del navigatore erano ancora contratte; lo scheletro davanti al quadro del motorista era reclinato all'indietro, con il cranio piegato da una parte.

Pitt si avvicinò, nonostante la paura e la ripugnanza. Le bollicine del regolatore dell'aria salivano a mescolarsi in un angolo del soffitto. La scena era resa ancora più credibile dal fatto che sebbene i cadaveri fossero ridotti a scheletri, gli indumenti erano praticamente intatti. L'acqua gelida aveva sconfitto il processo di putrefazione e l'equipaggio era ancora in uniforme, come al momento della morte.

Il copilota era teso, con la bocca aperta in quello che Pitt immaginava fosse un urlo spettrale. Il pilota era piegato in avanti e quasi sfiorava con la testa il quadro degli strumenti. Dal taschino spuntava una piastrina metallica. Pitt la prese e la infilò in una manica della tuta. Da una tasca accanto al sedile del pilota c'era una busta di vinyl, e Pitt prese anche quella.

Un'occhiata all'orologio gli annunciò che il tempo era scaduto. Non aveva bisogno di solleciti per puntare verso la superficie e i raggi del sole. Il freddo gli si diffondeva nel sangue e gli annebbiava la mente. Avrebbe giurato che gli scheletri si fossero voltati a guardarlo con le occhiaie vuote.

Si affrettò a uscire dalla cabina e si girò dove lo spazio lo permetteva, nella stiva. E in quel momento vide un piede scheletrito dietro uno dei contenitori. Il corpo era fissato da cinghie agli anelli che servivano per legare il carico. Diversamente dai quattro dell'equipaggio, presentava ancora brandelli di carne aderenti alle ossa.

Pitt lottò contro il fiotto di bile che gli saliva alla gola e studiò più attentamente quello che era stato un uomo.

Non aveva addosso l'uniforme azzurra dell'Aeronautica, bensì una color kaki, simile a quelle usate un tempo dall'Esercito. Frugò le tasche ma non trovò nulla.

Un segnale d'allarme cominciò a squillare nella sua mente. Le braccia e le gambe stavano perdendo la sensibilità e s'irrigidivano per il freddo. Si muoveva come se fosse immerso in uno sciroppo. Se non fosse tornato subito al caldo, il vecchio aereo avrebbe fatto probabilmente un'altra vittima. Aveva la mente annebbiata; per un momento fu assalito dal panico, si confuse e perse l'orientamento. Poi notò le bollicine del respiratore che uscivano dalla stiva e salivano verso la superficie.

Voltò le spalle allo scheletro e seguì le bollicine fino all'aperto. A tre metri dalla superficie scorse la chiglia della barca che tremolava nella luce rifratta come un oggetto in un film surrealista. Riusciva persino a distinguere la testa di Giordino, apparentemente priva di corpo, che scrutava dalla barca.

Ebbe appena la forza di afferrarsi a un remo. Poi Giordino e Steiger lo issarono a bordo come un bambino.

« Mi aiuti a togliergli la tuta », ordinò Giordino.

« Dio, è diventato blu. »

« Ancora cinque minuti là sotto e sarebbe incominciata l'ipotermia. »

« L'ipotermia? » chiese Steiger mentre spogliava Pitt.

« Perdita del calore corporeo », spiegò Giordino. « Non è raro che causi la morte di un sommozzatore. »

« Non sono ancora pronto per finire nelle mani dei periti settori », riuscì a sibilare Pitt fra un brivido e l'altro.

I due lo massaggiarono energicamente con gli asciugamani e lo avvolsero nelle coperte di lana. A poco a poco gli arti riacquistarono la sensibilità e il sole caldo accrebbe la sensazione di benessere penetrando nella pelle. Bevve un caffè bollente, sebbene sapesse che gli effetti ristoratori erano più psicologici che fisiologici.

« Sei uno stupido », inveì Giordino, più preoccupato che incollerito. « C'è mancato poco che ti ammazzassi restando là sotto troppo a lungo. L'acqua deve essere vicina al punto di congelamento. »

« Che cosa ha trovato? » chiese ansiosamente Steiger.

Pitt si sollevò a sedere. La sua mente si era quasi snebbiata. « Una busta. Avevo una busta. »

Giordino gliela mostrò. « C'è ancora. La stringevi con la mano sinistra. »

« E una piastrina metallica? »

« Ce l'ho io », disse Steiger. « Le è caduta dalla manica. »

Pitt si abbandonò contro il bordo della barca e bevve un altro sorso di caffè fumante. « La stiva è piena di grossi contenitori... di acciaio inossidabile, visto che la corrosione è minima. Non so che cosa ci sia dentro. Non ci sono scritte. »

« Che forma hanno? » chiese Giordino.

« Cilindrica. »

Steiger aggrottò la fronte. « Non so immaginare che tipo di carico militare richieda la protezione di contenitori d'acciaio inossidabile. » Poi fissò Pitt. « E l'equipaggio? C'era qualche traccia dell'equipaggio? »

« Quello che resta degli uomini è ancora legato ai sedili. »

Giordino aprì un'estremità della busta di vinyl. « Forse le carte sono ancora leggibili. Penso di poterle separare e asciugare, su nella baita. »

« Probabilmente è il piano di volo », disse Steiger. « Ancora oggi certi piloti preferiscono quel tipo di busta ai modelli nuovi di plastica per tenere le carte. »

« Forse ci rivelerà che cosa ci faceva l'aereo, così lontano dalla rotta. »

« Lo spero », disse Steiger. « Voglio conoscere tutti i fatti per risolvere il mistero prima di scaricarlo su una scrivania del Pentagono. »

« Ah... Steiger. »

Il colonnello guardò Pitt con aria interrogativa.

« Mi dispiace darle una notizia che rovinerà i suoi piani,

ma nell'enigma dello 03 c'è qualcosa di più di quello che salta agli occhi... molto di più. »

« Abbiamo trovato il relitto intatto, no? » Steiger si sforzò di dominare la voce. Non voleva perdersi il momento di trionfo. « La verità è a pochi metri da noi. Ora non dobbiamo far altro che ripescarlo dal lago. Che altro c'è? »

« Un dilemma molto sgradevole che nessuno di noi aveva previsto. »

« Quale dilemma? »

« Purtroppo », disse Pitt abbassando la voce, « abbiamo per le mani anche un omicidio. »

10.

GIORDINO sparse il contenuto della busta sul tavolo della cucina. Erano sei fogli in tutto. La piastrina di alluminio che Pitt aveva trovato nella tasca del pilota era a bollire in una soluzione che Giordino aveva preparato per far riapparire le tracce delle incisioni sul metallo.

Pitt e Steiger erano in piedi davanti al fuoco scoppiettante e bevevano caffè. Il camino di pietra locale riscaldava tutta la stanza.

«Si rende conto delle conseguenze di ciò che dice?» fece notare Steiger. «Sta tirando fuori dal nulla un reato gravissimo, senza uno straccio di prova...»

«Cerchi di capire», disse Pitt. «Si comporta come se stessi accusando di omicidio l'Aeronautica degli Stati Uniti, e invece non accuso nessuno. D'accordo, le prove sono indiziarie, ma sono pronto a scommettere che un perito legale mi darà ragione. Lo scheletro nella stiva non è quello di un uomo morto trentaquattro anni fa con l'equipaggio.»

«Come fa a esserne sicuro?»

«Ci sono molte cose che non quadrano. Tanto per cominciare, il passeggero imprevisto ha ancora brandelli di carne sulle ossa. Gli altri sono ridotti a scheletri da decenni. E questo, almeno per me, indica che è morto parecchio tempo dopo l'incidente. E poi era legato mani e piedi agli anelli per fissare il carico. Con un po' d'immaginazione si può pensare a un omicidio stile gangster.»

«Sta diventando melodrammatico.»

«No, melodrammatica è la scena. Un mistero è legato illogicamente all'altro.»

«Okay, prendiamo quello che sappiamo essere vero», disse Steiger. «L'aereo con il numero di serie 75403 non è dove si pensava che fosse. Ma esiste.

«E credo possiamo dare per certo che l'equipaggio è ancora là sotto», continuò. «In quanto al cadavere di troppo, forse il rapporto non precisava chi fosse. Potrebbe essere stato assegnato alla missione all'ultimo momento, un motorista di riserva o un meccanico che si era legato agli anelli poco prima che l'aereo precipitasse.»

«Come spiega l'uniforme diversa? È kaki, non blu.»

«Non so rispondere... e lei non può affermare con certezza che sia stato assassinato molto tempo dopo l'incidente.»

«Il problema è proprio questo», ribatté con calma Pitt. «Credo di sapere chi è l'ospite non invitato. Se ho ragione, la sua eliminazione a opera di una o più persone sconosciute diventa una certezza fondamentale.»

Steiger inarcò le sopracciglia. «L'ascolto», mormorò. «A chi sta pensando?»

«All'uomo che aveva costruito questa baita. Si chiamava Charlie Smith ed era il padre della deputata Loren Smith.»

Steiger rimase in silenzio per qualche istante, colpito dall'enormità di quelle parole. Finalmente disse: «Che prove può dare?»

«Qualche frammento... e lo intendo letteralmente. So da fonte bene informata che, secondo le perizie, Charlie Smith finì a pezzi in seguito a un'esplosione causata da lui stesso. Trovarono soltanto uno stivale e un pollice. Un tocco di genio, non le sembra? Molto preciso. Dovrò tenerlo in mente la prima volta che vorrò far fuori qualcuno. Provocare un'esplosione e appena ricade la polvere buttare al margine del cratere fumante una calzatura riconoscibile e un pezzetto identificabile della vittima. Più tardi gli amici riconoscono lo stivale e l'ufficio dello sceriffo non può che confermare, dopo aver prelevato l'impronta del pollice. Intanto ho sepolto il resto del cadavere dove spero che non verrà mai trovato. La morte della mia vittima passa per un incidente e io tiro avanti allegramente per la mia strada.»

« Mi sta dicendo che allo scheletro nella stiva mancano uno stivale e un pollice? »

Pitt annuì.

Alle nove e mezzo Giordino era pronto. Incominciò a dare spiegazioni a Pitt e Steiger come se fossero allievi di un corso di chimica alle medie superiori. « Come potete vedere, dopo più di tre decenni di immersione la busta di vinyl, che è inorganica, è praticamente nuova, ma la carta all'interno è quasi ridiventata pasta. Il contenuto era ciclostilato... un procedimento comune prima dell'avvento delle fotocopiatrici. L'inchiostro, purtroppo, è quasi sparito e nessun laboratorio di questa terra più farlo riapparire, neppure con un superingrandimento. Tre dei fogli sono rovinati al punto che non è rimasto niente di leggibile. Il quarto, sembra, conteneva informazioni meteorologiche. Qualche parola leggibile qua e là si riferisce ai venti, alle quote e alle temperature atmosferiche. L'unica frase che sono riuscito a decifrare dice: 'Il cielo si schiarisce oltre i pendii occidentali'. »

« E si riferisce alle Montagne Rocciose del Colorado », interruppe Pitt.

Steiger strinse convulsamente l'orlo del tavolo. « Cristo, avete idea di quel che significa? »

« Significa che lo 03 non era partito dalla California come afferma il rapporto », puntualizzò Pitt. « Il punto di partenza doveva essere a est di qui, se all'equipaggio interessavano le condizioni meteorologiche sullo Spartiacque Continentale. »

« E questo è il foglio numero quattro », proseguì Giordino. « In confronto agli altri, il foglio numero cinque è una vera miniera di informazioni. Si scorgono diverse combinazioni di parole, inclusi i nomi di due membri dell'equipaggio. Molte lettere sono illeggibili, ma ricorrendo alla deduzione più elementare possiamo intuirne il significato. Qui, per esempio. »

Giordino indicò il foglio e gli altri due si chinarono per osservare.

com nd   t   a re : ma   ay on V l nde

«Riempiamo gli spazi vuoti», continuò Giordino, «e abbiamo: comandante dell'aereo: maggiore Raymond Vylander.»

«E questa è la combinazione», disse Pitt indicando, «che dà il nome e il grado del meccanico di bordo.»

«Joseph Burns», confermò Giordino. «Nelle righe seguenti le lettere mancanti sono troppo numerose per capire il significato. Poi c'è questo.» Indicò più in basso.

N me   dice: ix n 03

«È il codice di chiamata segreto», intervenne Pitt. «Ne viene assegnato uno a tutti gli aerei in missione classificata. Di solito è un nome seguito dalle ultime due cifre del numero dell'aereo.»

Steiger lo fissava con aria di sincero rispetto. «Come fa a saperlo?»

«L'ho sentito dire da qualche parte.» Pitt scrollò le spalle.

Giordino indicò gli spazi vuoti. «Dunque abbiamo: 'Nome in codice *qualcosa* 03'.»

«Quali nomi hanno 'ix' nel mezzo?» chiese Steiger.

«Molto probabilmente la lettera che manca dopo la *x* è una *e* oppure una *o*.»

«Potrebbe essere 'Nixon'?» suggerì Giordino.

«Non credo che un semplice aereo da trasporto portasse il nome di un vicepresidente», disse Pitt. «Penso che sia invece 'Vixen 03'.»

«Vixen 03», ripeté Steiger a voce bassa. «Un'ipotesi valida, direi.»

«Andiamo avanti», disse Giordino. «L'ultima parte decifrabile del quinto foglio è 'O-vuoto-A, Rongelo 06 vuoto'.»

«'Orario previsto per l'arrivo, sei del mattino a Rongelo' », spiegò Steiger con aria ancora incredula. « E dove diavolo è? Il Vixen 03 doveva atterrare alle Hawaii. »

« Io dico quello che vedo », ribatté Giordino.

« E il sesto foglio? » chiese Pitt.

« Non c'è molto. Tutto incomprensibile, a parte una data e una classificazione della sicurezza, in basso. Guarda tu. »

```
    rdin  d ati      2    nn io  954
Aut riz   o  d:        r   lt r B  s
COD     TO  SEC  T    1A
```

Steiger esaminò lo scritto. « La prima riga significa 'Ordini datati 2 gennaio', e quel 2 può indicare un giorno fra il 20 e il 29. L'anno è il 1954. »

Pitt disse: « La seconda riga, mi sembra, è 'autorizzato da', ma il nome dell'ufficiale è illeggibile. Però il grado di generale corrisponde ».

« E infine abbiamo 'Codice top-secret uno-A' », osservò Giordino. « È la classificazione massima. »

« Credo si possa desumere », opinò Pitt, « che qualcuno ai vertici del Pentagono o della Casa Bianca, o dell'uno e dell'altra, avesse diffuso un rapporto fuorviante sull'incidente del Vixen 03 per nascondere la verità. »

« In tutti gli anni che ho passato in Aeronautica non ho mai sentito parlare di una cosa simile. Perché spacciare una menzogna così flagrante a proposito di un aereo normalissimo in un volo di routine? »

« Affronti i fatti, colonnello. Il Vixen 03 non era un aereo normalissimo. Il rapporto afferma che partì dalla base aerea Travis, presso San Francisco, e che doveva atterrare all'Hickam Field, nelle Hawaii. Ora, noi sappiamo che l'equipaggio era diretto verso una destinazione che si chiama Rongelo. »

Giordino si grattò la testa. « Non ricordo di aver mai sentito parlare di un posto con quel nome. »

« Neppure io », disse Pitt. « Ma è un mistero che potremo risolvere con un atlante. »

« Quindi, cosa abbiamo in mano? » chiese Steiger.

« Non molto », ammise Pitt. « Sappiamo soltanto che verso la fine di gennaio del 1954 un C-97 decollò da un punto nella parte est degli Stati Uniti, o nel Middle West, per un volo segretissimo. Ma mentre sorvolava il Colorado, successe qualcosa. Un guasto meccanico costrinse l'equipaggio a far scendere l'aereo nella zona peggiore che si possa immaginare. Credevano di aver avuto fortuna: per miracolo non andarono a sbattere contro una montagna. Vylander trovò una radura e portò lo Stratocruiser in posizione per un atterraggio d'emergenza. Ma dato che era gennaio e il terreno era senza dubbio coperto di neve, non si accorse che in realtà la radura era un lago ghiacciato. »

« Perciò, quando l'aereo rallentò e si assestò con tutto il suo peso », mormorò Steiger in tono assorto, « il ghiaccio si spaccò e l'aereo sprofondò nel lago. »

« Appunto. L'afflusso dell'acqua nella falla e lo shock causato dal freddo sopraffecero gli uomini dell'equipaggio prima che potessero reagire. Annegarono ai loro posti. Nessuno assistette all'incidente, l'acqua tornò a ghiacciare e tutti i segni della tragedia furono cancellati. Le ricerche non portarono a nulla, e più tardi il Vixen 03 fu liquidato con un falso rapporto e dimenticato. »

« La trama è interessante », fece notare Giordino. « E mi sembra che funzioni. Ma cosa c'entra Charlie Smith? »

« Credo che mentre pescava avesse agganciato la bombola d'ossigeno. Aveva una mente indagatrice, e probabilmente dragò la zona e riuscì a liberare dal relitto il carrello di prua che era già spezzato. »

« Mi sarebbe piaciuto vedere la sua faccia quando il carrello è affiorato », disse Giordino con un sorriso.

« Anche se fossi disposto a credere che Smith sia stato assassinato », obiettò Steiger, « non riuscirei comunque a immaginare un movente. »

Pitt alzò gli occhi e lo guardò. « C'è sempre un movente, quando si uccide un uomo. »

« Il carico », esclamò Giordino, sbalordito. « Era un volo top secret. Mi sembra logico che, qualunque cosa trasportasse il Vixen 03, doveva valere parecchio per qualcuno. Abbastanza per uccidere. »

Steiger scosse la testa. « Se il carico era tanto prezioso, perché non è stato recuperato da Smith o dal suo presunto assassino? Secondo Pitt è ancora là sotto. »

« Sì, ed è sigillato », soggiunse Pitt. « A quanto ho potuto capire, i contenitori non sono mai stati aperti. »

Giordino si schiarì la gola. « Un'altra domanda. »

« Sentiamo. »

« Cosa c'è nei contenitori? »

« Era inevitabile che lo chiedessi », rispose Pitt. « Be', c'è una congettura che merita di essere presa in considerazione. Prendi un aereo che trasporta recipienti cilindrici in una missione segreta nell'oceano Pacifico nel gennaio 1954... »

« Ma certo! » l'interruppe Giordino. « A quel tempo si facevano gli esperimenti con le bombe nucleari a Bikini. »

Steiger si alzò e rimase immobile. « Vuole insinuare che il Vixen 03 trasportava testate nucleari? »

« Io non insinuo niente », ribatté Pitt con noncuranza. « Mi limito a indicare una possibilità, una possibilità interessante. Perché mai l'Aeronautica avrebbe insabbiato la scomparsa di un aereo e lanciato una cortina di fumo di disinformazione? Perché un equipaggio avrebbe sfidato una morte quasi certa per far scendere in mezzo alle montagne un aereo in avaria invece di lanciarsi con il paracadute e lasciare che precipitasse, magari su un'area popolata o negli immediati dintorni? »

« C'è un dettaglio importantissimo che fa crollare la sua teoria. Il governo non avrebbe rinunciato a cercare un carico di testate nucleari. »

« Devo ammettere che ha ragione. È strano che abbiano lasciato in giro armi distruttive sufficienti per annientare metà del paese. »

All'improvviso Steiger arricciò il naso. « Cos'è questo puzzo schifoso? »

Giordino si alzò e andò ai fornelli. « Credo che la piastrina sia pronta. »

« In che cosa l'ha fatta bollire? »

« Un miscuglio di aceto e bicarbonato. Non ho trovato altro che potesse servire. »

« È sicuro che farà riapparire l'incisione? »

« Non lo so. Non sono un chimico. Ma male non ne farà. »

Steiger alzò le braccia al cielo e si rivolse a Pitt. « Lo sapevo, avrei dovuto farla esaminare da tecnici specializzati. »

Giordino ignorò il commento, estrasse la piastrina dall'acqua bollente servendosi di due forchette e l'asciugò con uno strofinaccio per i piatti. Poi l'accostò alla luce e la girò in angolazioni diverse.

« Cosa vedi? » chiese Pitt.

Giordino posò la piastrina d'alluminio sul tavolo. Aspirò profondamente e assunse un'espressione seria.

« Un simbolo », disse con voce tesa. « Il simbolo della radioattività. »

PARTE SECONDA

OPERAZIONE ROSA SELVATICA

11.

A UN occhio distratto il grosso tronco del baobab morto appariva come uno degli altri mille sparsi sulla piana costiera del nord-est della provincia del Natal, in Sud Africa. Era impossibile capire perché fosse morto e da quanto tempo. Aveva una bellezza grottesca; i rami privi di foglie artigliavano il cielo azzurro con le nodose dita lignee, mentre la corteccia putrida si sgretolava e cadeva al suolo in un humus che aveva odore di medicinali. Ma c'era una differenza che distingueva quel baobab dagli altri: il tronco era cavo e all'interno stava acquattato un uomo che scrutava con il binocolo attraverso una piccola apertura.

Era un nascondiglio ideale, copiato da qualche vecchio manuale sulla guerriglia. Marcus Somala, capo sezione dell'Esercito Rivoluzionario Africano, era fiero della sua opera. La notte precedente gli erano bastate due ore per svuotare la materia vegetale spugnosa all'interno dell'albero e spargliarla fra i cespugli. E quando si fu sistemato all'interno, non dovette attendere a lungo per superare il primo esame.

Poco dopo l'alba un operaio nero della fattoria che Somala teneva sotto osservazione arrivò davanti a lui, esitò, poi orinò contro il baobab. Somala sorrise. Provava l'impulso di infilare la lama del suo lungo coltello marocchino attraverso il foro e di tagliare il pene dell'operaio agricolo. Per Somala era un impulso divertente, niente di più. Non cedeva alla tentazione delle azioni stupide. Era un soldato professionista e un rivoluzionario convinto, veterano d'un centinaio di scorrerie. Era fiero di servire sul fronte della crociata che doveva sradicare dal continente africano le ultime vestigia del cancro anglosassone.

Erano passati dieci giorni da quando aveva guidato la

sua squadra di dieci uomini dal campo base in Mozambico, oltre il confine del Natal. Si erano mossi solo di notte, evitando i percorsi abituali delle pattuglie della polizia e nascondendosi nel *bushveld* per sfuggire agli elicotteri della Difesa sudafricana. Era stata una marcia sfibrante. Quell'ottobre, mese che nell'emisfero meridionale apparteneva alla stagione primaverile, era eccezionalmente freddo, e il sottobosco era sempre infradiciato dalla pioggia.

Quando avevano finalmente raggiunto la piccola *township* agricola di Umkono, Somala aveva piazzato i suoi uomini secondo il piano che gli aveva consegnato il suo consigliere vietnamita. Ognuno dei suoi doveva sorvegliare per cinque giorni una fattoria o un centro militare, e raccogliere informazioni per i futuri attacchi. Somala aveva scelto la fattoria dei Fawkes.

Quando l'operaio agricolo si fu allontanato per incominciare la giornata di lavoro, Somala riprese il binocolo e scrutò i campi. Quasi tutti i terreni diboscati e in continua lotta contro il mare invadente di boscaglia e prateria erano coltivati a canna da zucchero. Il resto era adibito a pascolo per piccole mandrie di bovini da carne e da latte, più qualche piantagione di tè e di tabacco. Dietro la casa c'era anche un orto che produceva le verdure per la famiglia dei proprietari.

C'era un fienile di pietra, usato per conservare il mangime per il bestiame e i fertilizzanti: sorgeva un po' lontano dall'enorme capannone che riparava i camion e le macchine agricole. Quattrocento metri più avanti, in riva a un fiumicello tortuoso, c'era un complesso che ospitava una comunità di una cinquantina di lavoratori con le loro famiglie, i loro bovini e le capre.

La casa dei Fawkes dominava la cresta di una collina ed era circondata dai gladioli e dai gigli rossi che orlavano il prato curatissimo. La scena pittoresca era guastata da una recinzione di rete metallica alta tre metri e sovrastata dal filo spinato, che proteggeva la residenza su tutti e quattro i lati.

Somala studiò con attenzione la barriera. Era robusta. I pali di sostegno erano grossi, e sicuramente ben affondati nel cemento. Solo un carro armato avrebbe potuto sfondarla. Spostò il binocolo fino a quando non vide apparire un uomo muscoloso con un fucile a ripetizione appeso alla spalla. La guardia si appoggiò a una piccola baracca di legno, accanto al cancello. Non sarebbe stato difficile cogliere di sorpresa le guardie ed eliminarle, pensò Somala. Ma a incrinare la sua sicurezza c'erano i cavi sottili che andavano dalla recinzione alla cantina della casa. Non aveva bisogno delle spiegazioni di un ingegnere elettrotecnico per capire che la recinzione era collegata a un generatore. Poteva solo chiedersi quale era la potenza del voltaggio che scorreva, invisibile, nella rete metallica. E notò che uno dei cavi entrava nella baracca della guardia. Quindi c'era un interruttore che la guardia doveva far scattare ogni volta che veniva aperto il cancello: e quello era il punto debole del sistema difensivo.

Soddisfatto della scoperta, Somala si assestò nel rifugio, e continuò a osservare e ad attendere.

12.

Il comandante Patrick McKenzie Fawkes, già della Marina britannica camminava avanti e indietro sulla sua veranda con la stessa energia che aveva manifestato un tempo sulla tolda di una nave quando si avvicinava alla base. Era un colosso alto poco meno di due metri, e pesava più di centoventi chili. Gli occhi erano di un grigio scuro, come le acque del Mare del Nord durante una tempesta novembrina. I capelli color stoppa erano pettinati con cura, come la barba alla Giorgio v. Fawkes avrebbe potuto passare per un ufficiale di Marina proveniente da Aberdeen... e infatti lo era stato prima di diventare agricoltore nel Natal.

«Due giorni!» esclamò con un tonante accento scozzese. «Non posso permettermi di allontanarmi per due giorni dalla fattoria. È inumano... sì, è inumano.» Per una specie di miracolo, il tè nella tazza che brandiva non traboccò.

«Se il ministro della Difesa in persona ha chiesto d'incontrarsi con te, il meno che puoi fare è accontentarlo.»

«Dannazione, quello non sa cosa mi ha chiesto.» Fawkes scosse la testa. «Stiamo diboscando nuovi campi. Il toro da concorso che ho comprato a Durban il mese passato deve arrivare domani. I trattori hanno bisogno di manutenzione. No, non posso andare.»

«È meglio che tu faccia scaldare il motore del fuoristrada.» Myrna Fawkes posò il ricamo e alzò lo sguardo verso il marito. «Io ho già fatto i bagagli e ho preparato un pranzo che ti terrà di buonumore fino a che incontrerai a Pembroke il treno del ministro.»

Fawkes fece una smorfia, ma fu un gesto sprecato. In venticinque anni, sua moglie non s'era mai piegata di fronte a lui. Tentò una nuova linea di attacco, per pura ostinazione.

« Sarebbe una grave negligenza da parte mia se lasciassi soli te e i ragazzi, con tutti quei maledetti terroristi che girano nella boscaglia e ammazzano bravi cristiani a destra e a sinistra. »

« Non stai confondendo un'insurrezione con una guerra santa? »

« Proprio l'altro giorno », insistette Fawkes, « un agricoltore e la moglie sono caduti in un'imboscata a Umoro. »

« Umoro è a centotrenta chilometri di distanza », disse sbrigativamente la moglie.

« Potrebbe succedere anche qui. »

« Tu andrai a Pembroke e t'incontrerai con il ministro della Difesa. » Le parole di Myrna Fawkes sembravano incise nella pietra. « Ho ben altro da pensare che star seduta tutta la mattina sulla veranda a discutere con te. Ora sbrigati, e gira alla larga dai saloon di Pembroke. »

Myrna Fawkes era una di quelle donne che non si possono ignorare. Anche se era magra e piccolina, era dura quanto due uomini energici. Fawkes stentava a riconoscerla quando lei non aveva addosso una camicia kaki e un paio di blue jeans rimboccati negli stivali a metà polpaccio. Era capace di fare quasi tutto ciò che sapeva fare lui: aiutare una vacca a sgravarsi, far filare l'esercito dei loro operai indigeni, riparare i cento e più diversi congegni meccanici, curare le donne e i bambini malati e feriti del complesso, cucinare come uno chef francese. Stranamente, non aveva mai imparato a guidare una macchina o ad andare a cavallo ed era chiaro che non intendeva prendersi quel disturbo. Si teneva in forma con passeggiate quotidiane di diversi chilometri.

« Non preoccuparti per noi », continuò Myrna. « Abbiamo cinque guardie armate. Jenny e Patrick Junior sono capaci di far saltare la testa di un mamba a cinquanta metri con un colpo di fucile. E in caso di guai, posso chiamare per radio la polizia. E non dimenticare la recinzione elettrificata. Persino se i guerriglieri riuscissero a superarla, dovrebbero fare i conti con il vecchio Lucifer. » E indicò la doppietta Holland & Holland appoggiata allo stipite della porta.

Prima che Fawkes avesse il tempo di brontolare una risposta, suo figlio e sua figlia arrivarono a bordo di un British Bushmaster e parcheggiarono davanti ai gradini della veranda.

« Il serbatoio è pieno. Tutto pronto per partire, capitano », gridò Patrick Junior. A vent'anni e due mesi aveva la faccia e la snellezza della madre, ma era ancora più alto del padre. La sorella, più giovane di un anno, con l'ossatura robusta e il seno abbondante, sfoggiò un sorriso aperto sul viso spruzzato di lentiggini.

« Non ho più schiuma da bagno, papà », disse Jenny. « Ti ricordi di comprarmene un po' quando sarai a Pembroke? »

« Schiuma da bagno », gemette Fawkes. « Questa è una congiura. Tutta la mia vita è una congiura organizzata dalla mia famiglia. Pensate di poter tirare avanti senza di me? Benissimo. Ma per me siete una banda di ammutinati. »

Myrna lo baciò ridendo, i figli lo spinsero verso il fuoristrada, e Fawkes salì a bordo con una certa riluttanza. Mentre attendeva che la guardia aprisse il cancello, si voltò a guardare la casa. Tutti e tre erano ancora sui gradini della veranda, incorniciati da un traliccio sovraccarico di fiori di bougainvillea. Lo salutarono a cenni e Fawkes li ricambiò. Poi scalò le marce del Bushmaster e uscì sulla strada sterrata lasciandosi dietro una nuvoletta di polvere.

Somala assistette alla partenza del comandante e notò con attenzione la procedura seguita dalla guardia che toglieva la corrente e quindi apriva e richiudeva il cancello. I suoi erano movimenti automatici. Benissimo, pensò Somala. Quell'uomo era annoiato. Meglio così, se fosse venuto il momento di un attacco.

Puntò il binocolo verso la fitta erba degli elefanti inter-

vallata da macchie di cespugli che segnava i confini irregolari della fattoria. Per poco non gli sfuggì. Anzi, gli sarebbe sfuggito se il suo occhio non avesse colto il guizzo luminoso del riflesso del sole. Con una reazione istintiva batté
le palpebre e si strofinò gli occhi. Tornò a guardare.

Un altro nero era sdraiato su una piattaforma sopraele-
vata, parzialmente nascosto dalle fronde di un'acacia. Se
non avesse avuto la faccia più giovane e la carnagione un
po' più chiara, sarebbe potuto passare per Somala. L'in-
truso portava una divisa mimetica identica e aveva un fucile automatico cinese CK-88 e una cartucciera... l'armamen-
to tipico di un soldato dell'Esercito Rivoluzionario Africano. Per Somala era come guardarsi in uno specchio lontano.

I suoi pensieri erano confusi. Sapeva dove dovevano
trovarsi tutti gli uomini della sua sezione. Ma quello non
lo conosceva. Il comitato dei consiglieri vietnamiti aveva
mandato una spia per osservare la sua efficienza? La sua
devozione all'ERA, senza dubbio, era fuori questione. Poi
Somala sentì un brivido scorrergli sulla nuca.

L'altro soldato non osservava lui. Guardava con il binocolo la casa dei Fawkes.

13.

L'AFA era una coltre fradicia e impediva all'acqua di evaporare dalle buche. Fawkes diede un'occhiata all'orologio della plancia. Erano le tre e trentacinque. Fra un'ora sarebbe arrivato a Pembroke. Cominciava a sentire sempre più forte il bisogno di una salutare dose di whisky.

Passò accanto a un paio di ragazzi neri acquattati nel fosso lungo la strada. Non gli badò, e non li vide quando balzarono in piedi e cominciarono a correre nella scia polverosa del Bushmaster. Dopo cento metri la strada si restringeva. Sulla destra c'era una palude con una quantità di canne putride. Sulla sinistra, uno strapiombo scendeva per più di trenta metri verso il letto fangoso del fiume. E davanti a lui un ragazzo sui sedici anni stava in mezzo alla strada. Con una mano stringeva una lancia zulu a lama larga, con l'altra reggeva un sasso.

Fawkes si fermò. Il ragazzo non si spostò e continuò a guardare con torva decisione la faccia barbuta dietro il parabrezza. Indossava calzoncini laceri e una maglietta sporca che non conosceva il sapone. Fawkes abbassò il vetro del finestrino e si affacciò. Sorrise e parlò a voce bassa e cordiale.

« Se hai intenzione di giocare con me a san Giorgio e il drago, figliolo, è meglio che ci ripensi. »

Non ottenne risposta. Poi notò simultaneamente tre immagini, e contrasse i muscoli. C'erano i frammenti di vetro gettati in un solco scavato dalla pioggia. C'erano le tracce parallele delle gomme che curvavano verso l'orlo del precipizio. E l'altra prova tangibile del pericolo era l'apparizione, nello specchietto laterale, dei due ragazzi che inseguivano il fuoristrada. Uno, grasso e pesante, imbracciava un vecchio fucile a catenaccio, e l'altro faceva roteare sopra la testa un machete arrugginito.

Mio Dio, pensò fulmineamente Fawkes. Questi ragazzetti mi hanno teso un'imboscata.

L'unica arma che aveva con sé era il coltello da caccia nel cassetto del cruscotto. I suoi l'avevano spinto a partire così in fretta che non gli avevano dato il tempo di portare il suo revolver 44 Magnum.

Non perse tempo a rimproverarsi. Innestò la marcia indietro e premette l'acceleratore. I pneumatici azzannarono la terra e strattonarono all'indietro il fuoristrada. Fawkes mancò di pochissimo il ragazzo con il machete, ma urtò quello con il fucile e lo fece piombare nella palude. Frenò, innestò la prima e si avventò verso il terzo ragazzo, quello che stava pronto a scagliare la lancia e la pietra.

Non c'era ombra di paura negli occhi dell'adolescente. Piantò nella polvere i piedi nudi e mosse all'unisono le braccia. In un primo momento Fawkes ebbe l'impressione che la mira fosse troppo alta; sentì la lancia sbattere contro il tettuccio e rimbalzare. Poi il parabrezza si dissolse in una grandine di schegge scintillanti e la pietra finì sul sedile anteriore, al suo fianco. Sentì i frammenti di vetro che gli ferivano il viso; ma l'unica cosa che ricordò, più tardi, fu la fredda espressione di odio negli occhi del suo aggressore.

L'urto violento sollevò il ragazzo come un fantoccio di gomma e lo scaraventò sotto le ruote anteriori. Fawkes frenò, ma riuscì soltanto ad aggravare la situazione. Le ruote bloccate rimbalzarono e scivolarono sul corpo e strapparono la pelle dai tendini.

Fawkes scese e tornò indietro. Il ragazzo era morto, con il cranio schiacciato, le gambe magre stritolate. Quello grasso che aveva brandito il fucile era sprofondato per metà nell'acqua paludosa. La testa era ripiegata all'indietro fino a toccare la spina dorsale. Non c'era traccia del suo compagno che era fuggito nell'acquitrino.

Fawkes raccolse il fucile. La cartuccia era incastrata. La estrasse e cercò di capire il perché. Il ragazzo grasso non aveva sparato solo perché il fucile non poteva sparare. Il percussore era storto. Fawkes scagliò l'arma dove la fanghiglia era più profonda, e lo vide sparire gorgogliando.

Un camioncino capovolto era in fondo al burrone, e due cadaveri sporgevano dalle portiere spalancate. Erano un uomo e una donna, orrendamente mutilati, coperti da sciami di mosche.

Era chiaro: i tre giovani assassini avevano bersagliato con le pietre i viaggiatori ignari, avevano ferito il guidatore e fatto precipitare il camioncino nello strapiombo, dove avevano fatto a pezzi le vittime. Poi, ubriachi di felicità per la facile vittoria, avevano teso un'altra imboscata.

« Stupidi », mormorò Fawkes in quel silenzio di morte. « Maledetti stupidi. »

Come un maratoneta costretto ad abbandonare la gara a un chilometro dal traguardo, si ritrovò in preda allo sfinimento e all'angoscia. Tornò al Bushmaster e si asciugò con il fazzoletto il sangue che gli colava dalla guancia. Tese la mano all'interno, regolò la frequenza della radio ricetrasmittente e chiamò la polizia di Pembroke. Quando ebbe terminato di riferire quanto era accaduto, incominciò a imprecare e a scagliare sassi contro gli avvoltoi che stavano sopraggiungendo.

14.

« È IN ritardo », disse in *afrikaans* il ministro della Difesa sudafricano Pieter De Vaal. Sollevò il vetro del finestrino della carrozza ferroviaria e si sporse per scrutare la strada che fiancheggiava il binario. Le sue parole erano rivolte a un uomo alto e snello dagli imperiosi occhi azzurri che indossava l'uniforme di colonnello dell'Esercito.

« Se Patrick Fawkes è in ritardo », rispose il colonnello rigirando il bicchiere che teneva in mano, « deve esserci una spiegazione valida. »

De Vaal si scostò dal finestrino e si passò le mani tra i folti capelli grigi. Somigliava più a un professore di lingue antiche che al capo inflessibile della seconda potenza militare del continente. Certo, non si poteva affermare che avesse ereditato un incarico di tutto riposo. De Vaal era il quinto ministro della Difesa in sette anni. Il suo predecessore era durato meno di cinque mesi.

« È il tipico comportamento inglese », disse spazientito. « Un Englander vive soltanto per il gin, la regina e un'ostentata indifferenza. Sono tutti inaffidabili. »

« Se si azzarda a dirgli in faccia che è inglese, Herr Minister, Fawkes non vorrà saperne di collaborare. » Il colonnello Joris Zeegler finì di bere e si riempì di nuovo il bicchiere. « Fawkes è scozzese, e le consiglio rispettosamente, signore, di non dimenticarlo. »

De Vaal non si irritò per l'atteggiamento insubordinato di Zeegler. Prendeva sul serio i consigli del suo capo dei servizi segreti. Al ministero tutti sapevano che i successi ottenuti da De Vaal nella repressione del terrorismo e delle insurrezioni locali erano dovuti in misura notevole alle infiltrazioni ingegnose nelle organizzazioni dei rivoltosi da parte degli esperti agenti di Zeegler.

« Inglese, scozzese... preferirei aver a che fare con un *afrikaner*. »

« Sono d'accordo », disse Zeegler. « Ma Fawkes è il più qualificato per esprimere un'opinione sul progetto. Lo ha dimostrato una ricerca durata un mese ed effettuata a mezzo computer. » Aprì una cartelletta. « Venticinque anni nella Marina britannica di cui quindici come ufficiale di macchina. Per due anni ha comandato l'*Audacious*. L'ultimo periodo di servizio l'ha passato come direttore del settore tecnico del cantiere navale di Grimsby. Ha acquistato una fattoria nel Natal settentrionale ed è andato a stabilirvisi dopo essere andato in pensione, undici anni fa. »

« E il computer cosa dice del fatto che tratta troppo bene i suoi operai bantu? »

« Devo ammettere che il fatto di offrire parte dei profitti ai dipendenti neri è un gesto da *liberal*. Ma non si può negare che Fawkes abbia messo in piedi la migliore proprietà agricola del Nord Natal in pochissimo tempo. I suoi gli sono fedeli, e guai agli estremisti che si azzardano a fomentare disordini nella fattoria di Fawkes. »

De Vaal stava per formulare un altro commento pessimista quando sentì bussare alla porta. Un giovane ufficiale entrò e si piazzò sull'attenti.

« Mi scusi, Herr Minister, ma è arrivato il comandante Fawkes. »

« Lo faccia entrare », disse De Vaal.

Fawkes abbassò la testa per passare dalla porta ed entrò. De Vaal lo fissò in silenzio. Non si aspettava un visitatore così imponente e con la faccia piena di tagli recenti. Tese la mano.

« Comandante Fawkes, è un vero piacere », esordì De Vaal in *afrikaans*. « È stato molto gentile a venire qui. »

Fawkes gli strinse la mano con grande energia. « Mi dispiace, signore, ma non parlo la sua lingua. »

De Vaal passò all'inglese. « Mi perdoni », disse con un lieve sorriso. « Avevo dimenticato che voi ingl... voi scozzesi non amate le lingue straniere. »

« Abbiamo la testa dura, immagino. »

« Perdoni la mia osservazione, comandante, ma ha l'aria di essersi fatto la barba con un fascio di rovi. »

« Sono incappato in un'imboscata. Quei piccoli diavoli maledetti mi hanno sfondato il parabrezza. Avrei voluto fermarmi all'ospedale locale, ma ero già in ritardo per il nostro appuntamento. »

De Vaal lo prese per il braccio e lo condusse a sedere. « Credo che sia meglio offrirle da bere. Joris, vuol fare gli onori di casa? Comandante Fawkes, questo è il colonnello Joris Zeegler, direttore della Difesa Interna del Sud Africa. »

Zeegler chinò leggermente la testa e mostrò una bottiglia. « Immagino che preferirà il whisky. »

« Sì, colonnello. »

De Vaal andò ad aprire la porta. « Tenente Anders, informi il dottor Steedt che abbiamo un paziente per lui. Credo che lo troverà a dormire nel suo scompartimento. » Chiuse la porta e si voltò. « Prima le cose più importanti. Ma, mentre attendiamo il dottore, la prego di farci un rapporto particolareggiato sull'imboscata. »

Il medico arrivò quasi subito e poco dopo se ne andò, osservando bonariamente che Fawkes aveva una pelle da rinoceronte. A parte due ferite che richiesero tre punti ognuna, non bendò neppure le altre. « È una fortuna per lei che i graffi non possano sembrare lasciati da unghie, altrimenti avrebbe un bel daffare a spiegarli a sua moglie », commentò mentre chiudeva la borsa.

« È sicuro che non fosse un attacco organizzato? » chiese Zeegler quando il medico fu uscito.

« Non è probabile », rispose Fawkes. « Erano ragazzotti della boscaglia. Dio solo sa che cosa li ha spinti ad andare in giro ad ammazzare la gente. »

« Purtroppo il suo scontro con minorenni assetati di sangue non è un fatto isolato », disse De Vaal a voce bassa.

Zeegler annuì. « Quello che le è accaduto rientra nello stesso rozzo *modus operandi* di almeno altri venti aggressioni segnalate negli ultimi due mesi. »

« Se vuole la mia opinione », sbuffò Fawkes, « sotto c'è quel maledetto ERA. »

«Indirettamente, la responsabilità si può attribuire all'Esercito Rivoluzionario Africano.» Zeegler prese dalla tasca un sigaro sottilissimo.

«Metà dei ragazzi neri fra i dodici e i diciotto anni da qui a Città del Capo darebbero i testicoli per diventare soldati dell'ERA», osservò De Vaal. «Diciamo che è una forma di culto degli eroi.»

«Diamo al diavolo quel che è del diavolo», disse Zeegler. «Hiram Lusana è uno psicologo molto furbo, così come è un abile propagandista e tattico.»

«Sì», convenne Fawkes, rivolgendosi al colonnello. «Ho sentito parlare parecchio di quel bastardo. Come mai è diventato il capo dell'ERA?»

«Si è imposto. È un nero americano. Pare che abbia guadagnato una montagna di quattrini con il traffico di droga. Ma la ricchezza non gli bastava: aveva sogni di potenza e di grandezza. Perciò ha ceduto la sua organizzazione a un gruppo di criminali francesi, è venuto in Africa e ha cominciato a creare e a equipaggiare il suo esercito di liberazione.»

«Mi sembra un'impresa quasi impossibile per un uomo solo, per quanto ricco», osservò Fawkes.

«Non è impossibile quando si può contare su certi aiuti», spiegò Zeegler. «I cinesi gli forniscono le armi, i vietnamiti addestrano i suoi uomini. Per fortuna le nostre forze di sicurezza riescono a tenerli in una condizione di pressione quasi costante.»

«Ma il nostro governo finirà per cedere, se dovremo subire un blocco economico prolungato», soggiunse De Vaal. «Il piano di Lusana è combattere una guerra regolare. Niente terrorismo, niente uccisioni di donne e bambini. Finora le sue forze hanno attaccato soltanto installazioni militari. Così, atteggiandosi a salvatore benevolo, si assicurerà l'appoggio morale e finanziario degli Stati Uniti, dell'Europa e dei paesi del terzo mondo. Quando ci sarà riuscito, potrà esercitare la sua nuova influenza per bloccare tutti i nostri rapporti economici con il resto del mondo.

E allora la fine del Sud Africa bianco sarà questione di poche settimane. »

« Non c'è un modo per frenare Lusana? » chiese Fawkes.

De Vaal inarcò le sopracciglia. « C'è una possibilità, purché lei dia la sua approvazione. »

Fawkes fissò sbalordito il ministro. « Non sono altro che un ex marinaio diventato agricoltore. Non capisco niente di guerriglia. Come potrei essere utile al ministero della Difesa? »

De Vaal non rispose. Gli porse un volume rilegato in pelle che aveva le dimensioni di un registro contabile.

« Si chiama Operazione Rosa Selvatica. »

Le luci di Pembroke si accesero una dopo l'altra nel crepuscolo. Una leggera pioggia aveva investito i finestrini della carrozza, lasciando una miriade di striature sui vetri velati dalla polvere. Dietro le lenti, gli occhi di Fawkes sfrecciavano avanti e indietro sulle pagine del volume. Era così affascinato dalla lettura che continuava a mordicchiare distrattamente il bocchino della pipa spenta da diversi minuti.

Le otto erano passate da poco quando richiuse il volume e rimase a riflettere per un lungo istante. Alla fine scosse la testa con aria stanca.

« Prego Dio che non si debba mai arrivare a questo », disse a voce bassa.

« Sono d'accordo con lei », fece De Vaal. « Ma si sta avvicinando il momento in cui ci troveremo con le spalle al muro, e l'Operazione Rosa Selvatica potrebbe essere la nostra ultima speranza di sfuggire all'annientamento. »

« Continuo a non capire cosa vogliate da me. »

« Soltanto la sua opinione, comandante », disse Zeegler. « Abbiamo studiato la validità del piano e sappiamo ciò che dicono i computer sulle possibilità di successo. Ci auguriamo che i suoi anni d'esperienza ci offrano una valutazione dei pro e dei contro secondo il giudizio di un essere umano. »

« Posso dirvi subito che è un piano quasi impossibile », rispose Fawkes. « Anzi, direi che è pazzesco. Quello che proponete è terrorismo della specie peggiore. »

« Esattamente », ammise De Vaal. « Servendoci di un gruppo di neri presentati come membri dell'Esercito Rivoluzionario Africano, potremo spostare la simpatia internazionale dai neri alla causa dei bianchi sudafricani. »

« Per sopravvivere abbiamo bisogno dell'appoggio di paesi come gli Stati Uniti », spiegò Zeegler.

« Quello che è successo in Rhodesia può ripetersi anche qui », continuò De Vaal. « Tutte le proprietà private, le fattorie, i negozi, le banche, confiscati e nazionalizzati, bianchi e neri assassinati per le strade, migliaia di persone esiliate dal continente senza nulla di più dei vestiti che portano addosso. Un nuovo governo nero e comunista, una dispotica dittatura tribale che opprime e sfrutta la popolazione riducendola in schiavitù. Può star certo, capitano Fawkes, che se e quando il nostro governo cadrà, non sarà certo sostituito da un altro che abbia come modello la maggioranza democratica. »

« Non sappiamo con certezza cosa succederà qui », disse Fawkes. « E anche se potessimo guardare in una sfera di cristallo e prevedere il peggio, non basterebbe a giustificare l'Operazione Rosa Selvatica. »

« Non le ho chiesto un giudizio morale », ribatté De Vaal. « Lei ha detto che il piano è irrealizzabile. Accetto la sua risposta. »

Quando Fawkes fu uscito, De Vaal si versò un altro drink. « Il comandante è stato molto franco, devo ammetterlo. »

« E aveva ragione », disse Zeegler. « Rosa Selvatica *è* un atto di terrorismo. »

« Può darsi », mormorò De Vaal. « Ma che scelta può avere chi vince le battaglie ma perde la guerra? »

« Io non sono un grande stratega », rispose Zeegler.

«Ma sono certo che l'Operazione Rosa Selvatica non costituisce la soluzione. Le consiglio di lasciar perdere.»

De Vaal rifletté per diversi momenti. «D'accordo, colonnello. Raccolga tutti i dati relativi all'operazione e li chiuda nella camera blindata del ministero con tutti gli altri piani.»

«Sì, signore», disse Zeegler senza nascondere il sollievo.

De Vaal contemplò il liquore nel bicchiere. Poi alzò gli occhi con aria pensierosa.

«Un peccato, un vero peccato. Forse poteva funzionare.»

Fawkes era ubriaco.

Se una mano mostruosa avesse strappato via il lungo banco di mogano del bar del Pembroke Hotel, Fawkes sarebbe caduto bocconi. Si rendeva conto vagamente di essere l'unico cliente rimasto. Ordinò un altro drink e notò con sadica soddisfazione che l'orario di chiusura era passato da un pezzo e che il barista nanerottolo non osava invitarlo ad andarsene.

«Si sente bene, signore?» chiese cautamente il barista.

«No, maledizione», ruggì Fawkes. «Mi sento malissimo.»

«Mi perdoni, signore: ma se la fa star male, perché continua a bere?»

«Non è il whisky che mi rivolta lo stomaco. È l'Operazione Rosa Selvatica.»

«Come ha detto?»

Fawkes si guardò intorno furtivamente, poi si tese sopra il banco. «E se le dicessi che ho incontrato il ministro della Difesa nella sua carrozza privata, alla stazione, non più di tre ore fa?»

Il barista sorrise con aria astuta. «Il ministro deve essere un vero mago, signor Fawkes.»

«Un mago?»

«Sì, per essere nello stesso momento in due posti diversi.»

« Si spieghi meglio! »

Il barista frugò sotto un ripiano e buttò un giornale sul banco davanti a Fawkes. Indicò un articolo in prima pagina e lesse a voce alta il titolo.

« *Il ministro della Difesa Pieter De Vaal ricoverato per un intervento nell'ospedale di Port Elizabeth.* »

« Impossibile! »

« È il giornale di questa sera », insistette il barista. « Deve ammetterlo... non soltanto il ministro ha capacità di recupero straordinarie, ma dispone anche di un treno superveloce, dato che Port Elizabeth è a più di mille chilometri da qui. »

Fawkes prese il giornale, scrollò la testa per schiarirsi la vista, inforcò gli occhiali e lesse l'articolo. Era vero. Goffamente, buttò un mucchietto di banconote al barista e uscì barcollando dal bar, attraversò l'atrio dell'albergo e si avviò lungo la strada.

Quando raggiunse la stazione ferroviaria la trovò deserta. Il chiaro di luna brillava sui binari vuoti. Il treno di De Vaal era ripartito.

15.

Arrivarono al levar del sole. Somala ne contò almeno trenta, tutti in uniforme da campagna come lui. Restò a guardarli mentre uscivano come ombre dalla boscaglia e si dileguavano nei campi di canne da zucchero.

Scrutò l'acacia con il binocolo. La sentinella era sparita. Probabilmente, pensò, era andato a raggiungere la sua unità. Ma chi erano? Nessuno gli sembrava familiare. Possibile che facessero parte di un altro movimento insurrezionale? Ma se era così, perché portavano il tipico berretto nero dell'ERA?

Somala avrebbe voluto abbandonare il nascondiglio all'interno del baobab, ma decise di non farlo e rimase immobile. Avrebbe continuato a osservare la scena: quello era l'ordine che aveva ricevuto, e doveva obbedire.

La fattoria dei Fawkes si stava animando. Gli operai del complesso si avviavano al lavoro. Patrick Fawkes Junior varcò il cancello elettrificato e andò nel grande fienile di pietra, dove cominciò a lavorare su un trattore. Al cancello c'era il cambio delle guardie, e l'uomo che aveva fatto il turno di notte stava per metà dentro il recinto e per metà fuori di esso, a chiacchierare con il suo sostituto. Ma all'improvviso, in silenzio, stramazzò al suolo. Nello stesso istante cadde anche l'altra guardia.

Somala rimase a bocca aperta mentre dal campo di canne da zucchero una schiera di aggressori avanzava in ordine sparso e si dirigeva verso la casa. Quasi tutti erano armati di CK-88 cinesi, ma due s'inginocchiarono e presero la mira con fucili a canna lunga muniti di mirino telescopico e di silenziatore.

I CK-88 aprirono il fuoco. Fawkes Junior si tese mentre almeno dieci pallottole lo colpivano. Allargò le mani come se cercasse di afferrarsi a qualcosa, poi si accasciò sul motore dell'attrezzo agricolo su cui stava lavorando. Il fragore della raffica mise in allarme Jenny, che corse ad affacciarsi a una finestra del primo piano.

« Oh, Dio, mamma! » urlò. « Sono entrati i soldati e hanno sparato a Pat. »

Myrna Fawkes prese l'Holland & Holland e si precipitò alla porta. Le bastò un'occhiata per capire che gli aggressori avevano superato le difese. Gli africani in divisa mimetica stavano entrando dal cancello spalancato. Sbatté la porta, tirò il catenaccio e gridò a Jenny: « La radio! Chiama la polizia! »

Poi sedette con calma, caricò il fucile con due cartucce a pallettoni e attese.

Il crepitio degli spari si fece più intenso mentre dal complesso giungevano le grida delle donne e dei bambini spaventati. Gli aggressori non risparmiavano neppure i preziosi bovini dei Fawkes. Myrna si impose di non ascoltare i loro muggiti di dolore, represse un singhiozzo e alzò la doppietta nel momento in cui il primo assalitore sfondava la porta.

Era l'africano più bello che Myrna avesse mai visto. I lineamenti erano caucasici, ma la pelle era d'un nero-bluastro. Alzò il fucile come se volesse fracassarle il cranio con il calcio e si avventò. Myrna premette entrambi i grilletti e il vecchio Lucifer sputò fuoco.

A quella distanza ridotta, il colpo dilaniò la testa dell'africano. La faccia si dissolse in una pioggia di ossa e di materia grigia. L'uomo fu scagliato all'indietro contro lo stipite e stramazzò sul pavimento, sussultando.

Myrna ricaricò l'arma con calma, come se fosse a una gara di tiro al piattello. Aveva appena richiuso la culatta quando altri due uomini si avventarono oltre la porta. Il vecchio Lucifer centrò al petto il primo e lo fece cadere istantaneamente. L'altro scavalcò il cadavere del compagno e il movimento fece sì che la mira di Myrna risultasse un po' bassa. La scarica della seconda canna colpì all'inguine l'aggressore. Questi urlò, gettò via l'arma e si strinse la ferita. Grugnendo incoerentemente, arretrò barcollando sulla veranda e cadde, con i piedi ancora all'interno.

Myrna ricaricò. Una finestra volò in frantumi e nella tappezzeria accanto alla sedia apparvero i fori dei proiettili. Non sentì nulla, ma abbassò lo sguardo. Il sangue cominciava a filtrare attraverso la tela dei jeans.

Un boato giunse dal piano di sopra. Myrna intuì che Jenny stava sparando sul prato con la 44 Magnum del padre.

L'africano che si presentò poi fu più prudente. Sparò una breve raffica dall'esterno e attese prima di entrare. Quando vide che non c'erano state reazioni, divenne più sicuro di sé e avanzò. I pallettoni gli strapparono il braccio sinistro. Per qualche istante fissò stordito l'arto che era finito davanti a lui, con le dita che fremevano ancora. Il sangue fiottava dalla manica lacerata e cadeva sul tappeto. Come in trance, il soldato si accasciò sulle ginocchia e gemette sommessamente mentre stava per morire dissanguato.

Con una mano, Myrna cercò di ricaricare Lucifer. I proiettili dell'ultimo aggressore le avevano fracassato il polso e l'avambraccio destri. Goffamente, aprì l'otturatore ed espulse le cartucce vuote. Le sembrava di muoversi nella colla. Le cartucce nuove le scivolarono fra le dita sudate e caddero.

« Mamma? »

Myrna alzò gli occhi. Jenny era in piedi sulla scala, con la pistola stretta in una mano abbandonata lungo il fianco, e la camicetta intrisa di sangue.

« Mamma... mi hanno colpita. »

Prima che Myrna potesse rispondere, qualcun altro entrò nella stanza. Jenny tentò di alzare la pistola, ma si mosse lentamente e troppo tardi. L'assalitore sparò per primo, e Jenny barcollò e rotolò giù per i gradini come una bambola gettata via.

Myrna non poté far altro che continuare a stringere Lucifer. La perdita di sangue le toglieva le energie, le offuscava la vista. Guardava l'uomo che le stava davanti. Attraverso la nebbia che l'avvolgeva, lo vide accostarle alla fronte la canna del fucile.

« Perdonami », disse l'uomo.

« Perché? » chiese Myrna, stordita. « Perché avete fatto questa cosa orribile? »

Nei freddi occhi scuri non c'era una risposta. Per Myrna, i fiori della bougainvillea davanti alla veranda esplosero in uno sfolgorio color fucsia e poi svanirono nell'oscurità.

Somala si aggirava fra i morti e guardava allibito le facce cristallizzate per sempre nello shock e nella confusione. Gli aggressori avevano sterminato senza pietà tutti gli operai e i loro familiari. Pochissime persone dovevano essere riuscite a rifugiarsi nella boscaglia. Il foraggio nel fienile e i macchinari nel capannone erano stati incendiati, e le fiamme lingueggiavano dalle finestre del piano superiore della casa dei Fawkes.

È strano, pensò Somala. Gli aggressori esploravano il campo di battaglia e portavano via i loro morti, in silenzio come spettri. I movimenti erano efficienti e sicuri. Non avevano dato segno di panico quando avevano sentito avvicinarsi gli elicotteri della Difesa sudafricana. Si erano dileguati nella boscaglia circostante, furtivamente come erano apparsi.

Somala fece ritorno al baobab per riprendere la sua roba e si avviò a passo svelto verso la *township*. Pensava soltanto a radunare gli uomini della sua sezione e a ritornare al campo di partenza, oltre il confine con il Mozambico. Non si voltò a guardare i morti sparsi nella fattoria. Non vide gli avvoltoi che si stavano radunando. E non sentì lo sparo del fucile prima che la pallottola gli si piantasse nella schiena.

16.

Il viaggio di ritorno da Pembroke a Umkono fu per Patrick Fawkes una specie di vuoto totale. Le sue mani giravano il volante, i suoi piedi azionavano i pedali in movimenti rigidi e meccanici. Gli occhi erano fissi e vitrei mentre affrontava le salite ripide e, d'istinto, lanciava il fuoristrada lungo gli stretti tornanti.

Era in una piccola farmacia a comprare la schiuma da bagno di Jenny quando un sergente della polizia di Pembroke lo aveva raggiunto e gli aveva dato con voce spezzata l'annuncio della tragedia. In un primo momento Fawkes aveva rifiutato di crederlo. Solo quando aveva contattato via radio Shawn Francis, l'irlandese che faceva servizio di polizia a Umkono, si era rassegnato al peggio.

«È meglio che torni a casa, Patrick.» La voce tesa di Francis crepitava attraverso la radio. Gli aveva risparmiato i particolari, e Fawkes non li aveva chiesti.

Il sole era ancora alto quando arrivò in vista della sua fattoria. Della casa era rimasto ben poco: soltanto il camino e un tratto della veranda. Il resto era un mucchio di braci e di ceneri. Al di là del prato, i copertoni dei trattori emettevano un denso fumo nero. Gli operai della fattoria giacevano dov'erano caduti. Gli avvoltoi spolpavano le carcasse dei suoi bovini da concorso.

Shawn Francis e alcuni soldati sudafricani stavano intorno a tre forme avvolte nelle coperte quando Fawkes si fermò. Francis gli andò incontro mentre scendeva dal Bushmaster. La faccia del poliziotto era pallida come il granito.

«Dio!» gridò Fawkes, e guardò negli occhi Francis, come se cercasse un raggio di speranza. «La mia famiglia? Cos'è successo alla mia famiglia?»

Francis si sforzò di parlare, poi rinunciò e indicò con la

testa i tre corpi. Fawkes si avviò barcollando, ma il poliziotto lo cinse con le braccia robuste e lo trattenne.

« Li lasci stare, Patrick. Li ho già identificati io. »

« Maledizione, Shawn, quella è la mia famiglia! »

« La supplico, amico mio. Non guardi. »

« Mi lasci andare. Voglio vederli. »

« No! » Francis non mollò la presa, sebbene sapesse che non era in grado di contrastare la forza di Fawkes. « L'incendio ha carbonizzato Jenny e Myrna. Se ne sono andate, Patrick. Le persone che le erano care non ci sono più. Le ricordi com'erano da vive, non come sono da morte. »

Francis sentì la tensione che abbandonava i muscoli di Fawkes e lo lasciò.

« Com'è successo? » chiese Fawkes a voce bassa.

« È impossibile dirlo esattamente. Tutti i suoi operai sono fuggiti o sono stati uccisi. Non ci sono feriti che possano raccontare com'è andata. »

« Qualcuno deve sapere... deve aver visto... »

« Troveremo un testimone. Prima di domattina avremo trovato qualcuno, lo prometto. »

Il dialogo s'interruppe mentre un elicottero scendeva e si posava. I soldati caricarono delicatamente le salme di Myrna, Jenny e Patrick Junior nella cabina principale e le fissarono con le cinghie. Fawkes non si mosse per seguirli. Restò immobile, con una tristezza infinita negli occhi mentre l'elicottero ripartiva e si dirigeva verso l'obitorio di Umkono.

« Chi è il responsabile? » chiese Fawkes a Francis. « Mi dica chi ha assassinato mia moglie, i miei figli e i miei operai e ha bruciato la mia fattoria. »

« Abbiamo trovato una o due cartucce di plastica di CK-88, i resti carbonizzati di un braccio nella casa, con un orologio cinese al polso, impronte di scarponi militari lasciate nel terriccio... Per quanto siano prove indiziarie, tutto fa pensare all'ERA. »

« Come sarebbe a dire, una o due cartucce? » scattò Fawkes. « Quei maledetti bastardi devono averne lasciate intere montagne. »

Francis allargò le mani in un gesto rassegnato. « È tipico di un'azione dell'ERA. Passano al pettine fitto l'area dopo un attacco. Così è difficile inchiodarli con prove sicure. Si dichiarano innocenti di fronte a ogni indagine internazionale sul terrorismo e accusano gli altri cosiddetti movimenti di liberazione. Se non fosse stato per i nostri cani, non avremmo scoperto le cartucce e forse neppure il braccio.

« Le tracce degli aggressori vanno e vengono dalla boscaglia attraverso i campi di canna da zucchero e arrivano fino alla casa. Immagino che abbiano sparato alle guardie durante il cambio, mentre il cancello era aperto e il circuito elettrico era interrotto. Pat Junior è stato ucciso là, accanto al trattore bruciato. Myrna e Jenny erano vicine una all'altra, sul pavimento del salotto. Uccise da armi da fuoco. Patrick, per quello che può valere, non c'erano tracce di violenza carnale o di mutilazione. »

Francis s'interruppe e bevve un sorso dalla borraccia, poi l'offrì a Fawkes, che scosse la testa.

« Beva, Patrick. È whisky. »

Fawkes rifiutò di nuovo.

« Il mio ufficio ha ricevuto via radio una richiesta d'aiuto. Era Jenny. Ha detto che avevano sparato a Pat e che uomini in uniforme mimetica stavano attaccando la fattoria. Lei e Myrna devono aver opposto una resistenza eroica. Abbiamo trovato quattro grosse macchie di sangue sul prato dietro la casa. E come può vedere, quel che resta del pavimento della veranda è pieno di tracce di sangue. Le ultime parole di Jenny sono state: 'Dio, sparano ai bambini nel complesso'.

« Siamo piombati qui con gli elicotteri. Ci abbiamo impiegato tredici minuti. Ma ormai era tutto in fiamme e gli assalitori erano spariti. Adesso due plotoni e un elicottero li stanno cercando nella boscaglia. »

« La mia gente », mormorò Fawkes, e indicò le figure immobili che giacevano a terra nel complesso. « Non possiamo abbandonarli agli avvoltoi. »

«Il suo vicino Brian Vogel sta arrivando con gli operai per seppellirli. Saranno qui da un momento all'altro. Intanto i miei uomini terranno lontani gli avvoltoi.»

Come se fosse smarrito in un sogno, Fawkes salì i gradini della veranda. Non riusciva ancora a rendersi conto dell'immensità della tragedia. Quasi si aspettava di vedere la moglie e i figli sullo sfondo della bougainvillea. Nella sua mente c'era, chiarissima, l'immagine di tutti e tre che lo salutavano allegramente mentre partiva per Pembroke.

La veranda era tutta sporca di sangue. C'erano rivoli che andavano dalle macerie fumanti ai gradini e dai gradini al prato, dove finivano all'improvviso. Fawkes ebbe l'impressione che tre, forse quattro corpi fossero stati trascinati fuori dalla casa prima che venisse incendiata. Il sangue si era coagulato e si era incrostato sotto il sole del pomeriggio. Grosse mosche iridescenti ronzavano a sciami intorno alle chiazze.

Fawkes si appoggiò al graticcio e fu assalito dal primo, irrefrenabile tremito dello shock. La casa che aveva costruito per la sua famiglia non era altro che un ammasso di rovine annerite al centro del prato curatissimo, fra le aiuole di gladioli e di gigli rossi rimaste praticamente indenni. Persino il ricordo incominciava a distorcersi. Si lasciò cadere sui gradini e si coprì la faccia con le mani.

Era ancora lì, mezz'ora dopo, quando Shawn Francis si avvicinò e lo scosse gentilmente.

«Venga, Patrick, la porto a casa mia. Non ha alcun motivo per restare qui.»

Lo guidò al Bushmaster e lo fece sistemare sul sedile del passeggero.

Mentre il fuoristrada varcava il cancello, Fawkes continuò a guardare davanti a sé, senza voltarsi. Sapeva che non avrebbe più visto la fattoria, che non vi avrebbe più messo piede.

17.

ANCHE se gli sembrava di aver appena chiuso gli occhi, Hiram Lusana dormiva da sette ore quando si svegliò nel sentir bussare alla porta. L'orologio sul comodino segnava le sei. Bestemmiò, si soffregò gli occhi e si sollevò a sedere.

« Avanti. »

Bussarono di nuovo.

« Ho detto avanti », borbottò a voce più alta.

Il capitano John Mukuta entrò e si piantò sull'attenti. « Scusi se l'ho svegliata, signore, ma la sezione quattordici è appena tornata dalla ricognizione a Umkono. »

« Che fretta c'è? Posso esaminare più tardi il loro rapporto. »

Mukuta continuò a fissare la parete. « La pattuglia ha incontrato guai. Il comandante della sezione è stato ferito gravemente ed è all'ospedale. Insiste per far rapporto a lei personalmente. »

« Chi è? »

« Si chiama Marcus Somala. »

« Somala? » Lusana aggrottò la fronte e si alzò. « Digli che sto arrivando. »

Il capitano salutò e uscì chiudendo la porta e fingendo di non aver notato la seconda figura raggomitolata fra le lenzuola di raso.

Lusana si voltò e scostò il lenzuolo. Felicia Collins dormiva come una statua. I corti capelli crespi brillavano nella mezza luce, le labbra erano tumide e socchiuse, la pelle color cacao. I seni conici dai capezzoli scuri si sollevavano e si abbassavano al ritmo del respiro.

Lusana sorrise e non la ricoprì. Era ancora semiaddormentato quando entrò in bagno e si spruzzò la faccia con l'acqua fredda. Gli occhi che lo guardavano dallo specchio erano venati di rosso, la faccia era segnata da una notte dedita al liquore e al sesso. Si asciugò delicatamente con una salvietta, tornò in camera da letto e si vestì.

Era un uomo piccolo e solido, con la pelle più chiara di ogni altro membro dell'esercito di africani al suo comando. «Abbronzatura americana», dicevano alle sue spalle. Ma i commenti sul suo colore e sui suoi disinvolti modi americani non erano irrispettosi. I seguaci lo guardavano con una specie di primitiva reverenza per il sovrannaturale. Aveva l'aria sicura che hanno molti pugili della categoria dei pesi leggeri all'inizio della carriera; qualcuno l'avrebbe definita un'aria arrogante. Lanciò un'ultima occhiata affettuosa a Felicia, sospirò e si avviò attraverso il campo per raggiungere l'ospedale.

Il medico cinese era pessimista.

«La pallottola è penetrata dalla schiena, ha strappato metà del polmone, ha fratturato una costola ed è uscita dal petto a sinistra. È un miracolo che sia ancora vivo.»

«È in grado di parlare?» chiese Lusana.

«Sì, ma ogni parola gli toglie un po' di forze.»

«Quanto...»

«Gli rimane da vivere?»

Lusana annuì.

«Marcus Somala ha una costituzione molto robusta», disse il medico. «Ma non credo che arriverà a sera.»

«Può dargli qualcosa che lo stimoli, magari per qualche minuto soltanto?»

Il medico rifletté. «Immagino che affrettare l'inevitabile non sia importante.» Si voltò e mormorò gli ordini a un'infermiera, che subito uscì.

Lusana guardò Somala. La faccia era tirata e il petto si sollevava e si abbassava nel respiro spasmodico. Un intrico di tubi di plastica scendeva da un supporto sopra il letto fino al naso e alle braccia. Sul petto spiccava una vistosa fasciatura.

L'infermiera tornò e porse una siringa al medico, che

inserì l'ago e premette lo stantuffo. Dopo pochi attimi Somala socchiuse gli occhi e gemette.

In silenzio, Lusana fece un cenno al medico e all'infermiera che uscirono nel corridoio e chiusero la porta.

Si curvò verso il letto. « Somala, sono Hiram Lusana. Mi senti? »

La voce di Somala era un sussurro rauco ma carico di emozione. « Non vedo bene, generale. È proprio lei? »

Somala gli prese la mano e la strinse. « Sì, mio valoroso guerriero. Sono venuto per ascoltare il tuo rapporto. »

Il ferito tentò di sorridere. Poi nei suoi occhi apparve un'espressione angosciosa e interrogativa. « Perché... perché non si era fidato di me, generale? »

« Che cosa? »

« Perché non mi ha detto che stava per mandare quegli uomini ad attaccare la fattoria dei Fawkes? »

Lusana trasalì. « Descrivi quello che hai visto. Descrivi tutto. Non omettere nulla. »

Venti minuti più tardi, sfinito per lo sforzo, Marcus Somala ripiombò nell'incoscienza. Morì prima di mezzogiorno.

18.

PATRICK FAWKES era solo e spalava il terreno argilloso sulle bare dei suoi cari. Aveva gli indumenti infradiciati da una pioggia leggera e dal sudore. Aveva espresso il desiderio di scavare personalmente la fossa e di riempirla. Il servizio funebre era terminato e gli amici e i vicini se ne erano andati, lasciandolo alle prese con il suo compito doloroso.

Finalmente spianò l'ultima palata di terra, indietreggiò e abbassò lo sguardo. La lapide non era ancora arrivata e il tumulo sembrava spoglio e desolato fra le tombe più vecchie, ammantate d'erba e bordate da piantine fiorite. S'inginocchiò, affondò la mano in una tasca della giacca che s'era tolta per lavorare, prese una manciata di petali di bougainvillea e li sparse sulla terra umida.

Fawkes diede libero sfogo al suo dolore. Pianse fino a che il sole calò oltre l'orizzonte. Pianse fino a quando non ebbe più lacrime.

Il suo pensiero ritornò a dodici anni prima e fece scorrere le immagini come se fossero un film. Rivide Myrna e i figli nel piccolo cottage presso Aberdeen, sul Mare del Nord. Rivide le espressioni di sorpresa e di gioia sui loro volti quando aveva annunciato che si sarebbero trasferiti nel Natal per gestire la fattoria. Rivide Jenny e Pat Junior, d'un pallore malsano in confronto agli altri studenti di Umkono, e ricordò che erano diventati rapidamente abbronzati e robusti. Rivide Myrna che lasciava controvoglia la Scozia, infastidita al pensiero di cambiare completamente modo di vivere, e poi finiva per amare l'Africa ancor più di quanto l'amasse lui.

« Non diventerai mai un buon agricoltore se non ti sarai tolto dal sangue l'acqua di mare », gli ripeteva spesso.

La voce sembrava così chiara che Fawkes non riusciva a rassegnarsi all'idea che la sua sposa fosse lì, sottoterra, e che non avrebbe più visto la luce del sole. Era solo, e quel pensiero lo faceva sentire sperduto. Quando una donna perde un uomo, ricordava di aver letto chissà dove, riprende a vivere e persevera. Ma quando un uomo perde una donna, è come se morisse per metà.

Scacciò dalla mente le scene della felicità di un tempo e cercò di evocare la figura indistinta di un uomo. La faccia non aveva lineamenti precisi, perché era la faccia di un uomo che Fawkes non aveva mai visto, Hiram Lusana.

Il dolore fu sommerso all'improvviso da una fredda marea d'odio. Strinse i pugni e li batté sul terreno bagnato fino a quando la capacità di sentire non si esaurì. Sospirò, e dispose con cura i petali di bougainvillea per formare i nomi di Myrna e dei figli.

Quando si rialzò in piedi, vacillando un po', sapeva quel che doveva fare.

19.

Lusana era seduto al tavolo per le conferenze con aria pensierosa, e giocherellava con una biro. Guardò il sorridente colonnello Duc Phon Lo, capo dei consiglieri militari dell'ERA, poi gli ufficiali seduti accanto a lui.

«Un idiota assetato di sangue si è messo in testa di distruggere la fattoria del cittadino più rispettato del Natal, e voi fate gli innocenti come tante vergini zulu.» S'interruppe per un momento e li scrutò uno dopo l'altro. «Avanti, avanti, signori, facciamola finita con questi giochetti. Chi è stato?»

Lo chinò la testa e posò le mani sul tavolo. Gli occhi a mandorla e i capelli lisci e cortissimi lo facevano apparire fuori posto in mezzo agli altri. Prese a parlare lentamente, enunciando con precisione ogni parola.

«Ha la mia parola, generale: nessuno del suo comando è il responsabile. Ho studiato l'esatta ubicazione di ogni sezione al momento dell'attacco. Nessuno, eccettuata quella guidata da Somala, era a meno di duecento chilometri da Umkono.»

«Allora come lo spiega?»

«Non so spiegarlo.»

Lo sguardo di Lusana indugiò su Lo. Quando si fu convinto che quel sorriso perenne non nascondeva nulla di subdolo, si voltò a guardare gli altri seduti intorno al tavolo.

Alla sua destra c'era il maggiore Thomas Machita, il suo principale analista dell'intelligence; poi c'era il colonnello Randolph Jumana, il suo vice. Di fronte a loro stavano Lo e il colonnello Oliver Makeir, coordinatore della propaganda dell'ERA.

«Qualche teoria sull'argomento?» chiese Lusana.

Jumana assestò per la decima volta un fascio di carte ed

evitò di guardarlo. « E se Somala avesse immaginato l'attacco alla fattoria di Fawkes? Forse l'ha visto mentre era in delirio. O forse l'ha inventato. »

Lusana aggrottò la fronte, irritato. « Dimentica, colonnello, che sono stato io a ricevere il rapporto di Somala. Era un uomo in gamba. Il miglior capo sezione che avessimo. Non stava delirando e non aveva motivo d'inventare una favola. Sapeva che stava per morire. »

« Non c'è dubbio, l'attacco è avvenuto », disse Makeir. « I giornali e la televisione sudafricani gli hanno dedicato anche troppo spazio. E la loro versione corrisponde a ciò che Somala ha detto al generale, a parte il fatto che la polizia sudafricana non ha ancora trovato testimoni attendibili in grado di dare una descrizione degli attaccanti. Per noi è stata una fortuna che Somala abbia potuto far ritorno dalla missione e descrivere nei minimi particolari ciò che ha visto, prima di morire. »

« Sapeva chi gli ha sparato? » chiese Jumana.

« È stato colpito alla schiena e da grande distanza », rispose Lusana. « Da un cecchino, probabilmente. È riuscito a trascinarsi per cinque chilometri fino all'area che aveva assegnato ai compagni. Gli hanno prestato i primi soccorsi e poi lo hanno portato al nostro campo. »

Thomas Machita scrollò la testa, incredulo. « Non c'è niente che abbia senso. Non credo che altri movimenti di liberazione avrebbero fatto travestire i loro uomini da soldati dell'ERA. »

« D'altra parte », disse Makeir, « potrebbero aver organizzato l'attacco per far ricadere la responsabilità su di noi e distogliere l'attenzione da loro stessi. »

« Sono in stretto contatto con i miei compatrioti che consigliano i vostri fratelli rivoluzionari », intervenne il colonnello Lo. « E sono tutti irritati come calabroni. Nessuno ha guadagnato niente dall'assalto alla fattoria dei Fawkes. Se mai, ha rafforzato nei bianchi, negli indiani e anche in molti neri la volontà di resistere con fermezza agli interventi esterni. »

Lusana intrecciò le dita e vi appoggiò il mento. « Bene, se non sono stati loro, e sappiamo che non siamo stati noi, chi rimane come principale sospetto? »

« I bianchi sudafricani », rispose Lo.

Tutti fissarono il consigliere vietnamita. Lusana lo guardò negli occhi. « Le dispiacerebbe ripeterlo? »

« Sto solo suggerendo che qualcuno, nel governo sudafricano, potrebbe aver ordinato di assassinare la famiglia di Fawkes e i suoi operai agricoli. »

Tutti rimasero in silenzio per qualche istante. Finalmente Machita intervenne.

« Non capisco che scopo avrebbero avuto. »

« Non lo capisco neppure io. » Lo scrollò le spalle. « Ma considerate una cosa. Chi altro avrebbe le risorse per fornire a un gruppo di commando armi e uniformi identiche alle nostre? E soprattutto, signori, non è strano che, sebbene gli assalitori si siano ritirati nel sentire gli elicotteri della Difesa, nessuno di loro sia stato catturato? Noi guerriglieri sappiamo bene che abbiamo bisogno di un'ora almeno per poter fuggire. Un vantaggio inferiore ai dieci minuti contro un contingente dotato di elicotteri e di cani è un suicidio. »

« È un'ipotesi curiosa », disse Lusana mentre tamburellava con le dita sul tavolo. « Non posso accettarla come valida. Ma non sarà male controllare. » Si rivolse a Machita. « Ha un informatore fidato al ministero della Difesa? »

« Qualcuno altolocato », rispose Machita. « Ci costa parecchio ma le sue informazioni sono attendibili. Però è un tipo strano: non compare mai due volte nello stesso posto con lo stesso travestimento. »

« A sentire come ne parla, deve essere un individuo molto misterioso », disse Jumana.

« Forse lo è », ammise Machita. « Emma si materializza quando meno ce lo aspettiamo. »

« Emma? »

« È il nome in codice. »

« O quell'uomo ha uno strano senso dell'humour oppure è un travestito », commentò Lusana.

«Non sono in grado di dirlo, generale.»

«In che modo lo contattate?»

«Non lo contattiamo per niente. È lui che si mette in contatto con noi, e solo quando ha informazioni da vendere.»

Jumana si oscurò. «Chi garantisce che non ci passi documenti falsificati?»

«Fino a oggi tutto quello che ci ha passato dal ministero è risultato autentico al cento per cento.»

Lusana guardò Machita. «Ci pensa lei, allora?»

Machita annuì. «Andrò personalmente a Pretoria ad aspettare la prossima apparizione di Emma. Se c'è qualcuno che può chiarire il mistero è lui.»

20.

LA base dell'Esercito Rivoluzionario Africano in passato aveva ospitato una piccola università portoghese quando il Mozambico era una colonia. In seguito un'università nuova, riservata ai neri, era sorta nel cuore di una città costruita nell'interno del paese, sul lago Malawi.

Rappresentava un centro ideale per l'esercito di Lusana: dormitori per le truppe, mense, impianti sportivi utilizzati per l'addestramento, comodi alloggi per gli ufficiali e una sala da ballo.

Il rappresentante democratico al Congresso Frederick Daggat, uno dei tre rappresentanti neri del New Jersey, era impressionato. Si era aspettato di vedere un tipico movimento rivoluzionario gestito da uomini delle tribù armati di lanciarazzi sovietici, vestiti con uniformi cinesi e indottrinati con gli abusati cliché marxisti. Era un piacere scoprire un'organizzazione che non aveva niente da invidiare a una compagnia petrolifera americana. Lusana e i suoi ufficiali sembravano più dirigenti d'azienda che guerriglieri.

Tutto, al cocktail party, si svolse secondo il protocollo in uso a New York. Persino la padrona di casa, Felicia Collins, avrebbe fatto la sua figura in una festa del centro di Manhattan.

Quando Daggat incontrò il suo sguardo, Felicia si liberò garbatamente da un gruppo di politici somali, si avvicinò e gli posò una mano sul braccio.

« Si diverte, deputato? »

« Moltissimo. »

« Hiram e io speravamo che restasse fino al weekend. »

« Purtroppo devo essere a Nairobi domani pomeriggio per incontrarmi con il Consiglio keniano per l'Educazione Nazionale. »

« Spero che il suo alloggio sia soddisfacente. Siamo un po' fuori mano per chiedere di affiliarci alla catena Hilton. »

« Devo ammettere che l'ospitalità del signor Lusana è superiore a quel che immaginavo. »

Daggat guardò la donna. Era la prima volta che vedeva da vicino Felicia Collins. Era una celebrità, una cantante con tre dischi d'oro, un'attrice che aveva vinto due Emmy e persino un Oscar nel difficile ruolo d'una suffragetta nera nel film *La strada dei papaveri*, ed era affascinante come appariva sullo schermo.

Felicia era fresca e serena nel pigiama da sera di crespo verde. Il top era senza spalline e i pantaloni lasciavano trasparire le belle gambe. I capelli corti erano tagliati in una versione chic della tipica pettinatura africana.

« Hiram è sulla soglia della grandezza. »

Daggat sorrise. « Immagino che un tempo si dicesse la stessa cosa di Attila. »

« Capisco perché i corrispondenti di Washington accorrono alle sue conferenze stampa, deputato. » Felicia continuò a tenergli la mano sul braccio. « Ha la lingua tagliente. »

« Sì, la chiamano 'la spada di Daggat'. »

« Forse per fregare meglio l'establishment bianco? »

Daggat le prese la mano e la strinse fino a quando Felicia non sgranò gli occhi. « Mi dica, signora Collins, che cosa ha condotto nella giungla una diva bella e famosa? »

« Lo stesso motivo che ha portato qui l'*enfant terrible* del Congresso degli Stati Uniti. Per aiutare un uomo che si batte per l'avanzamento della nostra razza. »

« Sospetto che Hiram Lusana si batta soprattutto per l'avanzamento del suo conto in banca. »

Felicia sorrise sprezzante. « Mi delude, deputato. Se si fosse informato, saprebbe che non è vero. »

Daggat s'irrigidì. Il guanto di sfida era stato lanciato. Le lasciò la mano e si accostò. « Mentre mezzo mondo osserva le nazioni africane e si chiede quando si decideran-

118

no a muoversi per spazzar via l'ultimo bastione della supremazia bianca, chi è apparso come un messia, con un proverbio per ogni occasione, se non il trafficante di droga Hiram Lusana? Ha scaricato la sua attività e ha abbracciato la causa della povera marmaglia nera puzzolente del Sud Africa.

« E con l'aiuto della pubblica opinione troppo credula e di una stampa mondiale sempre a caccia di personalità, all'improvviso il bell'Hiram si ritrova a sorridere sulla copertina di quattordici riviste con una tiratura totale di sessanta milioni di copie. Il sole splende in cielo e Hiram Lusana è adorato dovunque dai maniaci della Bibbia per la sua devozione; i ministeri degli Esteri di tanti paesi lo invitano alle feste; pretende e ottiene compensi favolosi per i suoi cicli di conferenze; e i gonzi del mondo dello spettacolo, come lei, signora Collins, gli leccano i piedi e cercano di brillare della sua luce riflessa. »

Sul viso di Felicia apparve un'espressione di collera. « È insultante! »

« No, sono sincero. » Daggat s'interruppe per sorridere del disagio della donna. « E cosa crede che succederà, se Lusana vincerà la sua guerra e il governo bianco del Sud Africa si arrenderà? Rinuncerà al potere come Cincinnato e tornerà a piantar cavoli? Non è probabile. Sono sicuro che si autoproclamerà presidente e varerà una dittatura. Poi, con le risorse enormi del paese più progredito dell'Africa, intraprenderà una grande crociata e con la forza o il sotterfugio divorerà le nazioni nere più deboli. »

« Lei è cieco! » ribatté Felicia. « Hiram si ispira ad alti princìpi morali. È impossibile che pensi di svendere i suoi ideali per interesse personale. »

Felicia non lesse l'ammonimento negli occhi di Daggat. « Posso dimostrarlo, signora Collins... E, se perderà, le costerà soltanto un dollaro, almeno da un punto di vista finanziario. »

« Sta pescando in un lago assai povero, deputato. È evidente che non conosce il generale. »

« Vuole scommettere? »

Lei rifletté un momento, poi alzò gli occhi. « Ci sto. »

Daggat s'inchinò e l'accompagnò da Lusana che parlava di tattica con un ufficiale dell'Esercito mozambicano. Lusana s'interruppe per salutarli. « Ah, i miei due compatrioti americani. Vedo che avete fatto conoscenza. »

« Posso parlare per un momento da solo con lei e la signora Collins, generale? » chiese Daggat.

« Certo. »

Lusana si scusò con l'ufficiale e precedette i due in un piccolo ufficio lussuosamente arredato in stile afro-moderno.

« Molto carino », commentò Daggat.

« È il tipo di arredamento che preferisco. » Lusana indicò le poltrone. « Perché no? Si ispira ai nostri motivi ancestrali. »

« Personalmente preferisco le nuove creazioni egiziane », disse Daggat in tono indifferente.

« Di cosa voleva parlarmi? » chiese Lusana.

Daggat venne subito al punto. « Se posso essere franco, generale, lei ha organizzato lo spettacolo di stasera nella speranza di raggirarmi perché faccia pressioni sulla Commissione Esteri della Camera dei Rappresentanti in favore dell'ERA. Esatto? »

Lusana non riuscì a nascondere un'espressione seccata, ma ricordò che doveva essere cortese. « Mi scusi, deputato, non intendevo essere così trasparente. Sì, speravo di convincerla a sostenere la nostra causa. Ma non si tratta di un raggiro. Non sono così sciocco da cercare di imbrogliare un uomo con la sua reputazione. »

« Bene, questi sono i preliminari. Ma io che ci guadagno? »

Lusana lo fissò, affascinato. Non si aspettava tanta franchezza. I suoi piani prevedevano una seduzione più indiretta. Adesso era sbilanciato. L'aperta richiesta di una tangente lo lasciava senza fiato. Decise di guadagnare tempo per riflettere.

« Non ho capito cosa voglia dire. »

« Niente d'importante. Se vuole che giochi nella sua squadra, le costerà caro. »

« Non capisco. »

« La pianti, generale. Lei e io siamo usciti dagli stessi bassifondi, e non abbiamo certo fatto strada senza imparare qualche trucco. »

Lusana si voltò e accese meticolosamente una sigaretta. « Vuole che apra le trattative con un'offerta per i suoi servigi? »

« Non sarà necessario. Ho già in mente un compenso preciso. »

« Sentiamo. »

Daggat accennò un sorriso. « La signora Collins. »

Lusana lo guardò, perplesso. « È molto bella. Ma non capisco che cosa... »

« Mi dia Felicia Collins e io farò in modo che la mia commissione finanzi un programma di forniture di armi per la sua rivoluzione. »

Felicia balzò in piedi con un lampo negli occhi. « Non posso crederlo! »

« Lo consideri un piccolo sacrificio per una nobile causa », ribatté Daggat in tono sarcastico.

« Hiram, per amor di Dio! » scattò Felicia. « Digli di andarsene immediatamente. »

Lusana non rispose subito. Abbassò gli occhi e si tolse un filo immaginario dai calzoni perfettamente stirati. Finalmente parlò a voce bassa. « Mi dispiace, Felicia, ma non posso permettere che i sentimenti entrino in questa faccenda. »

« Fesserie! » Lei lo fissò, sbalordita. « Siete pazzi tutti e due se credete di potermi passare di mano come una tazza di cereali. »

Lusana si alzò, le andò vicino e le sfiorò la fronte con le labbra.

« Non odiarmi. » Poi si rivolse a Daggat. « Ecco, si goda pure il bottino. »

E uscì.

Felicia rimase a lungo immobile con un'espressione confusa e ostile. Poi comprese e i suoi occhi si riempirono di lacrime. Non protestò e non oppose resistenza quando Daggat l'attirò a sé e la baciò.

« Bastardo », sibilò. « Lurido bastardo. Spero che sarà soddisfatto. »

« Non ancora. »

« Ha ottenuto quel che voleva. Cos'altro pretende? »

Daggat prese un fazzoletto dal taschino e le asciugò gli occhi.

« Ha dimenticato? » chiese con un sorriso sarcastico. « Mi deve un dollaro. »

21.

Pieter De Vaal chiuse il rapporto sul massacro della fattoria dei Fawkes e rialzò la faccia stanca e tirata. «Sono ancora sconvolto da questa tragedia. È orrendo.»

Fawkes rimase impassibile. Seduto davanti alla scrivania del ministro della Difesa, stava riempiendo di tabacco la vecchia pipa. Nell'ufficio c'era silenzio, interrotto solo dal rumore smorzato del traffico di Pretoria che filtrava dalle grandi finestre affacciate su Burger Park.

De Vaal mise il fascicolo nel cassetto e riprese a parlare evitando lo sguardo di Fawkes. «Mi dispiace che le nostre pattuglie non siano riuscite a catturare i selvaggi responsabili del massacro.»

«Il responsabile è uno solo», disse cupamente Fawkes. «Gli uomini che hanno sterminato la mia famiglia agivano ai suoi ordini.»

«So cosa pensa, comandante Fawkes, ma non abbiamo le prove che sia stato Lusana.»

«Io ne sono convinto.»

«Che posso dire? Anche se lo sapessimo con certezza, si trova fuori dei nostri confini. Non possiamo toccarlo.»

«Ma io sì.»

«E come?»

«Offrendomi di dirigere l'Operazione Rosa Selvatica.»

De Vaal percepiva l'odio vendicativo che fremeva in Patrick Fawkes. Si alzò, andò alla finestra e guardò il mare di jacaranda che abbelliva la città. «Capisco i suoi sentimenti, comandante. Ma la risposta è no.»

«Perché?»

«Rosa Selvatica è un concetto mostruoso. Se l'operazione fallisse, le conseguenze sarebbero disastrose per il nostro governo.»

Fawkes batté la pipa sulla scrivania, così forte da spezzare il bocchino. « No, accidenti! La mia fattoria è stata la prima offensiva. Lusana e la sua orda di assassini devono essere fermati prima che il sangue scorra in tutto il paese. »

« I rischi superano i possibili benefici. »

« Non fallirò », ribatté freddamente Fawkes.

De Vaal sembrava in preda a una crisi di coscienza. Fece qualche passo, nervosamente, poi si fermò a fissare Fawkes. « Non posso promettere che riuscirò a portarla in salvo quando verrà il momento. E naturalmente il ministero della Difesa negherà ogni connessione con l'iniziativa, se lei venisse scoperto. »

« D'accordo. » Fawkes sospirò, sollevato. Poi fu colpito da un pensiero. « Il treno, signor ministro. Come ha fatto a partire dalla sala operatoria di un ospedale di Port Elizabeth per arrivare così in fretta alla stazione di Pembroke? »

Per la prima volta De Vaal sorrise. « È stato molto semplice. Sono entrato in ospedale dalla porta principale e sono uscito da quella secondaria. Un'ambulanza mi ha portato alla base aerea Heidriek, dove sono salito su un jet militare per atterrare su una pista presso Pembroke. Il treno è del nostro presidente. L'ho preso a prestito per qualche ora mentre stava andando alla normale revisione. »

« Ma perché tutte queste finzioni? »

« Spesso devo mascherare i miei movimenti », rispose De Vaal. « E deve ammetterlo: l'Operazione Rosa Selvatica non è un prodotto che vogliamo pubblicizzare. »

« Capisco. »

« E lei, comandante Fawkes? Può sparire dalla circolazione senza destare sospetti? »

Fawkes annuì. « Ho lasciato Umkono in preda all'angoscia. Gli amici e i vicini credono che sia tornato in Scozia. »

« Allora sta bene. » De Vaal andò dietro la scrivania, scrisse qualcosa su un foglietto e lo porse a Fawkes. « È l'indirizzo di un albergo, quindici chilometri a sud della città. Prenda una stanza e attenda i documenti e le istruzioni per incominciare. Da questo momento il governo del Sud Africa la considera morto.» Poi decontrasse i muscoli delle spalle. «Che Dio ci aiuti.»

«Dio? No, non credo.» Una luce amara si accese negli occhi di Fawkes. «Dubito sinceramente che vorrebbe entrarci.»

Al piano sottostante all'ufficio del ministro, il colonnello Zeegler era solo in sala operativa e camminava avanti e indietro accanto a un grande tavolo coperto di fotografie.

Per la prima volta nella sua carriera militare era completamente frastornato. L'attacco alla fattoria dei Fawkes aveva un sapore di intrigo che non quadrava con il solito comportamento dei terroristi. Era stato realizzato in modo troppo preciso e sofisticato per essere opera dell'ERA. E poi, non era nello stile di Lusana. Certo, poteva aver ordinato di massacrare i bianchi, ma non avrebbe tollerato che venissero uccisi anche gli operai bantu, soprattutto le donne e i bambini. Era contrario alla strategia abituale del capo guerrigliero.

«E allora chi è stato?» mormorò Zeegler.

Non erano state certamente unità nere delle Forze della Difesa sudafricana. Sarebbe stato impossibile senza che lui ne fosse informato.

Si fermò e frugò tra le foto scattate dagli investigatori dopo il massacro. Non si erano trovati testimoni, e nessuno degli aggressori era stato catturato. Era un'azione troppo perfetta, troppo impeccabile.

Non c'era nulla che permettesse di risalire all'identità degli assalitori. Ma gli anni d'esperienza gli dicevano che qualche indizio c'era, e si trattava di trovarlo.

Come un chirurgo che esamina le radiografie prima di un'operazione delicata, Zeegler prese una lente d'ingrandimento e per la ventesima volta ricominciò a esaminare ogni fotografia.

22.

Il jet dell'Air Malawi partito da Lourenço Marques, in Mozambico, atterrò e si avvicinò al terminal dell'aeroporto di Pretoria. Pochi attimi dopo che il suono dei motori si era spento fu calata la scaletta, e i passeggeri salutarono sorridendo la graziosa hostess africana e si avviarono verso il terminal.

Il maggiore Thomas Machita seguì gli altri; e quando venne il suo turno presentò al funzionario dell'immigrazione il falso passaporto mozambicano.

Il sudafricano bianco esaminò la foto e il nome, George Yariko, e sorrise. «Con questo sono tre i viaggi che ha fatto a Pretoria nell'ultimo mese, signor Yariko.» Indicò la borsa che Machita teneva incatenata al polso. «Le istruzioni per il suo console sono diventate sempre più pesanti, da qualche tempo.»

Machita alzò le spalle. «Se il mio ministero degli Esteri non mi manda al consolato di Pretoria, mi manda al consolato di qualche altro posto. Senza offesa, preferirei che mi mandassero a Londra o a Parigi.»

Il funzionario gli indicò l'uscita. «Immagino che la rivedrò presto», disse con ironica cortesia. «Buona permanenza.»

Machita sorrise mettendo in mostra tutti i denti, uscì dal terminal e si avviò alla fermata dei tassì. Con la mano libera fece un cenno alla prima macchina di una lunga coda. Il tassista accese il motore ma, prima che potesse accostarsi, un altro tassì si staccò dalla fila e andò a fermarsi davanti a Machita fra le grida di protesta e i colpi di clacson degli altri tassisti che attendevano il loro turno.

Machita trovò divertente quella scena. Prese posto sul sedile posteriore. «Al consolato del Mozambico», ordinò.

Il tassista si assestò il berretto, mise in funzione il tassametro e si avviò in mezzo al traffico. Machita si guardò intorno. Sganciò la catenella dal polso e la buttò nella borsa. Il console del Mozambico, che era complice dell'ERA, lasciava che Machita e i suoi collaboratori andassero e venissero spacciandosi per corrieri diplomatici. Poi, dopo un breve soggiorno al consolato, si trasferivano in un albergo discreto e si dedicavano allo spionaggio.

Nella mente di Machita scattò un segnale d'allarme. Studiò con attenzione il panorama. Il tassista non seguiva il percorso più breve per il consolato; puntava verso il centro commerciale di Pretoria.

Machita gli batté la mano sulla spalla. «Non sono un turista da spennare, amico. Se vuole che la paghi, faccia la strada più breve per portarmi a destinazione.»

L'unica risposta che ottenne fu una scrollata di spalle. Dopo aver proseguito per un tratto in mezzo al traffico, il tassista entrò nel parcheggio sotterraneo di un grande magazzino. Non c'era bisogno di essere un sensitivo per fiutare la trappola. La lingua gli si gonfiò come una spugna mentre il cuore cominciava a martellare. Aprì di nascosto i fermagli della borsa ed estrasse una Mauser 38 automatica.

Quando arrivò al livello più basso del parcheggio, il tassista andò a fermarsi in uno spazio vuoto nel punto più lontano dalla galleria d'ingresso. Poi si voltò e si trovò contro la punta del naso la canna della pistola di Machita.

Era la prima volta che Machita aveva l'occasione di osservare la faccia del tassista. La pelle scura e i lineamenti erano quelli di un indiano, e in Sud Africa gli indiani erano più di mezzo milione. L'uomo sorrideva tranquillo. Non sembrava per nulla a disagio.

«Credo che possiamo fare a meno di queste scene drammatiche, maggiore Machita», disse il tassista. «Non corre nessun pericolo.»

Machita non abbassò la pistola. Non osava voltarsi per controllare se nel parcheggio era spuntato un esercito di uomini armati fino ai denti. «Qualunque cosa succeda, morirà con me», disse.

« È un tipo emotivo », commentò il tassista. « Anzi, è stupido. Non sta bene che nel suo mestiere qualcuno reagisca come un adolescente sorpreso a rapinare una pasticceria. »

« Piantiamola con queste balle », scattò Machita. « Cosa vuole? »

Il tassista rise. « Ha parlato da quel nero americano che è, Luke Sampson di Los Angeles, alias Charlie Le Mat di Chicago, alias maggiore Thomas Machita dell'ERA, e Dio sa chi altro ancora. »

Machita fu scosso da un brivido di freddo. Cercò disperatamente di capire chi fosse il tassista e come mai sapesse tante cose di lui. « Si sbaglia. Mi chiamo Yariko, George Yariko. »

« Come preferisce », disse il tassista. « Ma per me è meglio parlare con il maggiore Machita. »

« Chi è lei? »

« Non ha molta percezione, per una spia. » La voce passò a un accento *afrikaans*. « Ci siamo già incontrati due volte. »

Machita abbassò la pistola. « Emma? »

« Ah, la nebbia si dirada. »

Machita esalò un sospiro di sollievo e rimise l'arma nella borsa. « Come diavolo sapeva che sarei arrivato con quel volo? »

« L'ho visto in una sfera di cristallo », rispose Emma, che evidentemente non intendeva rivelare i suoi segreti.

Machita lo fissò, scrutò ogni particolare della faccia, della pelle liscia. Non somigliava affatto al giardiniere e al cameriere del caffè che avevano dichiarato di essere Emma nelle due occasioni precedenti.

« Speravo che mi avrebbe contattato, ma non mi aspettavo che lo facesse così presto. »

« Ho scoperto qualcosa che credo sarà interessante per Hiram Lusana. »

« Quanto vuole, questa volta? » chiese Machita in tono asciutto.

Emma non esitò. « Due milioni di dollari americani. »

Machita fece una smorfia. « Non esistono informazioni che valgano tanto. »

« Non ho tempo di discutere », disse Emma, e passò una busta a Machita. « Qui c'è una breve descrizione di una parte segretissima della strategia anti-ERA chiamata Operazione Rosa Selvatica. Il materiale spiega il concetto e lo scopo del piano. Lo dia a Lusana. Se, dopo averlo esaminato accetterà il mio prezzo, gli consegnerò il piano completo. »

La busta finì nella borsa insieme alla catenella e alla Mauser. « Sarà nelle mani del generale entro domani sera », promise Machita.

« Benissimo. Ora la porterò al consolato. »

« C'è un'altra cosa. »

Emma girò la testa verso il maggiore. « L'ascolto. »

« Il generale vuole sapere chi ha attaccato la fattoria dei Fawkes nel Natal. »

Gli occhi scuri di Emma fissarono Machita. « Il suo generale ha uno strano senso dell'humour. Gli indizi rimasti sulla scena collegano al massacro il vostro ERA. »

« L'ERA è innocente. Vogliamo conoscere la verità. »

Emma scrollò le spalle. « D'accordo, m'informerò. »

Inserì la marcia indietro e uscì dal parcheggio. Otto minuti più tardi fece scendere Machita davanti al consolato del Mozambico.

« Ancora un consiglio, maggiore. »

Machita si chinò verso il finestrino. « Quale? »

« Un agente abile non prende mai il primo tassì che gli viene offerto. Prende sempre il secondo o il terzo della fila. Così non correrà pericoli. »

Machita restò immobile sul marciapiedi e seguì con lo sguardo il tassì fino a quando esso non fu inghiottito dal traffico frenetico di Pretoria.

23.

I RAGGI del sole del tardo pomeriggio superarono la ringhiera e accarezzarono la forma distesa languidamente sul balcone di una delle suite più care del New Stanley Hotel di Nairobi, in Kenya.

Felicia Collins indossava un reggiseno coloratissimo e una gonna Kongo in tinta sopra gli slip del bikini. Si girò sul fianco, accese una sigaretta e pensò ai giorni precedenti. D'accordo, nel corso degli anni era andata a letto con una quantità di uomini diversi; non era questo che la preoccupava. La prima volta si era trattato di un cugino sedicenne quando lei aveva appena quattordici anni. Non era stata un'esperienza gradevole, ma ormai la ricordava a malapena. Poi, prima dei vent'anni, c'erano stati almeno altri dieci uomini. Aveva dimenticato quasi tutti i nomi, e le facce erano vaghe e indistinte.

Gli amanti che erano entrati e usciti dal suo letto durante gli anni in cui lottava per far carriera come cantante formavano una sequenza continua di dirigenti di case discografiche, disc-jockey, musicisti, compositori. Quasi tutti avevano contribuito alla sua scalata. Con il successo improvviso erano arrivate Hollywood e un'orgia di vita lussuosa.

Facce, pensò. Era strano che non ricordasse i lineamenti, ma solo le camere da letto. La morbidezza del materasso, i fregi della carta da parati, gli impianti del bagno adiacente erano ancora impressi nella sua mente insieme ai tipi diversi di travi e di intonaci dei soffitti.

Come per molte donne, per Felicia il sesso non veniva al primo posto nell'elenco dei passatempi. Tante volte avrebbe preferito leggere un bel romanzo. La faccia di Hiram Lusana stava già svanendo nell'oscurità insieme a quelle di tutti gli altri.

All'inizio aveva odiato Daggat, aveva odiato l'idea che potesse eccitarla. Lo aveva insultato ogni volta che ne aveva avuto la possibilità, ma lui aveva continuato a essere cortese. Non riusciva a farlo incollerire. Dio, è esasperante, pensò. Quasi si augurava che la umiliasse come una schiava perché il suo odio fosse giustificato, ma non era così. Frederick Daggat era troppo furbo. La trattava con gentilezza e prudenza, come un pescatore che sa di aver preso all'amo un pesce da primato.

La porta del balcone si aprì e Daggat uscì. Felicia si sollevò a sedere e si tolse gli occhiali da sole quando l'ombra la sfiorò.

«Dormivi?»

Lei sorrise. «Stavo fantasticando.»

«Comincia a far fresco. È meglio che rientri.»

Le prese la mano e la fece alzare. Felicia lo guardò maliziosamente per un attimo, poi sganciò il reggiseno e gli premette i seni nudi contro il petto. «Abbiamo tempo di far l'amore prima di cena.»

Era una provocazione, e lo sapevano entrambi. Da quando avevano lasciato insieme il campo di Lusana, Felicia aveva reagito ai contatti sessuali con lo slancio di un robot. Era una parte che non aveva mai recitato in passato.

«Perché?» chiese semplicemente Daggat.

Felicia lo studiò con gli occhi espressivi. «Perché che cosa?»

«Perché hai lasciato Lusana per venire con me? Le donne non girano la testa per guardarmi. Da quarant'anni vedo questa brutta faccia allo specchio ogni santo giorno, e non m'illudo di avere la stoffa del superdivo. Non devi comportarti come una mucca barattata, Felicia. Non appartieni a Lusana, non appartieni neppure a me, e sospetto che non apparterrai mai a nessun uomo. Avresti potuto mandarci al diavolo tutti e due, e invece mi hai seguito fin troppo docilmente. Perché?»

Felicia sentì un fremito allo stomaco nell'aspirare l'intenso odore mascolino di Daggat e gli prese la faccia tra le mani. «Sono saltata dal letto di Hiram al tuo solo per dimostrare che, se non aveva bisogno di me, potevo fare a meno di lui con la stessa facilità.»

«Una reazione perfettamente umana.»

Lei lo baciò sul mento. «Perdonami, Frederick. In un certo senso Hiram e io ci siamo serviti di te; lui per avere il suo appoggio al Congresso, io per farlo ingelosire.»

Daggat sorrise. «È una delle poche volte nella mia vita in cui posso dire sinceramente di essere felice che si sia approfittato di me.»

Felicia lo prese per mano, lo condusse in camera da letto e lo spogliò con mosse esperte. «Questa volta», disse a voce bassa, «ti mostrerò la vera Felicia Collins.»

Erano le otto passate quando si staccarono. Felicia era molto più forte di quanto Daggat avesse creduto possibile. La sua passione era profonda, insondabile. Daggat rimase a letto per qualche minuto e l'ascoltò canticchiare sotto la doccia. Poi si alzò stancamente, indossò un kimono, sedette alla scrivania coperta di documenti e cominciò a esaminarli.

Felicia tornò dal bagno, indossò una vestaglietta zebrata in bianco e rosso, e si guardò con soddisfazione nel grande specchio. Era snella e solida; la vitalità che fluiva nei muscoli agili metteva in ombra gli indolenzimenti della vigorosa attività amatoria. A trentadue anni era ancora tremendamente provocante, pensò, e le restavano parecchi anni prima che potesse permettere al suo agente di accettare per lei ruoli matronali, a meno che, naturalmente, un produttore non le offrisse una sceneggiatura sensazionale e una grossa percentuale sugli incassi.

«Credi che possa vincere?» chiese Daggat interrompendo i suoi pensieri.

«Scusa, come hai detto?»

«Ti ho chiesto se Lusana potrà sconfiggere le Forze della Difesa del Sud Africa.»

«Non sono in grado di fare una predizione valida sull'esito della rivoluzione», disse Felicia. «Il solo compito che avevo nell'ERA consisteva nel raccogliere fondi.»

Lui sogghignò. «E far divertire le truppe, con particolare riferimento ai generali.»

«Un incentivo accessorio», ribatté lei con una risata. «Non hai risposto alla domanda.»

Felicia scosse la testa. «Anche con un esercito di un milione di uomini, Hiram non può sperare di battere i bianchi in un conflitto prolungato. I francesi e gli americani hanno perso in Vietnam per la stessa ragione per cui in Rhodesia è caduto il governo di minoranza: i guerriglieri che combattono con la copertura della giungla hanno tutti i vantaggi. Purtroppo per la causa dei neri, l'ottanta per cento del Sud Africa è un territorio arido e scoperto, più adatto alla guerra aerea e corazzata.»

«Allora, lui che cosa conta di fare?»

«Hiram conta sull'appoggio popolare mondiale e sulle sanzioni economiche che dovranno strangolare la classe dirigente bianca e costringerla alla sottomissione.»

Daggat appoggiò il mento sulle mani enormi. «È comunista?»

Felicia rovesciò all'indietro la testa e rise. «Diavolo, Hiram ha fatto fortuna come capitalista. Pensa troppo ad arricchirsi per diventare un rosso.»

«E allora come spieghi i consiglieri militari vietnamiti e i rifornimenti gratuiti cinesi?»

«È il vecchio sistema di P.T. Barnum per infinocchiare i gonzi. I vietnamiti sono talmente maniaci della rivoluzione che manderebbero specialisti della guerriglia anche nelle paludi della Florida se qualcuno li invitasse a farlo. In quanto alla generosità dei cinesi, dopo essere stati buttati fuori a calci da otto diverse nazioni africane in otto anni, sono disposti a leccare i piedi a chiunque pur di restare sul continente.»

«Lusana potrebbe impantanarsi nelle sabbie mobili senza rendersene conto.»

« Lo sottovaluti », disse Felicia. « Caccerà gli asiatici nel momento preciso in cui non saranno più utili all'ERA. »

« È più facile dirlo che farlo. »

« Lui sa quello che fa. Credimi, Hiram Lusana siederà sulla poltrona di primo ministro a Città del Capo fra nove mesi. »

« Ha un programma preciso? » chiese incredulo Daggat.

« Precisissimo. »

Daggat raccolse le carte dalla scrivania e le ammucchiò in ordine.

« Comincia a fare le valigie. »

Felicia inarcò le sopracciglia. « Lasciamo Nairobi? »

« Andiamo a Washington. »

Lei rimase colpita da quell'inatteso tono autoritario. « Perché dovrei tornare negli Stati Uniti con te? »

« Perché non hai niente di meglio da fare. E poi, arrivare in patria al braccio di un rispettato membro del Congresso dopo aver convissuto un anno con un noto rivoluzionario potrebbe contribuire a rifarti un'immagine agli occhi dei tuoi fan. »

Felicia s'imbronciò. Ma la logica di Daggat era sensata. Le vendite dei suoi dischi erano diminuite, le chiamate dei produttori s'erano rarefatte. Era venuto il momento di rimettere in marcia la sua carriera.

« Sarò pronta fra mezz'ora », disse.

Daggat annuì e sorrise, mentre l'eccitazione lo riassaliva. Se, come aveva detto Felicia, Lusana era il favorito nella corsa per diventare il primo padrone nero del Sud Africa, lui, sostenendo una causa vittoriosa in Campidoglio, poteva assicurarsi importanza e voti. Valeva la pena di rischiare. E se fosse stato attento a scegliere con cura parole e programmi, avrebbe potuto aspirare alla vicepresidenza, il gradino decisivo per realizzare il suo scopo supremo.

24.

Lusana sollevò la mano a livello degli occhi, poi lanciò in avanti la canna con un abile scatto del polso. Il pezzetto di formaggio appeso all'amo piombò nel fiume e scomparve. I pesci abbondavano e Lusana cominciò a fremere nell'attesa. Era immerso fino alle cosce nell'acqua, all'ombra degli alberi che si piegavano sulla riva. Ritirò lentamente la lenza.

All'ottavo lancio prese un pesce che per poco non gli strappò la canna dalle mani. Era un pesce-tigre, un parente dei feroci piraña sudamericani. Fece scorrere di più la lenza. Non poteva far altro: la canna era quasi piegata in due. Poi, prima che iniziasse veramente la battaglia, il pesce-tigre girò intorno a un tronco d'albero immerso, spezzò la lenza e fuggì.

«Non credevo che fosse possibile attirare un pesce-tigre con un pezzo di formaggio», disse il colonnello Jumana. Era seduto a terra con la schiena appoggiata a un albero e teneva in mano la busta con le brevi notizie sull'Operazione Rosa Selvatica.

«L'esca non ha importanza, se la preda ha fame», commentò Lusana. Risalì sulla riva e incominciò a preparare di nuovo la lenza.

Jumana si girò sul fianco e scrutò il paesaggio per vedere se le guardie erano piazzate e attente ai loro posti. Ma era un gesto superfluo: nessun soldato più di loro prestava servizio con tanto fervore e tanta fedeltà. Erano tutti agili e solidi, scelti personalmente da Lusana non tanto in base al coraggio e al fisico quanto per l'intelligenza. Si tenevano pronti nel sottobosco, e stringevano con decisione le armi.

Lusana ricominciò i lanci. «Che ne pensa?» chiese.

Jumana fissò la busta e assunse un'espressione scettica.

«Una rapina. Una rapina da due milioni di dollari.»

« Allora non ci crede? »

« No, signore. Non ci credo, per essere sincero. » Jumana si alzò e si spolverò l'uniforme da combattimento. « Credo che Emma abbia passato al maggiore Machita frammenti di scarso valore. » Scosse la testa. « Il rapporto non dice nulla. Indica unicamente che i bianchi intendono sferrare un grande colpo terroristico in qualche posto del mondo con un gruppo di neri che si spaccino per seguaci dell'ERA. I sudafricani non sono così stupidi da rischiare ripercussioni internazionali con un complotto assurdo. »

Lusana lanciò la lenza. « Ma supponiamo che il primo ministro Koertsmann abbia capito che la fine è imminente. Potrebbe decidere di correre un rischio estremo. »

« Ma come? » chiese Jumana. « Dove? »

« Le risposte a queste domande, amico mio, si possono avere solo pagando due milioni di dollari americani. »

« Io continuo a pensare che l'Operazione Rosa Selvatica sia una truffa. »

« Per la verità, la trama è geniale », continuò Lusana. « Se l'attacco comportasse gravi perdite, la nazione vittima sarebbe spinta a negare ogni simpatia alla nostra causa e a fornire aiuti e armamenti al governo Koertsmann. »

« Gli interrogativi non finiscono più », disse Jumana. « Qual è la nazione scelta come bersaglio? »

« Secondo me, gli Stati Uniti. »

Jumana buttò a terra la busta. « Ignori questo stupido inganno, generale, e usi il denaro per uno scopo migliore. Dia ascolto alla mia proposta per una serie di attacchi che getteranno i bianchi nel panico. »

Lusana gli rivolse un'occhiata d'acciaio. « Sa come la penso in fatto di massacri. »

Jumana insistette. « Mille assalti fulminei contro città, villaggi e fattorie da un capo del paese all'altro ci farebbero arrivare a Pretoria entro Natale. »

« Continueremo a combattere una guerra sofisticata », disse freddamente Lusana. « Non ci comporteremo come una marmaglia primitiva. »

« In Africa spesso è necessario guidare il popolo con mano di ferro. Raramente sanno che cosa è meglio per loro. »

« Mi dica, colonnello. Sono sempre disposto a imparare: chi sa che cosa è meglio per il popolo africano? »

La faccia di Jumana divenne violacea per la rabbia repressa. « Gli africani sanno che cosa è meglio per gli africani. »

Lusana non raccolse la frecciata contro la sua origine americana. Intuiva gli impulsi di Jumana, l'odio per tutti gli stranieri, l'ambizione ossessiva, la scoperta dei privilegi del potere, la diffidenza verso le usanze moderne, un'accettazione quasi infantile della ferocia sanguinaria. Incominciò a chiedersi se non aveva commesso un errore gravissimo assegnando a Jumana un alto grado nel comando.

Prima che Lusana avesse il tempo di concentrarsi sui problemi che potevano sorgere tra loro, dalla riva del fiume giunse un suono di passi.

Le guardie si tesero, poi si rassicurarono nel vedere il maggiore Machita che scendeva trottando il sentiero e andava a fermarsi di fronte a Lusana.

« Uno dei miei agenti è appena arrivato da Pretoria con il rapporto di Emma sull'attacco contro la fattoria dei Fawkes. »

« Che cosa ha scoperto? »

« Emma dice che non è riuscito a trovare la prova che fossero coinvolte le Forze della Difesa. »

Lusana aggrottò la fronte. « Quindi si torna al punto di partenza. »

« Mi sembra incredibile che un reparto possa assassinare quasi cinquanta persone senza essere identificato », commentò Machita.

« È possibile che Emma abbia mentito? »

« Sì, è possibile. Ma non avrebbe avuto un motivo per farlo. »

Lusana non rispose. Tornò a dedicare tutta la sua attenzione ai pesci. La lenza frusciava sull'acqua. Machita guardò con aria interrogativa Jumana, che evitò il suo sguardo. Per un momento Machita rimase confuso e si chiese che cosa poteva aver causato l'atmosfera di tensione percepibile fra i due superiori. Dopo un lungo silenzio impacciato indicò la busta con un cenno.

« Ha preso una decisione per l'Operazione Rosa Selvatica, generale? »

« Sì », rispose Lusana mentre salpava la lenza.

Machita rimase ad attendere in silenzio.

« Intendo pagare a Emma i suoi trenta denari per il resto del piano », disse finalmente Lusana.

Jumana scattò: « No, è una truffa! Neppure lei, generale, ha il diritto di buttar via stupidamente i fondi del nostro esercito ».

Machita trattenne il respiro. Il colonnello aveva ecceduto. Ma Lusana continuò a voltare le spalle alla riva e a pescare. « Le ricordo », disse con fermezza e senza alzare la voce, « che la maggior parte del nostro tesoro è stata fornita da me. E quel che è mio posso riprendermelo o usarlo come voglio. »

Jumana strinse i pugni. I tendini del collo si contrassero. Si avvicinò all'acqua snudando i denti. Poi all'improvviso, come se un interruttore si fosse sovraccaricato nel suo cervello e fosse scattato, l'espressione di rabbia svanì e lasciò il posto al sorriso. Le sue parole erano noncuranti, ma avevano una sfumatura di amarezza.

« Chiedo scusa per ciò che ho detto. Sono troppo stanco. »

In quello stesso momento Machita decise che il colonnello era pericoloso e andava tenuto d'occhio. Si rendeva conto che Jumana non si sarebbe mai rassegnato al ruolo di numero due.

« Non importa », disse Lusana. « Ora la cosa più importante è mettere le mani su Rosa Selvatica. »

« Preparerò lo scambio », assicurò Machita.

« Farà qualcosa di più », disse Lusana, girandosi di nuovo verso la riva. « Ideerà un piano per il pagamento. Poi ucciderà Emma. »

Jumana lo guardò a bocca aperta. « Non ha mai avuto l'intenzione di pagargli i due milioni di dollari, è così? » balbettò.

Lusana sogghignò. « Naturalmente. E se avesse avuto un po' di pazienza, mi avrebbe risparmiato la sua sfuriata infantile. »

Jumana non rispose. Non aveva niente da dire. Sorrise ancora di più e alzò le spalle. In quel momento Machita notò che deviava impercettibilmente lo sguardo: non guardava direttamente Lusana, ma un punto nell'acqua, tre metri più a monte del generale.

« Guardie! » urlò Machita tendendo convulsamente il braccio. « Il fiume! Sparate! In nome di Dio, sparate! »

Il tempo di reazione degli uomini della sicurezza fu inferiore ai due secondi. Gli spari esplosero negli orecchi di Machita e l'acqua zampillò a un paio di metri da Lusana in cento geyser frantumati.

Sei metri di orrende squame brune eruppero alla superficie e rotolarono più volte, mentre la coda sferzava disperatamente l'acqua e le pallottole tempestavano come grandine la pelle durissima. Il fuoco cessò e il grande rettile compì un'ultima giravolta convulsa e affondò.

Lusana era rimasto immobile, stordito e con gli occhi sbarrati. Fissava attraverso l'acqua limpida la mole gigantesca del coccodrillo che la corrente trascinava lungo il letto del fiume.

Sulla riva Machita tremava, non tanto per il pericolo corso da Lusana quanto per l'espressione satanica sulla faccia da uomo di Neandertal di Jumana.

Quel bastardo lo sapeva, pensò Machita. Aveva visto il coccodrillo scendere in acqua dalla sponda opposta e puntare verso il generale, ma non aveva detto nulla.

25.

MANCAVANO due ore all'alba quando Patrick Fawkes pagò il tassista e si avvicinò al cancello illuminato della Forbes Marine Scrap & Salvage Company. Una guardia in uniforme si staccò dal televisore portatile e sbadigliò mentre Fawkes faceva passare un portadocumenti attraverso la finestra del gabbiotto. La guardia esaminò le firme e confrontò la fotografia con l'uomo che gli stava davanti. Poi restituì il portadocumenti.

« Benvenuto in America, capitano. I miei capi la stanno aspettando. »

« È qui? » chiese impaziente Fawkes.

« Attraccata al molo est », rispose la guardia, e gli passò una fotocopia di una mappa dell'area. « Attento a dove mette i piedi. Da quando hanno razionato l'energia, la notte i riflettori vengono spenti. Là fuori c'è più buio che all'inferno. » Mentre Fawkes si avviava sotto le gru gigantesche per raggiungere il molo, il vento soffiò dalla baia e recò alle sue narici un odore pesante, il sentore pungente del porto: gasolio, catrame, acqua salmastra. Era un odore che non mancava mai di rianimarlo.

Arrivò al molo e si guardò intorno per vedere se c'era qualcuno. Gli uomini del turno di notte erano andati a casa da un pezzo. Soltanto un gabbiano, posato su un pilone di legno, ricambiò il suo sguardo con un occhio vitreo.

Dopo altri cento metri, Fawkes si fermò accanto a un'immensa mole spettrale che torreggiava nell'oscurità accanto al pontile. Salì la passerella, arrivò sulla tolda sterminata e si diresse verso la plancia attraverso il labirinto d'acciaio.

Più tardi, mentre il sole saliva lentamente all'orizzonte orientale della baia, apparve manifesto lo squallore della nave. Ma la vernice scrostata, i metri quadrati di ruggine e le tracce lasciate dalle fiamme ossidriche della squadra tecnica restavano invisibili agli occhi di Fawkes. Come il padre di una figlia orribilmente sfigurata, riusciva soltanto a vederne la bellezza.

«Sì, sei una nave magnifica», gridò ai ponti silenziosi. «Te la caverai benissimo.»

PARTE TERZA

RECUPERO

26.

I SUPERIORI di Steiger al Pentagono dormirono per quasi due mesi sul suo rapporto riguardante la scoperta del Vixen 03 prima di convocarlo a Washington. Per Steiger fu come entrare in un incubo. Si sentiva più un testimone ostile che un investigatore importante.

Anche con le prove davanti agli occhi sotto forma di un videotape, il generale Ernest Burgdorf, capo della Sicurezza dell'Aeronautica, e il generale John O'Keefe, aiutante dei capi di Stato Maggiore riuniti, espressero molti dubbi sul valore dell'aereo affondato, e sostennero che non c'era nulla da guadagnare riportandolo alla luce, se non una chiassata sensazionalista dei media. Steiger era allibito.

«Ma i familiari...» protestò. «Sarebbe un crimine non informare i familiari che sono stati ritrovati i cadaveri.»

«Cerchi di ragionare, colonnello. Perché rivangare questi vecchi ricordi? I genitori, con ogni probabilità, sono morti da tempo. Le mogli si sono risposate. I figli sono stati allevati da nuovi padri. Lasciamo che tutti gli interessati continuino a vivere in pace.»

«C'è sempre il carico», disse Steiger. «Esiste la possibilità che il Vixen 03 trasportasse testate nucleari.»

«Ne abbiamo già discusso», scattò O'Keefe. «Una scrupolosa ricerca effettuata con il computer sulla documentazione dei magazzini militari ha confermato che non manca nessuna testata. Di tutte le armi atomiche, a partire dalla bomba sganciata su Hiroshima, si sa bene dove sono finite.»

«Le risulta, signore, che il materiale nucleare veniva trasportato allora come adesso in contenitori di acciaio inossidabile?»

«E a lei, colonnello», replicò Burgdorf, «risulta che i

contenitori che dice di aver scoperto siano davvero pieni? »

Steiger si sentiva sconfitto. Era come parlare al vento. Lo trattavano come un bambino troppo fantasioso che sosteneva di aver visto un elefante in un campo di mais del Minnesota.

« E se fosse proprio l'aereo che si riteneva scomparso nel Pacifico », soggiunse Burgdorf, « credo che sarebbe meglio non svegliare il can che dorme. »

« Signore? »

« Le ragioni dell'enorme deviazione di rotta dell'aereo potrebbero essere tali che l'Aeronautica non vorrebbe renderle pubbliche. Consideri le probabilità. Per volare per milleseicento chilometri nella direzione opposta è necessaria l'avaria totale di almeno cinque diversi sistemi di strumenti oltre alla stupidità totale dell'equipaggio, un navigatore che ha perso la ragione, oppure un complotto per rubare l'aereo, chissà per quale scopo. »

« Ma qualcuno doveva aver autorizzato il piano di volo », obiettò Steiger.

« Sì, qualcuno lo fece », confermò O'Keefe. « Gli ordini furono emessi dalla base aerea Travis in California, da un certo colonnello Michael Irwin. »

Steiger fissò il generale con aria scettica. « Succede raramente che i piani di volo vengano tenuti in archivio per più di qualche mese. Com'è possibile che questi siano stati conservati per oltre trent'anni? »

O'Keefe alzò le spalle. « Non lo chieda a me, colonnello. Mi creda sulla parola. L'ultimo piano di volo del Vixen 03 è stato ritrovato in un vecchio fascicolo alla base Travis. »

« E i piani che ho scoperto nel relitto? »

« Si arrenda all'inevitabile », insisté Burgdorf. « Le carte che ha ripescato in quel lago del Colorado sono troppo malconce perché sia possibile decifrarle con un minimo di precisione. Lei vi ha letto qualcosa che non esisteva. »

« Per quanto mi riguarda », disse risolutamente O'Keefe, «la spiegazione per la deviazione dalla rotta del Vixen 03 è una faccenda chiusa.» Si rivolse a Burgdorf. «È d'accordo, generale?»

«Sì.»

O'Keefe fissò Steiger. «Ha qualcosa d'altro che desidera esporre, colonnello?»

I superiori di Steiger attendevano la risposta. Steiger non sapeva che dire. Era arrivato in un vicolo cieco. Il sottinteso pendeva sulla sua testa come una spada di Damocle. Se non avesse dimenticato il Vixen 03, la sua carriera in Aeronautica sarebbe finita prematuramente.

Nel putting green dietro la Casa Bianca, il presidente lanciò una dozzina di palle verso la buca lontana un metro e mezzo. Nessuna arrivò a segno, a ulteriore dimostrazione che il golf non era uno sport per lui. Capiva la sfida competitiva del tennis e della pallamano e magari del nuoto, ma non sapeva perché mai qualcuno avesse voglia di battersi contro il proprio handicap.

«Ora posso morire soddisfatto, perché ho visto proprio tutto.»

Il presidente si raddrizzò e vide davanti a sé la faccia sorridente di Timothy March, il suo segretario della Difesa.

«Serve a dimostrare quanto tempo ho da perdere, adesso che come presidente sono un'anatra zoppa.»

March, un uomo basso e tozzo che detestava ogni sforzo fisico, si avventurò sul green. «Dovrebbe essere felice del risultato delle elezioni. Le hanno vinte il suo partito e il suo candidato.»

«Nessuno ha mai vinto veramente un'elezione», borbottò il presidente. «Cosa c'è di nuovo, Tim?»

«Ho pensato che le avrebbe fatto piacere sapere che ho insabbiato la faccenda del vecchio aereo trovato nelle Montagne Rocciose.»

«Probabilmente è stata una mossa saggia.»

«Una storia sconcertante», disse March. «A parte i

piani di volo addomesticati nell'archivio dell'Aeronautica, non c'è traccia della vera missione dell'equipaggio. »

«Così sia», commentò il presidente che era riuscito a mandare in buca una palla. «Lasciamo le cose come stanno. Se Eisenhower seppellì le spiegazioni durante la sua amministrazione, non intendo scoperchiare un nido di vespe durante la mia. »

«Propongo di recuperare le salme dei membri dell'equipaggio e dar loro una sepoltura militare. Glielo dobbiamo. »

«D'accordo. Ma senza pubblicità. »

«Lo dirò chiaramente all'ufficiale dell'Aeronautica che se ne occupa. »

Il presidente passò il putter a un agente del servizio segreto che gli stava accanto, e accennò a March di accompagnarlo negli uffici dell'esecutivo.

«Lei cosa ne pensa, Tim? Cosa crede che cercasse di coprire Ike nel 1954? »

«È un interrogativo che mi ha tenuto sveglio diverse notti», rispose March. «Non ne ho la più pallida idea. »

Steiger si fece largo tra la folla che attendeva un tavolo libero al Cottonwood Inn ed entrò nel bar. Pitt lo chiamò con un cenno da un séparé in fondo e quasi con lo stesso gesto fece un segnale alla cameriera. Steiger sedette di fronte a Pitt mentre la cameriera, abbigliata di un seducente e succinto costume coloniale, inarcava sopra il tavolo il seno fiorente.

«Un martini on the rocks», disse Steiger sbirciandola con interesse. «Anzi, pensandoci meglio, me lo porti doppio. È stata una mattinata tremenda. »

Pitt alzò un bicchiere semivuoto. «Un altro salty dog. »

«Cristo», gemette Steiger. «Come fa a mandar giù quella roba? »

«Dicono che serva per dimagrire», si giustificò Pitt. «Gli enzimi contenuti nel succo di pompelmo annullano le calorie della vodka. »

« Mi sembra una favola. E poi, perché si disturba? Non ha un filo di grasso addosso. »

« Vede? » rise Pitt. « Allora funzionano. »

Quell'allegria era contagiosa. Per la prima volta in quel giorno Steiger avrebbe voluto ridere. Ma quando vennero serviti i drink la sua espressione si annuvolò di nuovo. Rimase in silenzio a giocherellare con il bicchiere senza assaggiarne il contenuto.

« Non mi dica che i suoi amici del Pentagono le hanno sparato addosso », disse Pitt, come se leggesse nei pensieri del colonnello.

Steiger annuì. « Hanno sezionato ogni frase del mio rapporto e hanno buttato i pezzi nel sistema fognario di Washington. »

« Dice sul serio? »

« Non hanno voluto saperne. »

« E i contenitori? E il quinto scheletro? »

« Sostengono che i contenitori sono vuoti. In quanto alla sua teoria sul padre di Loren Smith, non ne ho neppure parlato. Non c'era motivo di rinfocolare il loro scetticismo. »

« Allora è fuori dell'indagine? »

« Sì, se voglio diventare generale. »

« Hanno fatto pressioni? »

« Non è stato necessario. L'avevano scritto negli occhi. »

« E adesso che cosa succede? »

Steiger guardò Pitt con fermezza. « Speravo che potesse continuare da solo. »

Continuarono a fissarsi.

« Vuole che ripeschi l'aereo dal Table Lake? »

« Perché no? Mio Dio, ha recuperato il *Titanic* da una profondità di quasi quattromila metri in mezzo all'Atlantico. Uno Stratocruiser in un lago dovrebbe essere un gioco da ragazzi per un uomo delle sue capacità. »

« La ringrazio. Ma ha dimenticato che non posso decidere io. Per ripescare il Vixen 03 ci vorranno venti uomini, varie camionate di equipaggiamento, un minimo di due settimane e una spesa di circa quattrocentomila dollari. Non posso farlo da solo e l'ammiraglio Sandecker non darà mai il benestare della NUMA a un progetto così enorme senza avere la certezza che il governo fornirà i fondi. »

« E allora perché non ripescare uno dei bidoni e il cadavere di Smith per l'identificazione? »

« Così ci troverebbero con le mani nel sacco. »

« Vale la pena di tentare », disse Steiger, sempre più emozionato. « Può tornare in Colorado domani. Nel frattempo autorizzerò un contratto per il recupero dei corpi degli uomini dell'equipaggio. Così avrà le spalle coperte nei confronti del Pentagono e della NUMA. »

Pitt scosse la testa. « Mi rincresce, ma dovrà rinunciare. Sandecker mi ha incaricato di dirigere il recupero di una corazzata dell'Unione che affondò al largo della costa della Georgia durante la guerra di Secessione. » S'interruppe per guardare l'orologio. « Devo prendere un volo per Savannah fra sei ore. »

Steiger sospirò e incurvò le spalle. « Forse potrà fare un tentativo più tardi. »

« Prepari il contratto e lo tenga in ghiaccio. Scapperò in Colorado alla prima occasione. Glielo prometto. »

« Ha raccontato alla deputata Smith la faccenda del padre? »

« Per essere sincero non ne ho ancora avuto il coraggio. »

« Teme di aver sbagliato? »

« Anche. »

Un'espressione assorta annuvolò il viso di Abe Steiger. « Gesù, che pasticcio. » Vuotò d'un fiato il martini doppio e poi rimase a fissare il bicchiere con aria triste.

La cameriera tornò con i menù. Ordinarono. Steiger seguì con uno sguardo distratto la cameriera che si avviava ancheggiando verso la cucina. « Invece di star qui a rompermi la testa per un vecchio giallo che non interessa a nessuno, dovrei pensare a tornare in California da mia moglie e dai figli. »

149

«Quanti ne ha?»

«Tanti. Otto. Cinque maschi e tre femmine.»

«Dev'essere cattolico.»

Steiger sorrise. «Con un nome come Abraham Levi Steiger? Vorrà scherzare.»

«A proposito, non mi ha detto in che modo i pezzi grossi hanno spiegato il piano di volo del Vixen 03.»

«Il generale O'Keefe ha trovato l'originale. Non corrisponde all'analisi che noi abbiamo fatto di quello trovato nel relitto.»

Pitt rifletté un momento, poi chiese: «Può prestarmi una fotocopia?»

«Del piano di volo?»

«Della sesta pagina.»

«È fuori, nel portabagagli della mia macchina. Perché?»

«Voglio fare un tentativo», rispose Pitt. «Ho un amico dell'FBI che non sa resistere di fronte alle parole crociate.»

«Devi partire proprio questa notte?» chiese Loren a Pitt.

«Mi aspettano domattina a una riunione per discutere certe operazioni di recupero», le spiegò Pitt che era in bagno e riponeva il necessario per radersi.

«Accidenti», obiettò Loren imbronciandosi. «Mi sembra di avere una relazione con un commesso viaggiatore.»

Pitt rientrò nella camera da letto. «Oh, andiamo. Per te non sono altro che un giocattolo di cui prima o poi ti stancherai.»

«Non è vero.» Lei lo abbracciò. «Dopo Phil Sawyer, sei il mio favorito.»

Pitt la fissò. «Da quando frequenti il segretario del presidente?»

«Quando lo stallone non c'è, Loren balla.»

«Mio Dio! Phil Sawyer! Porta camicie bianche e parla come un dizionario.»

«Mi ha chiesto di sposarlo.»

« Corro a vomitare.

Loren lo trattenne. « Per favore, questa notte niente sarcasmi. »

« Mi dispiace di non poter essere un amante più devoto, ma sono troppo egoista per impegnarmi. Non sono capace di dare quel cento per cento di cui ha bisogno una donna come te. »

« Mi accontenterò di una percentuale inferiore. »

Pitt si chinò e le baciò la gola. « Saresti una pessima moglie per Phil Sawyer. »

27.

THOMAS MACHITA pagò il biglietto ed entrò nel recinto del parco dei divertimenti, uno dei molti che nei giorni di festa spuntavano nelle campagne sudafricane. Era domenica e gruppi numerosi di famiglie bantu facevano la fila davanti alla ruota, la giostra, i chioschi. Machita si avviò verso il tunnel dell'orrore, secondo le istruzioni che Emma gli aveva fornito per telefono.

Non aveva ancora deciso quale arma avrebbe usato per uccidere Emma. La lametta che aveva fissato con un cerotto all'avambraccio sinistro lasciava molto a desiderare. Era un'arma da usare da vicino, ed era letale solo se recideva la vena giugulare della vittima in un attimo di distrazione e di isolamento, un'eventualità che Machita considerava molto remota, data la folla che lo circondava.

Alla fine optò per la piccozza da ghiaccio. Fece un sorriso soddisfatto come se avesse risolto un grande enigma scientifico. La piccozza era infilata nel cestello che portava in mano. L'impugnatura di legno era stata rimossa, e intorno all'arma era stato avvolto il nastro isolante. Un rapido affondo fra le costole sino al cuore, oppure in un occhio o in un orecchio: se fosse riuscito a piantarlo in una delle trombe di Eustachio di Emma, sarebbe fuoriuscito pochissimo sangue.

Machita strinse più forte il cesto che conteneva la piccozza e i due milioni di dollari da dare in pagamento al suo informatore. Quando venne il suo turno, prese un biglietto e salì sulla piattaforma del tunnel dell'orrore. I coniugi che lo precedevano, un uomo che ridacchiava e la moglie obesa, presero posto in un carrello. L'inserviente, un vecchio malconcio che tirava su di continuo con il naso, abbassò la sbarra di sicurezza sulle gambe dei due e azionò una leva. Il carrello partì sobbalzando e varcò i battenti a molla. Poco dopo dall'interno giunsero gli strilli della donna.

Machita salì sul secondo carrello. Si rilassò, divertito al pensiero della corsa. Rievocò le immagini della sua infanzia; ricordava di aver tremato a bordo di un carrello come quello durante un'altra visita a un baraccone del genere, tanto tempo prima, con gli spettri fosforescenti che balzavano dal buio come se volessero aggredirlo.

Non guardò l'inserviente mentre azionava la leva, e non reagì subito quando balzò agilmente sul carrello accanto a lui e abbassò la sbarra di sicurezza.

« Spero che la corsa le piaccia », disse la voce di Emma.

Anco..a una volta il misterioso informatore aveva approfittato abilmente della distrazione di Machita. Adesso non sarebbe stato più possibile eliminarlo facilmente.

Emma lo perquisì con movimenti esperti. « Ha fatto bene a venire disarmato, caro maggiore. »

Un punto per me, pensò Machita, continuando a tenere fra le mani il cesto che nascondeva la piccozza. « Ha l'Operazione Rosa Selvatica? » chiese in tono ufficiale.

« Ha i due milioni di dollari americani? » ribatté la figura al suo fianco.

Machita esitò e si chinò istintivamente mentre il carrello passava sotto un mucchio di barili che stavano per cadere su di loro e si arrestavano a pochi centimetri dalle loro teste.

« Qui... nel cesto. »

Emma estrasse una busta dall'interno del giubbotto lurido. « Per il suo capo sarà una lettura interessante. »

« O troppo cara. »

Machita stava scorrendo i documenti quando due streghe dipinte in modo grottesco e rese fluorescenti dalla luce ultravioletta si avventarono verso il carrello e urlarono dagli altoparlanti nascosti. Emma le ignorò, aprì il cesto ed esaminò le banconote sotto l'illuminazione violacea. Il carrello proseguì la corsa mentre le streghe venivano riportate nella nicchia dalle molle nascoste e il tunnel ripiombava nella tenebra.

Ora! pensò Machita. Prese la piccozza dal nascondiglio

e scattò nella direzione in cui avrebbe dovuto trovarsi l'occhio destro di Emma. Ma in quella frazione di secondo il carrello affrontò una curva brusca e un riflettore arancione inquadrò un Satana barbuto che brandiva minacciosamente un forcone. Fu sufficiente perché Machita sbagliasse la mira. La piccozza mancò l'occhio di Emma e la punta affondò nel cranio, sopra la fronte.

Sbalordito, l'informatore gettò un grido, respinse fulmineamente la mano di Machita e strappò via l'asta sottile. Machita prese la lametta fissata all'avambraccio e la vibrò verso la gola di Emma con un movimento ampio. Ma il forcone del diavolo gli colpì il polso dall'alto e fratturò l'osso.

Il diavolo era in carne e ossa. Era uno dei complici di Emma. Machita reagì, aprì la sbarra di sicurezza, sferrò un calcio e centrò all'inguine l'uomo travestito. Il carrello ripiombò nell'oscurità e il diavolo rimase indietro.

Machita si girò di nuovo verso Emma, ma il posto accanto a lui era vuoto. Un raggio di sole lampeggiò per qualche metro sulla sinistra mentre una porta si apriva e si richiudeva. Emma era uscito dal tunnel e aveva portato via il cesto con il denaro.

28.

«Un esempio di stupidità», fece notare il colonnello Jumana con diabolica soddisfazione. «Mi perdoni, generale, ma gliel'avevo detto.»

Lusana guardava pensosamente dalla finestra la formazione di uomini che si esercitavano sulla piazza d'armi. «Un errore di giudizio, colonnello, niente di più. Non perderemo la guerra solo perché abbiamo perso due milioni di dollari.»

Thomas Machita era seduto al tavolo con aria contrita. Aveva la faccia coperta di sudore e fissava stordito l'ingessatura che gli copriva il polso. «Non potevo sapere...»

S'irrigidì quando Jumana si alzò di scatto, inferocito, afferrò la busta di Emma e gliela buttò in faccia.

«Non poteva sapere che la stavano imbrogliando? Stupido! Il nostro glorioso capo del servizio segreto non è capace neppure di uccidere un uomo al buio. E poi aggrava la situazione lasciando che quello si porti via due milioni di dollari in cambio di una busta che contiene le procedure operative per l'asporto dei rifiuti militari.»

«Basta!» tuonò Lusana.

Scese il silenzio. Jumana respirò profondamente, poi indietreggiò pian piano fino alla sua sedia. La rabbia gli ribolliva negli occhi. «Una guerra di liberazione non si vince con questi stupidi errori», disse amaramente.

«Dà troppa importanza alla cosa», replicò impassibile Lusana. «È un ottimo leader, colonnello Jumana, e una tigre in battaglia; ma, come tanti militari di professione, purtroppo non brilla in quanto a stile amministrativo.»

«La prego, generale, non se la prenda con me!» Jumana puntò l'indice contro Machita. «È lui che merita una punizione.»

Lusana si sentì sopraffare dall'avvilimento. Indipendentemente dall'intelligenza e dagli studi, la mentalità africana conservava un'ingenuità puerile nei confronti della responsabilità. I rituali sanguinari davano ancora una sensazione di giustizia più forte di una seria discussione intorno a un tavolo. Stancamente, Lusana guardò Jumana.

« L'errore è stato mio. Sono l'unico responsabile. Se non avessi dato al maggiore Machita l'ordine di uccidere Emma, in questo momento forse avremmo sotto gli occhi l'Operazione Rosa Selvatica. Se non avesse pensato a uccidere, sono certo che il maggiore avrebbe controllato il contenuto della busta prima di consegnare il denaro. »

« Pensa ancora che il piano sia valido? » chiese Jumana in tono incredulo.

« Sì », rispose con fermezza Lusana. « Quanto basta per mettere in guardia gli americani quando andrò a Washington la settimana prossima per testimoniare alle udienze del Congresso sugli aiuti alle nazioni africane. »

« Qui ha cose più urgenti da fare », intervenne Machita con un'espressione d'allarme negli occhi. « La prego, generale, mandi qualcun altro. »

« Non c'è nessuno meglio qualificato », gli assicurò Lusana. « Sono ancora un cittadino americano con molti contatti altolocati che simpatizzano per la nostra causa. »

« Se se ne andrà da qui si troverà in grave pericolo. »

« Siamo tutti abituati al pericolo », disse Lusana. « È il nostro inseparabile compagno. » Si rivolse a Jumana. « Colonnello, lei avrà il comando durante la mia assenza. Le darò ordini precisi sul modo di continuare le nostre operazioni. E voglio che li esegua alla lettera. »

Jumana annuì.

Machita fu assalito da un senso di paura. Non poteva fare a meno di chiedersi se Lusana non stava per caso spianando la strada alla propria caduta e a una marea di sangue che presto avrebbe travolto tutta l'Africa.

29.

Loren Smith si alzò dalla scrivania e tese la mano mentre Frederick entrava nel suo ufficio. Daggat le rivolse il più vistoso dei suoi sorrisi di politico. «Spero che perdonerà la mia intrusione... ah, deputata.»

Loren gli strinse la mano. La divertiva sempre vedere un uomo che inciampava nel suo titolo. Sembrava che non si abituassero mai a chiamarla «deputata».

«Anzi, mi fa piacere», disse lei, indicando una sedia. Poi, con grande sorpresa di Daggat, gli offrì una scatola di sigari. Daggat ne prese uno.

«Grazie, grazie, non mi aspettavo... Le dispiace se lo accendo?»

«Prego», disse lei con un sorriso. «Lo ammetto, è un po' insolito che una donna offra sigari; ma il valore pratico diviene evidente se considera che i miei visitatori maschi sono venti volte più numerosi delle visitatrici.»

Daggat lanciò una nuvola di fumo azzurro verso il soffitto e sparò la prima bordata. «Lei ha votato contro la mia proposta iniziale di stanziare un aiuto all'Esercito Rivoluzionario Africano.»

Loren annuì. Non disse nulla. Attendeva che Daggat proseguisse il discorso.

«Il governo bianco del Sud Africa è sull'orlo dell'autodistruzione. L'economia della nazione è precipitata in pochi anni. Le casse del Tesoro sono vuote. La minoranza bianca ha trattato crudelmente la maggioranza nera per troppo tempo. Da dieci anni, da quando i neri si sono impadroniti del governo in Rhodesia, gli *afrikaners* sono diventati ancora più implacabili nei confronti dei cittadini bantu. I disordini hanno fatto più di cinquemila vittime. Questo spargimento di sangue non deve continuare. L'era di Hiram Lusana è l'unica speranza di pace. Dobbiamo appoggiarlo finanziariamente e militarmente.»

« Avevo l'impressione che Hiram Lusana fosse comunista. »

Daggat scosse la testa. « Temo che lei si sbagli... Ammetto che Lusana consente il ricorso ai consiglieri militari vietnamiti, ma posso assicurarle personalmente che non è e non è mai stato un fantoccio del comunismo internazionale. »

« Mi fa piacere saperlo. » La voce di Loren era atona. Sapeva che Daggat stava cercando di venderle una frottola ed era ben decisa a non cadere in trappola.

« Hiram Lusana è un uomo dai nobili ideali », continuò Daggat. « Non permette che vengano massacrati donne e bambini innocenti, non tollera attacchi indiscriminati contro città e villaggi, diversamente dagli altri movimenti insurrezionali. La sua guerra è rivolta esclusivamente contro le installazioni del governo e gli obiettivi militari. Ritengo che il Congresso debba appoggiare un capo che si comporta con virtuosa razionalità. »

« Su, sia obiettivo », esclamò Loren. « Sappiamo molto bene che Hiram Lusana è un imbroglione. Ho esaminato il suo fascicolo dell'FBI. Sembra la biografia d'un sicario della mafia. Ha passato metà della sua vita in galera per ogni genere di reato, dallo stupro all'aggressione, per non parlare della renitenza alla leva e di un complotto per far saltare il Campidoglio dello stato dell'Alabama. Dopo una redditizia rapina a un furgone blindato, si è dedicato al traffico di droga e ha guadagnato un patrimonio. Poi ha abbandonato gli Stati Uniti per non pagare le tasse. Vorrà ammettere che non è esattamente il modello dell'eroe americano. »

« Non è mai stato incriminato ufficialmente per la rapina al furgone blindato. »

Loren alzò le spalle. « D'accordo, su questo gli concederemo il beneficio del dubbio. Ma gli altri reati non lo qualificano certo come capo di una santa crociata per liberare le masse oppresse. »

« Il passato è passato », disse Daggat. « Lusana è la nostra unica speranza di creare un governo stabile dopo che i neri si saranno impadroniti del Parlamento sudafricano. Non può negare che sia nell'interesse degli americani trattarlo da amico. »

« Perché dovremmo appoggiare una parte o l'altra? »

Daggat inarcò le sopracciglia. « È favorevole all'isolazionismo? »

« Pensi a quel che abbiamo ottenuto in Rhodesia », continuò Loren. « Pochi mesi dopo che fu messo in pratica il piano ingegnoso del nostro ex segretario di Stato per trasferire il potere dalla minoranza bianca alla maggioranza nera, è scoppiata tra le fazioni estremiste una guerra civile che ha riportato indietro il paese di dieci anni. Può garantirmi che non vedremo lo stesso spettacolo quando toccherà al Sud Africa? »

Daggat detestava essere messo con le spalle al muro da una donna. Si alzò e si tese verso Loren. « Se non appoggerà la mia proposta e gli aiuti che intendo chiedere alla Camera, allora, cara deputata Smith, temo che scaverà alla sua carriera politica una fossa così profonda che non ne uscirà in tempo per le prossime elezioni. »

Con grande rabbia e stupore di Daggat, Loren scoppiò a ridere. « Dio, questa è bella. Mi sta minacciando? »

« Se non appoggerà il nazionalismo africano, le assicuro che perderà tutti i voti dei neri del suo distretto. »

« Non ci credo. »

« Deve crederci perché vedrà anche disordini come non se ne sono mai visti in questo paese, se non ci schiereremo con Hiram Lusana e l'ERA. »

« Dove ha avuto queste informazioni? » chiese Loren.

« Sono nero e lo so. »

« È anche uno stronzo », sbottò Loren. « Ho consultato centinaia di neri del mio distretto. Non sono diversi dagli altri cittadini americani. Sono preoccupati per l'esosità del fisco, l'aumento dei prezzi dei generi alimentari e dell'energia, esattamente come i bianchi, gli orientali, gli indiani e i *chicanos*. Lei s'illude, Daggat, se crede che ai nostri neri interessino i disastri combinati dai neri africani nei loro paesi. Non gliene frega niente, per l'ottima ragione che agli africani non frega niente di loro. »

« Sta commettendo un grave errore. »

« No, è lei che lo commette », scattò Loren. « Cerca di provocare guai dove non esistono. La razza nera troverà eguali opportunità grazie all'istruzione, come tutti gli altri. I nisei, i nippoamericani, lo fecero dopo la seconda guerra mondiale. Quando tornarono dai campi d'internamento, lavorarono nelle coltivazioni della California meridionale per mandare i figli e le figlie all'università, in modo che diventassero avvocati e dottori. E ce l'hanno fatta. Adesso tocca ai neri. E potranno farcela anche loro purché non siano intralciati da uomini come lei che scatenano la marmaglia appena ne hanno l'occasione. E adesso, le sarò grata se uscirà dal mio ufficio. »

Daggat la fissò con odio. Poi sogghignò. Tese il braccio, lasciò cadere il sigaro acceso sul tappeto, girò sui tacchi e uscì.

« Hai l'aria di un bambino che si è appena fatto rubare la bicicletta », disse Felicia Collins. Era seduta in un angolo della limousine di Daggat e si limava le unghie.

Daggat le sedette accanto e accennò all'autista di partire. Poi rimase a guardare fisso davanti a sé.

Felicia rimise la limetta nella borsa e attese, in apprensione. Alla fine ruppe il silenzio. « Immagino che Loren Smith ti abbia detto di no. »

« Quella sgualdrina bianca », sibilò Daggat. « Crede di potermi trattare come uno schiavo nero in una piantagione dei tempi precedenti alla guerra di Secessione. »

« Ma cosa dici? » saltò su Felicia, sorpresa. « Conosco Loren Smith, e non ha pregiudizi. »

Daggat si girò verso di lei. « La conosci? »

« Loren e io eravamo compagne di classe alle medie superiori. Ogni tanto ci rivediamo. » Sul viso di Felicia apparve un'espressione dura. «Hai in mente una carognata, Frederick. Quale?»

«Devi ottenere il suo appoggio perché io riesca a far approvare il mio progetto di legge per mandare armi e denaro all'ERA.»

«Vorresti che parlassi a Loren? In favore della causa di Hiram?»

«Questo e altro.»

Felicia cercò di leggergli nel pensiero. «Che altro?»

«Voglio che tu scopra qualcosa su di lei, qualcosa che possa servirmi per costringerla a cambiare idea.»

Felicia lo fissò, allibita. «Ricattare Loren? Non sai quel che chiedi. Non posso spiare un'amica. No, è escluso.»

«La scelta è chiara: un'amicizia di scuola in cambio della libertà di migliaia di nostri fratelli e sorelle resi schiavi da un governo tirannico.»

«E se non riuscissi a scoprire niente?» obiettò Felicia che cercava una via d'uscita. «Tutti sanno che la sua carriera politica non ha macchie.»

«Nessuno è perfetto.»

«Che cosa dovrei cercare?»

«Loren Smith è una bella donna e non è sposata. Deve avere una vita sessuale.»

«E allora?» ribatté Felicia. «Tutte le donne sole hanno i loro amori. E siccome non ha marito, non puoi fabbricare un adulterio scandaloso.»

Daggat sorrise. «Sei davvero furba. Faremo proprio questo: fabbricheremo uno scandalo.»

«Loren non lo merita.»

«Se appoggerà la nostra causa non dovrà temere che i suoi segreti finiscano in pasto al pubblico.»

Felicia si morse le labbra. «Non accoltellerò alle spalle un'amica. E Hiram non tollererebbe una simile mascalzonata.»

Daggat non cedette. «Davvero? Sei andata a letto con il salvatore dell'Africa ma non credo che tu lo abbia mai capito. Informati sul suo passato. In confronto a Hiram Lusana, Al Capone e Jesse James erano due angioletti. Me lo gridano in faccia ogni volta che canto le sue lodi. » Daggat socchiuse gli occhi. « Non hai dimenticato che ti ha venduta a me? »

« Non l'ho dimenticato. »

Felicia guardò dal finestrino.

Daggat le strinse la mano. « Non preoccuparti », disse con un sorriso. « Non succederà niente che possa lasciare cicatrici. »

Lei gli prese la mano e la baciò. Ma non credette neppure per un istante alle sue parole.

30.

Diversamente dalla famosa *Monitor*, la *Chenago* era virtualmente sconosciuta a tutti, escluso un gruppo ristretto di storici della Marina. Entrata in servizio nel giugno 1862 a New York, ricevette subito l'ordine di raggiungere la flotta dell'Unione che bloccava l'accesso a Savannah. La sfortunata *Chenago* non ebbe mai l'occasione di sparare. A un'ora di distanza dalla destinazione incontrò una mareggiata e affondò, trascinando sotto trenta metri d'acqua i quarantadue uomini dell'equipaggio.

Pitt era seduto nella sala delle conferenze della nave recupero della NUMA, la *Visalia*, e studiava la serie di foto subacque scattate dai sommozzatori intorno alla tomba della *Chenago*. Jack Folsom, il robusto direttore del servizio recupero, masticava una gomma e attendeva le domande inevitabili.

Pitt non lo deluse.

« Lo scafo è ancora intatto? »

Folsom spostò la gomma da una parte all'altra della bocca. « Non ci sono crepe trasversali, a quanto possiamo dire. Non lo si vede tutto, perché due metri di chiglia si trovano sotto il fondo marino e l'interno è pieno d'un metro di sabbia. Ma immagino che le probabilità di una falla longitudinale siano poche. Scommetterei che riusciremo a riportarla a galla tutta d'un pezzo. »

« Che metodo proponete? »

« Serbatoi variabili d'aria Dollinger », rispose Folsom. « Li affonderemo a coppie a fianco dello scafo, poi li fisseremo e li riempiremo d'aria. È lo stesso principio usato per ripescare il vecchio sottomarino *F-four* dopo che affondò nelle acque delle Hawaii nel 1915. »

« Dovrete usare pompe aspiranti per asportare la sabbia. Più la nave sarà leggera e meno sarà probabile che vada a pezzi. Le piastre di ferro sembrano aver retto bene, ma l'assito di quercia è marcito da molto tempo. »

« Possiamo anche rimuovere i cannoni », disse Folsom. « Sono accessibili. »

Pitt esaminò una copia del progetto originale della *Chenago*. La sagoma familiare della *Monitor* conteneva una sola torre corazzata girevole con i cannoni, ma la *Chenago* ne aveva due, alle estremità dello scafo. Dalle torri spuntavano cannoni gemelli Dahlgren a canna liscia da 228 millimetri, che pesavano diverse tonnellate l'uno.

« I serbatoi Dollinger », chiese Pitt con aria assorta. « Sarebbero utili per ripescare un aereo affondato? »

Folsom smise di masticare e lo fissò. « Molto grosso? »

« Fra le settantasei e le settantotto tonnellate, incluso il carico. »

« A che profondità? »

« Quarantadue metri. »

Pitt aveva l'impressione di sentire gli ingranaggi che ronzavano nella mente di Folsom. Finalmente questi riprese a masticare la gomma e disse: « Io consiglierei le gru ».

« Le gru? »

« Due gru su piattaforme stabili potrebbero sollevare facilmente quel peso », chiarì Folsom. « Un aereo è fragile. Se usassi i serbatoi Dollinger e durante il sollevamento la sincronizzazione andasse fuori fase anche di pochissimo, l'aereo potrebbe andare a pezzi. » Tacque per un momento e guardò Pitt con aria interrogativa. « Perché tante domande ipotetiche? »

Pitt sorrise, assorto. « Non si sa mai quando ci può capitare di dover ripescare un aereo. »

Folsom alzò le spalle. « Ora basta con le fantasie e torniamo alla *Chenago*... »

Gli occhi di Pitt seguirono attentamente i diagrammi che Folsom incominciò a disegnare su una lavagna. Il programma per le immersioni, i serbatoi d'aria, le navi in superficie e la corazzata affondata prendevano forma mentre Folsom spiegava come si sarebbe svolta l'operazione. Pitt sembrava molto interessato, ma tutto ciò che osservava non veniva trasmesso alla sua memoria; con il pensiero era lontano oltre tremila chilometri, nelle profondità d'un lago del Colorado.

Mentre Folsom descriveva la procedura di rimorchio che sarebbe stata seguita quando il relitto avesse rivisto la luce dopo centoventicinque anni, un uomo dell'equipaggio si affacciò al portello e rivolse un cenno a Pitt.

« C'è una chiamata da terra per lei, signore. »

Pitt annuì, tese la mano dietro di sé e prese il telefono posato su un ripiano.

« Qui Pitt. »

« Sei più difficile da trovare dell'abominevole uomo delle nevi », disse una voce fra le scariche.

« Chi parla? »

« Che razza di trattamento! » disse la voce in tono sarcastico. « Io sgobbo come uno schiavo fino alle tre del mattino per farti un favore e tu non ricordi neppure come mi chiamo. »

« Scusami, Paul », rispose Pitt ridendo. « Ma al radiotelefono la tua voce sembra più alta di un'ottava. »

Paul Buckner, vecchio amico di Pitt e agente dell'FBI, abbassò la voce. « Così va meglio? »

« Molto meglio. Hai qualche risposta per me? »

« Tutte quelle che mi hai chiesto e qualcuna di più. »

« Ti ascolto. »

« Be', tanto per cominciare il grado dell'uomo che secondo te autorizzò gli ordini di volo del Vixen 03 non era esatto. »

« Ma 'generale' è l'unico titolo che possa andar bene. »

« Non è detto. Il titolo era una parola di varie lettere. L'unica leggibile era la quinta, una R. Naturalmente si è dedotto che, siccome il Vixen 03 era dell'Aeronautica con un equipaggio dell'Aeronautica, i suoi ordini di volo potevano essere autorizzati solo da un ufficiale dell'Aeronautica. »

« Allora dimmi cosa hai scoperto. »

« Bene, ammetto che ero un po' disorientato, soprattutto perché una ricerca negli archivi del personale dell'Aeronautica non ha fornito un nome che corrispondesse ai caratteri conosciuti del nome del nostro ufficiale misterioso. Poi ho avuto una illuminazione. Anche 'ammiraglio' è composto di varie lettere, e la quinta è una R. »

Pitt ebbe la sensazione che il campione in carica dei pesi massimi gli avesse sferrato un destro allo stomaco. « Ammiraglio »... La parola gli echeggiava nella mente. Nessuno aveva pensato che un aereo dell'Aeronautica trasportasse materiale della Marina. Poi un pensiero lo riportò sulla terra.

« Il nome? » chiese. Aveva quasi paura della risposta. « Hai trovato il nome? »

« È stato semplicissimo per una mente indagatrice come la mia. Il primo nome era facile. Sei lettere di cui tre note, due vuoti con LT seguito da un altro vuoto, poi una R. Logicamente è 'Walter'. Ora viene il bello: il cognome. Una parola di quattro lettere che comincia con una B e finisce con S. E dato che avevo già il grado e il nome, è bastata una ricerca con il computer nell'archivio dell'FBI e della Marina per scoprire che era l'ammiraglio Walter Horatio Bass. »

Pitt insistette. « Se Bass era ammiraglio nel 1954, ormai deve aver ottant'anni suonati, o forse è morto... Molto probabilmente è morto. »

« Il pessimismo non ti porterà a nulla », lo smentì Buckner. « Bass era una specie di ragazzo prodigio. Ho letto il suo fascicolo personale. Impressionante. Ebbe la prima stella a trentotto anni. Per un po' sembrò che fosse destinato a diventare capo di Stato Maggiore della Marina. Ma deve essere successo qualcosa perché fu trasferito all'improvviso e mandato a comandare una piccola base nell'oceano Indiano, il che per un ambizioso ufficiale di Marina è come venire esiliato nel deserto del Gobi. Andò in pensione nell'ottobre 1959. Il prossimo dicembre compirà settantasette anni. »

« Vuoi dire che Bass è ancora vivo? » chiese Pitt.

« È elencato fra i pensionati della Marina. »

« C'è l'indirizzo? »

« È proprietario e gestore di un country inn a sud di Lexington, in Virginia: l'Anchorage House. Sai bene... non sono ammessi bambini o animali domestici. Quindici stanze con impianti igienici all'antica e letti a baldacchino, e in tutti quanti ha dormito George Washington. »

« Paul, ti devo un favore. »

« Vuoi dirmi di cosa si tratta? »

« No, è ancora presto. »

« Sicuro che non si tratti di qualcosa che l'FBI dovrebbe conoscere? »

« Non è nella vostra giurisdizione. »

« L'immaginavo. »

« Ancora grazie. »

« Okay, amico. Scrivimi, quando avrai trovato qualcosa. »

Pitt riattaccò, respirò profondamente e sorrise. Un altro velo dell'enigma era stato sollevato. Decise di non contattare Abe Steiger, per il momento. Alzò lo sguardo verso Folsom.

« Puoi sostituirmi durante il fine settimana? »

Folsom ricambiò il sorriso. « Non mi permetterei mai di insinuare che il capo non è indispensabile per l'operazione, ma, diavolo, possiamo cavarcela per quarantotto ore senza la tua illustre presenza. Che stai combinando? »

« C'è un mistero che dura da trentaquattro anni », rispose Pitt. « Troverò le spiegazioni mentre mi rilasso in santa pace in un country inn. »

Folsom lo fissò per qualche secondo, non riuscì a leggere nulla negli occhi verdi di Pitt, desistette e si voltò di nuovo verso la lavagna.

31.

Sul volo del mattino per Richmond, Pitt non sembrava molto diverso dagli altri dieci o dodici passeggeri che sonnecchiavano. Teneva gli occhi chiusi, ma la sua mente era al lavoro sull'enigma dell'aereo nel lago. Non era nello stile dell'Aeronautica nascondere un incidente, pensò. In circostanze normali sarebbe stata avviata un'indagine in piena regola per scoprire come mai l'equipaggio si era allontanato tanto dalla rotta prestabilita. Non trovò una risposta logica e aprì gli occhi quando il jet delle Eastern Airlines atterrò e si avvicinò al terminal.

Pitt noleggiò una macchina e si avventurò nella campagna della Virginia. Il bellissimo paesaggio ondulato era profumato di pino e di pioggia autunnale. Poco dopo mezzogiorno lasciò l'Interstatale 81 ed entrò a Lexington. Non si fermò ad ammirare l'architettura bizzarra della città e si diresse a sud lungo una stretta strada statale. Poco dopo arrivò a un'insegna pittoresca e fuori posto in quell'ambiente agreste, con un'ancora che accoglieva gli ospiti e indicava la strada ghiaiata dell'inn.

Al banco non c'era nessuno, e Pitt esitava a spezzare il silenzio dell'atrio lindo e ben tenuto. Stava per decidersi a suonare il campanello quando una donna alta quasi come lui e con gli stivali da equitazione entrò portando una sedia. Aveva poco più di trent'anni e indossava jeans e giubbotto di denim con un fazzoletto rosso legato intorno ai capelli biondocenere. La carnagione non era abbronzata, ma levigata come quella di un'indossatrice. L'aria imperturbabile con cui prese atto della presenza di un estraneo faceva pensare a un'aristocratica abituata a comportarsi con riserbo in tutte le circostanze, esclusi soltanto gli incendi e i terremoti.

«Mi scusi», fece la donna, e posò la sedia accanto a una elegante torciera. «Non l'avevo sentita arrivare.»

« È una sedia interessante », osservò Pitt. « Shaker, non è vero? »

Lei lo guardò con aria di approvazione. « Sì, fu fabbricata dall'anziano Henry Blinn di Canterbury. »

« Qui avete molti pezzi di valore. »

« Il merito è del proprietario, l'ammiraglio Bass. » La donna girò dietro il banco. « È una vera autorità in fatto di collezionismo antiquario. »

« Non lo sapevo. »

« Vuole una stanza? »

« Sì, per questa notte. »

« È un peccato che non rimanga più a lungo. Domani sera nel nostro fienile si apre un teatro locale. »

« Sono un disastro, in fatto di tempismo », commentò Pitt con un sorriso.

Il sorriso con cui la donna lo ricambiò fu forzato e formale. Girò il registro verso di lui e Pitt firmò.

« Stanza quattordici. Salga le scale, la terza porta a sinistra, signor Pitt. » Aveva letto il nome capovolto, mentre Pitt firmava. « Io sono Heidi Milligan. Se ha bisogno di qualcosa, suoni il campanello accanto alla porta. Prima o poi riceverò il messaggio. Spero che non le dispiaccia portare di sopra il suo bagaglio. »

« Non è un problema. L'ammiraglio è qui? Vorrei parlargli di... oggetti antichi. »

La donna indicò una porta a due battenti in fondo all'atrio. « Lo troverà allo stagno delle anatre, a togliere le foglie delle ninfee. »

Pitt annuì e si avviò nella direzione indicata. La porta dava su un sentiero che serpeggiava scendendo una collinetta. L'ammiraglio Bass aveva deciso saggiamente di non affidare a uno specialista il giardino di Anchorage House. Il terreno era stato lasciato alla natura ed era coperto da pini e dagli ultimi fiori selvatici. Per un momento Pitt dimenticò la sua missione e ammirò lo scenario tranquillo.

Trovò un vecchio con gli stivaloni di gomma e un forcone in mano che aggrediva un ammasso di ninfee a un paio

di metri dalla riva. Era un uomo robusto che gettava i gro-
vigli di radici a terra con l'energia di qualcuno più giovane
di trent'anni. Non portava il cappello e il sudore colava
dalla testa calva e sgocciolava dal naso e dal mento.

« L'ammiraglio Walter Bass? » chiese Pitt.

Il forcone si fermò a mezz'aria. « Sì, sono Walter Bass. »

« Signore, io mi chiamo Dirk Pitt e vorrei parlare un
momento con lei. »

« Certo, dica pure », rispose Bass, e finì di lanciare via le
radici. « Mi scusi se continuo a strappare queste piante
maledette, ma voglio toglierne di mezzo più che posso prima di cena. Se non lo faccio almeno un paio di volte la settimana prima dell'inverno, la prossima primavera soffo-
cheranno il laghetto. »

Pitt indietreggiò mentre un altro groviglio di steli e di
foglie piombava ai suoi piedi. Era una situazione un po'
imbarazzante e non sapeva come comportarsi. L'ammiraglio gli voltava la schiena, e Pitt esitava. Poi respirò profondamente e si buttò. « Vorrei farle diverse domande a
proposito di un aereo con la designazione in codice Vixen
03. »

Bass continuò a lavorare, ma Pitt notò che le nocche
delle dita strette intorno al manico del forcone si erano
sbiancate.

« Vixen 03 », disse alzando le spalle. « Non mi ricorda
niente. Perché? »

« Era un aereo del Servizio Trasporti Aerei Militari che
sparì nel 1954. »

« È passato molto tempo. » Bass fissava l'acqua. « No,
non ricordo niente che abbia a che fare con un aereo del
MATS », disse finalmente. « Ma è normale. Sono stato tren-
t'anni in Marina e sempre come ufficiale delle forze di superficie; la mia specialità erano le armi pesanti. »

« Ricorda di aver conosciuto un maggiore dell'Aeronautica che si chiamava Vylander? »

« Vylander? » Bass scosse la testa. « Non posso dire di
averlo conosciuto. » Poi guardò Pitt con aria interrogativa.

« Come ha detto che si chiama? Perché mi fa tutte queste domande? »

« Mi chiamo Dirk Pitt, e faccio parte della National Underwater and Marine Agency. Ho trovato certi vecchi documenti da cui risulta che fu lei ad autorizzare il piano di volo del Vixen 03. »

« Deve esserci un errore. »

« Può darsi », rispose Pitt. « Forse il mistero sarà chiarito quando il relitto dell'aereo sarà recuperato e ispezionato scrupolosamente. »

« Non aveva detto che era sparito? »

« Sì, ma io l'ho ritrovato », annunciò Pitt.

Scrutò attentamente Bass per vedere come reagiva, ma l'ammiraglio restò impassibile. Decise di lasciarlo in pace e di dargli il tempo di riordinare i suoi pensieri.

Si voltò e si avviò lungo il viottolo per tornare alla locanda. Aveva percorso una quindicina di metri quando Bass lo chiamò.

« Signor Pitt? »

Pitt si voltò. « Sì? »

« Alloggia all'inn? »

« Fino a domattina. Poi dovrò ripartire. »

L'ammiraglio annuì. Pitt, dopo aver raggiunto i pini che cingevano Anchorage House, si voltò a guardare di nuovo il laghetto. L'ammiraglio Bass stava ammucchiando sulla riva le ninfee con il forcone, come se loro due avessero semplicemente parlato del raccolto e del clima.

32.

Pitt cenò tranquillamente con gli altri ospiti dell'inn. La sala da pranzo era stata realizzata nello stile di una taverna di campagna settecentesca, con vecchi fucili ad acciarino, boccali di peltro e attrezzi agricoli appesi alle pareti e alle travi.

La cucina era veramente casalinga, e Pitt mangiò due porzioni di pollo fritto, carote, mais al forno e patate dolci, e trovò appena il posto per una fetta enorme di torta di mele.

Heidi girava fra i tavoli, serviva il caffè e conversava con gli ospiti. Pitt notò che quasi tutti erano nell'età della pensione. I giovani, probabilmente, si annoiavano nella tranquilla serenità di un country inn. Finì l'irish coffee e uscì sotto il portico. A est sorgeva la luna piena che inargentava i pini. Pitt sedette su una sedia a dondolo, appoggiò i piedi sulla ringhiera e attese che fosse l'ammiraglio Bass a fare la prossima mossa.

La luna era salita nel cielo di circa venti gradi quando Heidi uscì e venne verso di lui. Si fermò alle sue spalle per un momento, poi disse: «Non esiste una luna più luminosa della luna della Virginia».

«Non lo contesto affatto», replicò Pitt.

«Le è piaciuta la cena?»

«Temo di avere gli occhi più grandi dello stomaco. Mi sono ingozzato. Complimenti al cuoco. La sua cucina casalinga è in realtà una poesia per il palato.»

Il sorriso di Heidi divenne ancora più splendente nel chiaro di luna. «La cuoca sarà felice di saperlo.»

Pitt allargò le braccia. «È difficile sopprimere tutta una vita di tendenze maschiliste.»

Heidi si appoggiò alla ringhiera e lo guardò con aria improvvisamente seria. «Mi dica, signor Pitt, perché è venuto ad Anchorage House?»

Pitt smise di dondolarsi e la guardò negli occhi. « Me lo chiede per controllare l'efficacia della vostra pubblicità, oppure è curiosa? »

« Mi scusi. Non vorrei essere indiscreta, ma Walter sembrava molto agitato quando è tornato dal laghetto, questa sera. Pensavo che forse... »

« Pensava che fosse a causa di qualcosa che ho detto io? » chiese Pitt concludendo la frase.

« Non saprei. »

« Ha qualche parentela con l'ammiraglio? »

Era la domanda magica, perché Heidi cominciò a parlare di sé. Era tenente di Marina ed era stata assegnata al Deposito di Norfolk, dopo essersi diplomata al Wellesley College; le mancavano undici anni prima di andare in pensione; il suo ex marito era stato colonnello dei Marine e le aveva dato ordini come a una recluta: lei aveva subito un'isterectomia e quindi non poteva aver figli; no, non era parente dell'ammiraglio; l'aveva conosciuto quando aveva tenuto una serie di conferenze a un seminario del college della Marina, e veniva ad Anchorage House ogni volta che aveva un po' di tempo libero; e non nascose che lei e Bass avevano una relazione. Proprio quando il racconto diventava interessante, Heidi s'interruppe e guardò l'orologio.

« È meglio che vada a occuparmi degli altri ospiti. » Sorrise e si trasformò di nuovo. « Se si stanca di stare qui seduto, faccia una passeggiata fino alla cima dell'altura. Vedrà un bel panorama delle luci di Lexington. »

Pitt ebbe l'impressione che il tono indicasse un ordine, più che un suggerimento.

Heidi aveva avuto ragione a metà. La vista dall'altura non era bella, era sensazionale. La luna illuminava la valle e i lampioni della città brillavano come una galassia lontana. Pitt era lì da pochi minuti quando si accorse che c'era qualcuno dietro di lui.

« Ammiraglio Bass? » chiese.

«Alzi le mani e non si volti», ordinò la voce di Bass. Pitt obbedì.

Bass non lo perquisì. Si limitò a sfilargli il portafogli e a esaminarne il contenuto facendosi luce con una torcia elettrica. Dopo qualche istante spense la torcia e gli rimise il portafogli nella tasca.

«Può abbassare le mani, signor Pitt. E si volti, se vuole.»

«Perché è così melodrammatico?» Pitt indicò con la testa la pistola che Bass stringeva nella sinistra.

«Mi sembra che abbia raccolto troppe informazioni su una faccenda che deve restare sepolta. Volevo essere sicuro della sua identità.»

«Allora è convinto che sono quel che dico di essere.»

«Sì, ho chiamato il suo superiore alla NUMA. Jim Sandecker aveva prestato servizio ai miei ordini nel Pacifico durante la seconda guerra mondiale, e mi ha fatto un elenco impressionante delle sue credenziali. Voleva anche sapere cosa ci fa lei in Virginia quando dovrebbe essere a bordo di un'unità da recupero al largo delle coste della Georgia.»

«Non ho comunicato le mie scoperte all'ammiraglio Sandecker.»

«E queste scoperte, come mi ha detto al laghetto, riguardano il relitto del Vixen 03.»

«Esiste davvero, ammiraglio. L'ho toccato con le mie mani.»

Negli occhi di Bass passò un lampo di ostilità. «Non solo sta bluffando, signor Pitt, ma mente. Voglio sapere il perché.»

«Non mento affatto», rispose Pitt con calma. «Ho due testimoni irreprensibili e registrazioni su videocassetta.»

Bass aveva l'aria di non capire. «È impossibile. Il Vixen 03 sparì nell'oceano. Passammo mesi e mesi a cercarlo e non ne trovammo traccia.»

«Perché cercavate nel posto sbagliato, ammiraglio. Il Vixen 03 è finito in un lago di montagna del Colorado.»

La facciata dura di Bass sembrò sgretolarsi: all'improvviso, nel chiaro di luna, Pitt lo vide stanco e sciupato. L'ammiraglio abbassò la pistola e si avviò vacillando verso una panca sull'orlo dell'altura. Pitt tese una mano per sostenerlo.

Bass accennò un ringraziamento e sedette. «Doveva succedere, prima o poi. Non ero così sciocco da illudermi che il segreto potesse durare in eterno.» Alzò gli occhi e strinse il braccio di Pitt. «Il carico. Dov'è finito il carico?»

«I contenitori hanno spezzato le cinghie di ormeggio, ma a parte questo sembrano intatti.»

«Dio sia ringraziato», sospirò Bass. «Nel Colorado, ha detto? Le Montagne Rocciose. Quindi il maggiore Vylander e i suoi non lasciarono neppure lo stato.»

«L'aereo era partito dal Colorado?» chiese Pitt.

«Da Buckley Field.» Bass si strinse la testa fra le mani. «Che cosa successe, così presto? Dovettero precipitare poco tempo dopo il decollo.»

«Sembra che avessero guasti meccanici e cercassero di atterrare nell'unico spazio aperto che trovarono. Era inverno e quindi il lago era ghiacciato. Credettero di scendere in un prato. Il peso dell'aereo sfondò il ghiaccio in un tratto profondo, abbastanza profondo perché, dopo il disgelo di primavera, fosse impossibile distinguere dall'alto la sagoma dell'aereo.»

«E per tutto questo tempo abbiamo creduto...» La voce di Bass si smorzò. L'uomo rimase per un po' immobile, poi mormorò: «Bisogna recuperare i contenitori».

«C'è dentro materiale nucleare?» chiese Pitt.

«Materiale nucleare...» ripeté Bass in tono vago. «Pensa che sia così?»

«La data dichiarata sul piano di volo del Vixen 03 potrebbe averlo portato nel Pacifico meridionale la notte degli esperimenti nucleari di Bikini. E addosso a un membro dell'equipaggio ho trovato una targhetta con il simbolo della radioattività.»

«Ha interpretato i dati in modo errato, signor Pitt. Sì, in origine i contenitori erano destinati a ospitare proiettili nucleari. Ma la notte in cui sparirono Vylander e i suoi, erano stati usati per un altro scopo.»

«È stato detto che erano vuoti.»

Bass sembrava una statua di cera. «Ah, se fosse tanto semplice», mormorò. «Purtroppo ci sono altri strumenti bellici oltre a quelli nucleari. Si può dire che il Vixen 03 e il suo equipaggio fossero portatori.»

«Portatori?»

«Sì, di un'epidemia», rispose Bass. «Nei contenitori c'è l'organismo della Fine del Mondo.»

33

Un silenzio impacciato scese sui due uomini mentre Pitt assimilava l'enormità della rivelazione dell'ammiraglio.

« Le leggo in faccia che è sconvolto », disse Bass.

« 'L'organismo della Fine del Mondo' », ripeté Pitt. « Ha un suono terrificante. »

« È una descrizione adeguata, glielo assicuro », disse Bass. « Da un punto di vista tecnico, aveva un imponente nome biochimico di trenta lettere, assolutamente impronunciabile. La designazione militare era invece molto semplice. Lo chiamavamo MR, sigla di 'Morte Rapida'. »

« Ma lei ne parla al passato. »

L'ammiraglio fece un gesto di resa. « Per forza d'abitudine. Fino a quando lei non ha scoperto il Vixen 03, credevo che non esistesse più. »

« Cos'era, esattamente? »

« L'MR era il massimo in fatto di armi sofisticate. Trentaquattro anni fa un microbiologo, il dottor John Vetterly, creò chimicamente una forma di vita artificiale capace di produrre una malattia tuttora sconosciuta. Per spiegarmi in modo elementare, un agente batteriologico non rilevabile e non identificabile, capace di mettere fuori combattimento un essere vivente, umano o animale, in pochi secondi e di alterare le funzioni vitali causandone la morte dai tre ai cinque minuti dopo. »

« Il gas nervino non dà lo stesso risultato? »

« In condizioni ideali, sì. Ma le perturbazioni meteorologiche come il vento, una tempesta o le temperature estreme possono diluire il dosaggio letale di un agente tossico o nervino quando viene liberato su un'area vasta. L'MR, invece, può ignorare le condizioni meteorologiche e produrre un'epidemia localizzata estremamente tenace. »

« Siamo nel ventesimo secolo. Un'epidemia si può sconfiggere. »

« Sì, se si riesce a scoprire e identificare i microrganismi. Le procedure di decontaminazione, i sieri e gli antibiotici in molti casi possono frenare o arrestare un'epidemia. Ma niente su questa terra può fermare l'MR, una volta che è arrivata in una città. »

« E allora, come mai un carico di MR è finito su un aereo in mezzo agli Stati Uniti? » chiese Pitt.

« Elementare. L'arsenale delle Montagne Rocciose nei pressi di Denver era da più di vent'anni il principale produttore nazionale di armi chimiche e biologiche. »

Pitt rimase in silenzio e lasciò parlare Bass.

L'ammiraglio guardò il panorama sottostante con occhi sfocati.

« Marzo del 1954 », disse mentre rievocava quegli avvenimenti lontani. « La bomba H doveva esplodere su Bikini. Io avevo il comando dei test dell'MR perché il dottor Vetterly era stato una scoperta della Marina e io ero esperto di armamenti navali. A quel tempo ritenni logico svolgere esperimenti approfittando del chiasso suscitato dall'esplosione nucleare. Mentre il mondo s'interessava al fatto principale, noi svolgemmo i nostri esperimenti sull'isola di Rongelo, che si trovava seicentocinquanta chilometri a nord-est, senza che nessuno se ne accorgesse. »

« Rongelo », mormorò Pitt. « Era la destinazione del Vixen 03. »

Bass annuì. « Un frammento sbiancato di corallo che sorge dall'oceano in mezzo al nulla. Persino gli uccelli lo evitano. » Bass si assestò sulla panca. « Avevo programmato due serie di esperimenti. La prima era un congegno da aerosol che disperdeva sull'atollo un piccolo quantitativo di MR. La seconda includeva la corazzata *Wisconsin* che doveva piazzarsi a una trentina di chilometri e lanciare dalle sue batterie un proiettile con la testata piena di MR. Questo test non ebbe mai luogo. »

« Perché il maggiore Vylander non poté portare a destinazione il carico », disse Pitt.

« I contenitori », confessò Bass. « Racchiudevano proiettili navali armati di MR. »

« Avrebbe potuto ordinare un altro quantitativo. »

« Sì », ammise l'ammiraglio. « Ma la vera ragione per cui fermai la serie degli esperimenti fu ciò che scoprimmo dopo il lancio dell'aerosol. I risultati furono terribili e colmarono d'orrore tutti coloro che erano al corrente del segreto. »

« Parla come se l'isola fosse stata devastata. »

« A occhio nudo non era cambiato nulla », rispose Bass con un filo di voce. « La sabbia bianca sulla spiaggia, le palme, tutto come prima. Gli animali che avevamo portato sull'isola, naturalmente, erano tutti morti. Insistetti per attendere due settimane in modo da dare agli effetti residui la possibilità di dissiparsi prima di permettere che gli scienziati esaminassero direttamente i risultati. Il dottor Vetterly e tre dei suoi assistenti sbarcarono sulla spiaggia indossando tute protettive e respiratori. Diciassette minuti dopo erano tutti morti. »

Pitt si sforzò di conservare l'equilibrio emotivo. « Ma com'è possibile? »

« Il dottor Vetterly aveva sottovalutato la sua scoperta. La potenza degli altri agenti letali si esaurisce con il tempo, l'MR invece acquista forza. Non riuscimmo a scoprire in che modo fosse penetrata negli indumenti protettivi degli scienziati. »

« Recuperaste i cadaveri? »

« No, sono ancora lì », disse Bass con voce carica di tristezza. « Vede, signor Pitt, la potenza terribile dell'MR costituisce solo metà della minaccia. La sua qualità più temibile è il rifiuto di morire. Scoprimmo più tardi che il bacillo forma spore superresistenti, capaci di penetrare nel terreno, o nel corallo, come nel caso di Rongelo, e di vivere per una durata di tempo sorprendente. »

« Mi sembra incredibile che dopo trentaquattro anni nessuno possa andare a portar via ciò che resta di Vetterly. »

La voce di Bass aveva un tono sofferente. «È impossibile indicare una data esatta», mormorò, «ma secondo le nostre stime più ragionevoli non potremo mettere piede su Rongelo per altri trecento anni.»

34.

FAWKES si chinò sul tavolo delle carte nautiche e studiò una serie di *blueprints* mentre faceva annotazioni con una matita. Due omoni muscolosi, con i caschi in testa e le facce abbronzate e assorte, lo fiancheggiavano. « Voglio che la sventriate completamente, che togliate tutte le tubature e tutti i cavi elettrici non indispensabili, e persino le paratie. »

L'uomo alla sinistra di Fawkes sbuffò. « Lei dà i numeri, comandante. Se rimuove le paratie, la nave andrà a pezzi con un mare appena più agitato della gora d'un mulino. »

« Dugan ha ragione », soggiunse l'altro. « Non si può sventrare una nave così senza ridurre la resistenza strutturale alle eccessive sollecitazioni. »

« Prendo nota delle obiezioni », rispose Fawkes. « Ma è necessario ridurre il pescaggio del quaranta per cento. »

« Non ho mai sentito parlare di sventrare una nave solida per alzarne la linea di galleggiamento », disse Dugan. « Che scopo ha questa operazione? »

« Potete smantellare la corazza oltre ai macchinari ausiliari », disse Fawkes, senza badare alla domanda di Dugan. « E dacché ci siete, potete provvedere anche alla rimozione delle strutture più elevate. »

« Su, capitano », intervenne Lou Metz, il sovrintendente del cantiere. « Vuole che roviniamo quella che un tempo era un'ottima nave? »

« Sì, era un'ottima nave », ammise Fawkes. « E secondo me lo è ancora. Ma ormai è superata. Il vostro governo l'ha venduta come rottame e l'Esercito Rivoluzionario Africano l'ha acquistata per un'impresa speciale. »

« C'è qualcosa che non ci convince », insisté Dugan. « Non ci va di spaccarci la schiena perché un branco di neri estremisti possa ammazzare i bianchi. »

Fawkes posò la matita e fissò Dugan. «Non credo che vi rendiate conto della situazione», disse. «Quello che farà l'ERA con la nave dopo che avrà lasciato il cantiere non vi riguarda. L'importante è che paghino me, voi e i vostri uomini che, se non ricordo male, sono centosettanta. Ma se insistete, esprimerò i vostri sentimenti ai funzionari del Tesoro dell'ERA. Sono certo che troveranno un altro cantiere più disposto a collaborare. E sarebbe un peccato, dato che questo contratto, al momento, è l'unico che avete. E, senza il contratto, dovreste licenziare i centosettanta operai. Non credo che le loro famiglie saranno felici quando scopriranno che a far perdere il posto agli uomini sono state le vostre obiezioni.»

Dugan e Metz si scambiarono occhiate irose e rassegnate. Metz evitò di guardare Fawkes e fissò i progetti. «D'accordo, comandante, faremo come vuole.»

Nel sorriso teso di Fawkes c'era una sicurezza nata da lunghi anni di comando. «Grazie, signori. Adesso che abbiamo chiarito tutto, vogliamo continuare?»

Un'ora dopo i due dirigenti del cantiere scesero sul ponte principale della nave. «Non riesco a credere alle mie orecchie», mormorò Metz. «Quello stupido scozzese ci ha veramente ordinato di rimuovere metà delle sovrastrutture, i fumaioli e le torri di poppa e di prua e di sostituirli con sagome di compensato dipinte di grigio?»

«Ha detto proprio così», rispose Dugan. «Immagino che secondo lui eliminare quel peso possa alleggerire la nave di quindicimila tonnellate.»

«Ma perché sostituire tutto con le strutture fasulle?»

«Non lo so. Forse lui e i suoi amici neri sperano di imbrogliare la Marina sudafricana e di fregarla.»

«E c'è un'altra cosa», disse Metz. «Se tu comprassi una nave come questa per usarla in una guerra all'estero, non cercheresti di tenere nascosta la cosa? Secondo me hanno intenzione di far saltare Città del Capo.»

«Con i cannoni finti», borbottò Dugan.

«Mi piacerebbe dire a quel bastardo che può prendere il suo contratto e metterlo dove sai», gracchiò Metz.

« Non puoi negare che ci ha in pugno. » Dugan si voltò a guardare l'uomo che stava dietro le vetrate della plancia. « Non pensi che gli starebbe bene la camicia di forza? »

« È matto? »

« Sicuro. »

« Matto come un coyote, se mai. Sa quello che fa, ed è questo che non capisco. »

« Cosa credi che abbia intenzione di fare l'ERA, dopo aver portato in Africa la nave? »

« Scommetto che non arriverà mai in un porto », disse Metz. « Quando avremo finito di sventrarla, sarà così instabile che si capovolgerà prima di lasciare Chesapeake Bay. »

Dugan sedette e guardò la nave. La grande mole d'acciaio sembrava fredda e malevola. Era come se fosse in attesa d'un ordine silenzioso per scatenare la sua potenza temibile.

« Questa storia puzza », commentò alla fine Dugan. « Mi auguro solo che non dobbiamo pentircene. »

Fawkes esaminò i segni sulle carte nautiche. Per prima cosa calcolò la velocità e le fluttuazioni delle correnti, quindi le maree. Poi tracciò una rotta, miglio per miglio, fino a destinazione, e si impresse nella memoria ogni boa, ogni faro e ogni canale, fino a quando non riuscì a vederli con gli occhi della mente senza confondere la sequenza esatta.

Il compito che l'attendeva sembrava impossibile. Anche con un'analisi precisa di ogni ostacolo, c'erano pur sempre troppi fattori variabili da lasciare al caso. Era impossibile prevedere le condizioni meteorologiche in un dato giorno lontano parecchie settimane. E c'era la probabilità di una collisione con un'altra nave. Non erano incognite da prendere alla leggera; ma la possibilità di essere scoperto e bloccato rifiutava di entrargli nella mente. Non voleva considerare la possibilità di un ripensamento da parte di De Vaal, che poteva revocare la missione.

A mezzanotte meno dieci Fawkes si tolse gli occhiali e si

soffregò gli occhi stanchi. Prese dal taschino un piccolo portafoto e guardò le immagini dei suoi cari. Poi, con un sospiro, lasciò cadere il portafoto su una cassetta accanto alla branda, nella plancia della nave. Durante la prima settimana aveva dormito nell'alloggio del comandante, ma adesso non c'era più nulla; mobili, impianti igienici, persino le paratie erano stati tolti.

Fawkes si spogliò, s'infilò in un sacco a pelo e guardò per l'ultima volta le fotografie. Spense la luce e sprofondò nella tenebra della solitudine e dell'odio implacabile.

35

DE VAAL rigirò una sigaretta fra le dita. «Pensa che Fawkes rispetterà i tempi fissati?»

«Uno dei miei agenti riferisce che sprona gli operai del cantiere con la rabbia di un sadico», rispose Zeegler. «Sono convinto che il bravo capitano varerà l'Operazione Rosa Selvatica al momento stabilito.»

«E l'equipaggio di neri?»

«Sono tutti sotto controllo a bordo di un mercantile attraccato al largo di un'isola remota delle Azzorre.» Zeegler sedette di fronte a De Vaal, prima di continuare. «Quando sarà tutto pronto, verranno portati di nascosto sulla nave di Fawkes.»

«Sapranno far funzionare la nave?»

«Sul mercantile si procede all'addestramento. Ognuno di loro conoscerà bene il suo compito quando Fawkes salperà.»

«Cos'è stato detto agli uomini?»

«Credono di essere stati reclutati per una serie di esercitazioni in mare prima di proseguire per Città del Capo.»

De Vaal rimase assorto per un momento. «È un peccato che non possiamo avere Lusana come passeggero.»

«Questa possibilità esiste», rettificò Zeegler.

De Vaal alzò la testa. «Parla sul serio?»

«Le mie fonti riferiscono che è partito per gli Stati Uniti», rispose Zeegler. «È quasi impossibile seguirlo attraverso l'Africa e conoscere in anticipo i suoi esatti programmi di viaggio. Può lasciare il continente all'insaputa di tutti, se vuole. Ma non può entrare negli Stati Uniti senza mostrarsi. E quando ripartirà, starò ad aspettarlo.»

«Un sequestro.» De Vaal lo disse assaporando ogni sillaba. «Renderebbe virtualmente infallibile l'Operazione Rosa Selvatica.»

36.

L'AEREO intercontinentale BEZA-Mozambique lasciò la pista principale e si portò su un'altra che veniva usata di rado, quindi abbassò il muso non appena il pilota usò i freni. Il portello si aprì, e un facchino con una tuta bianca e un berretto rosso uscì dall'oscurità serotina e accostò la scaletta d'alluminio. Una figura si chinò nella luce che usciva dall'interno dell'apparecchio, lanciò una valigia all'uomo a terra, poi scese. Il portello si richiuse e la scaletta venne tolta. I motori ripresero a rombare e l'aereo ripartì in direzione del terminal internazionale dell'aeroporto Dulles.

Senza parlare, il facchino porse al passeggero una tuta che quello indossò in fretta. Poi salirono su un piccolo trattore con quattro carrelli vuoti e puntarono verso l'area della manutenzione. Dopo qualche minuto trascorso zigzagando fra gli aerei parcheggiati, il trattore si fermò davanti a un cancello illuminato. Un guardiano si affacciò, riconobbe il facchino, soffocò uno sbadiglio e gli indicò di passare. Il facchino salutò con un cenno e raggiunse il parcheggio dei dipendenti. Si fermò accanto a una grossa berlina blu; l'autista teneva aperta la portiera. Sempre in silenzio, l'uomo sceso dall'aereo prese posto sul sedile posteriore della macchina. L'autista afferrò la valigia, la mise nel portabagagli, e il facchino tornò con il trattore verso il terminal.

Soltanto quando la macchina entrò a Georgetown Lusana si rilassò e si tolse la tuta. In passato sarebbe entrato negli Stati Uniti come un passeggero qualunque... prima che il ministero della Difesa sudafricano lo prendesse sul serio. Il timore di essere assassinato era fondato. Vide con sollievo che l'autista si fermava davanti a una casa con le finestre del pianterreno illuminate. Almeno, c'era qualcuno in casa.

L'autista portò la valigia all'ingresso, poi se ne andò in silenzio. Dalle finestre aperte giungeva il suono smorzato di un televisore acceso. Lusana premette il campanello.

La luce del portico si accese, la porta si socchiuse e una voce nota chiese: «Chi è?»

Lusana si spostò sotto la lampada che gli illuminò la faccia. «Sono io, Felicia.»

«Hiram?» La voce della donna era sorpresa.

«Sì.»

La porta si aprì completamente. Felicia indossava una camicetta semitrasparente alla contadina e una lunga gonna di jersey. I capelli erano coperti da un foulard annodato. Rimase immobile a scrutare il visitatore. Avrebbe voluto dire qualcosa di spiritoso, ma aveva nella mente una specie di vuoto. Riuscì a mormorare soltanto: «Entra».

Lusana entrò e posò la valigia. «Immaginavo di trovarti qui», disse.

L'espressione degli occhi scuri di Felicia passò dalla sorpresa alla compostezza. «Sei arrivato giusto in tempo. Sono appena tornata da Hollywood. Ho inciso un nuovo album e ho fatto un provino per una serie televisiva.»

«Mi fa piacere che le cose ti vadano bene.»

Lei lo guardò in faccia. «Non avresti dovuto farmi partire con Frederick.»

«Se questo può consolarti, mi sono pentito spesso di questa decisione frettolosa.»

«Potrei tornare in Africa con te.»

Lusana scosse la testa, tristemente. «Un giorno, forse. Ora no. Qui potrai fare di più per la nostra causa.»

Si voltarono entrambi quando Frederick Daggat, avvolto in una vestaglia a disegni minuti, arrivò dal soggiorno. «Mio Dio, il generale Lusana. Mi sembrava di aver riconosciuto la voce.» Guardò la valigia e si oscurò. «Non siamo stati preavvertiti del suo arrivo. C'è stato qualche guaio?»

Lusana sogghignò ironicamente. «Il mondo non è un posto sicuro per i rivoluzionari. Ho pensato che fosse meglio tornare nella Terra della Libertà senza dare nell'occhio. »

« Ma le linee aeree... la dogana... qualcuno avrà segnalato la sua presenza. »

Lusana scosse la testa. « Durante il volo dall'Africa ho volato nella cabina con il pilota. Ho lasciato l'aereo subito dopo l'atterraggio e non sono passato dal terminal del Dulles. »

« La legge punisce l'immigrazione clandestina. »

« Sono un cittadino americano. Che differenza fa? »

L'espressione di Daggat si raddolcì. Posò le mani sulle spalle di Lusana. « Se ci fossero storie, sistemerà tutto il mio staff. L'importante è che lei sia qui. »

« Ma perché ricorrere ai sotterfugi? » chiese Felicia.

« Per una buona ragione. » La voce di Lusana era gelida. « Le mie spie hanno scoperto un'informazione che può risultare molto imbarazzante per il governo sudafricano di minoranza. »

« È un'accusa grave », disse Daggat.

« È una minaccia molto seria », ribatté Lusana.

Negli occhi di Daggat apparve un'espressione mista di confusione e curiosità. Indicò il soggiorno con un cenno. « Venga a sedere, generale. Dobbiamo parlare di parecchie cose. »

« Ogni volta che ti vedo è come se guardassi una vecchia foto. Non cambi mai. »

Felicia ricambiò lo sguardo ammirato di Loren. « Il complimento di un'altra donna è un complimento vero. » Agitò pigramente il ghiaccio nel drink. « È straordinario come vola il tempo. Quando è stata l'ultima volta? Tre, quattro anni fa? »

« L'ultimo ballo per l'insediamento del presidente. »

« Lo ricordo », disse Felicia con un sorriso. « Dopo andammo in quel localino in riva al fiume e ci sbronzammo. Tu eri in compagnia di un tipo alto, con l'aria triste e gli occhi da cocker. »

« Il deputato Louis Carnady. È stato battuto nelle elezioni successive. »

« Povero Louis. » Felicia accese una sigaretta. « Io ero con Hiram Lusana. »

« Lo so. »

« Ci siamo lasciati il mese scorso, in Africa », disse Felicia come se Loren non avesse parlato. « Forse la mia vita è stata sempre così... correre dietro a tutte le cause progressiste e mettermi con tutti gli stalloni che promettono di salvare la razza umana. »

Loren indicò al cameriere di portare altri due drink. « Non puoi rimproverarti se credi nella gente. »

« Sì, ma con che risultato? Ho combinato un pasticcio ogni volta che ho aderito a una crociata. »

« Non vorrei essere indiscreta, ma tu e Lusana avete avuto divergenze personali o politiche? »

« Esclusivamente personali », rispose Felicia. Provò una stretta al cuore mentre Loren girava intorno all'esca. « Per lui non contavo più niente. Pensava solo alla sua lotta. All'inizio, credo, provava un sentimento per me; ma quando la lotta si è ampliata e le pressioni sono aumentate, è diventato più distante. Ora so che aveva preso da me tutto ciò che voleva. Ero diventata sacrificabile come i suoi soldati sul campo di battaglia. »

Loren vide che gli occhi di Felicia si riempivano di lacrime. « Devi odiarlo molto. »

Felicia alzò la testa, sorpresa. « Hiram? No, non capisci. Sono stata ingiusta con lui. Ho lasciato che i miei desideri si mettessero fra noi. Avrei dovuto essere paziente. Forse, quando avrà vinto la guerra per dare il potere ai neri nel Sud Africa, mi guarderà con occhi diversi. »

« Al tuo posto non ci conterei. Conosco le sue abitudini. Lusana si serve della gente come noi usiamo il dentifricio. Spreme tutto quel che può e butta via il contenitore. »

Un'espressione di collera passò sul volto di Felicia. « Tu vedi in Hiram solo ciò che vuoi vedere. In lui, il bene controbilancia il male. »

Loren sospirò mentre il cameriere portava gli altri drink. «Non è bello che due vecchie amiche discutano dopo essere state lontane per tanto tempo», propose a voce bassa. «Cambiamo argomento.»

«D'accordo», disse Felicia, rasserenandosi. «E tu, Loren? C'è qualche uomo nella tua vita?»

«Al momento ce ne sono due.»

Felicia rise. «A Washington ne parlano tutti. Uno è Phil Sawyer, l'addetto stampa del presidente. E l'altro chi è?»

«È un direttore della NUMA. Dirk Pitt.»

«E fai sul serio con uno dei due?»

«Phil è il tipo che finisci per sposare: leale, sincero, fedele, ti mette su un piedistallo dorato e vuole che tu sia la madre dei suoi figli.»

Felicia fece una smorfia. «Mi sembra piuttosto normale. E quel Pitt?»

«Dirk? Pura energia animale. Non pretende niente, e viene e va come un gatto randagio. Dirk non potrà mai appartenere veramente a una donna, eppure è presente quando hai bisogno di lui. È l'amante che ti eccita, ma che non si ferma abbastanza a lungo per invecchiare insieme.»

«Direi che è il mio tipo. Mandalo da me quando fra voi sarà finita.» Felicia bevve un sorso. «Dev'essere difficile conservare la purezza politica agli occhi degli elettori e avere nel contempo un amante.»

Loren arrossì. «È difficile», ammise. «Non sono mai stata abile negli intrighi.»

«Potresti infischiarti di quel che pensa la gente. Tante donne lo fanno, al giorno d'oggi.»

«Tante donne non sono membri del Congresso.»

«Ecco di nuovo il sistema due pesi e due misure. I membri del Congresso, se sono uomini, possono fare impunemente quel che vogliono purché non risulti dal loro conto spese.»

«È doloroso ma vero», confermò Loren. «E io rappresento un distretto molto rurale. Gli elettori credono ancora al catalogo delle vendite per corrispondenza, alla birra Coors e all'undicesimo comandamento. »

« Quale undicesimo comandamento? »

« La tua deputata non deve avere amanti se vuole essere rieletta. »

« E tu e Pitt dove vi incontrate? »

« Non posso rischiare che qualcuno veda un maschio allontanarsi dal mio appartamento insieme al lattaio. Quindi ci vediamo a casa sua o in qualche piccolo country inn molto fuorimano. »

« Parli come se fosse un'avventura romantica alla fermata dell'autobus. »

« Te l'ho detto, è difficile. »

« Io credo di poter eliminare questo inconveniente. »

Loren guardò Felicia con aria interrogativa. « E come? »

Felicia frugò nella borsa e mise una chiave nella mano dell'amica. « Prendila. L'indirizzo è lì sopra. »

« Che cos'è? »

« La chiave di un appartamentino che ho preso in affitto ad Arlington. È a tua disposizione, ogni volta che avrai voglia di far l'amore. »

« E tu? Non posso pretendere che sparisca con un preavviso di qualche minuto. »

« Non mi darai fastidio. » Felicia sorrise. « Sono ospite di un tale che sta dall'altra parte della città. Niente proteste. Okay? »

Loren esaminò la chiave. « Dio, mi sento come una battona. »

Felicia tese la mano e le ripiegò le dita intorno alla chiave. « Se il solo pensiero ti ispira una sensazione deliziosamente oscena, aspetta di vedere la camera da letto al piano di sopra. »

37.

« Che ne pensa? » chiese Daggat. Era seduto alla scrivania. Hiram Lusana era in piedi nell'angolo, appoggiato all'alto schienale di una sedia, e aveva un'espressione ansiosa.

Dale Jarvis, direttore della National Security Agency, rifletté per qualche istante prima di rispondere. Aveva una faccia cordiale, quasi paterna, i capelli bruni striati di grigio e tagliati cortissimi. Portava un abito di tweed e una grande cravatta a farfalla rossa gli pendeva sotto il grosso pomo d'Adamo come se stesse per sciogliersi.

« Secondo me, questa Operazione Rosa Selvatica è un gioco. »

« Un gioco! » gracchiò Lusana. « Che sciocchezza! »

« Non proprio », disse con calma Jarvis. « Ogni nazione con un establishment militare sofisticato ha un dipartimento la cui funzione consiste esclusivamente nell'inventare quelli che, nel giro, si chiamano 'giochi di possibilità'. Sono piani improbabili che trascendono la verosimiglianza, studi strategici e tattici inventati per combattere eventi imprevisti, e poi messi da parte in attesa del giorno in cui potrebbero essere rispolverati e tradotti in atto. »

« Ed è ciò che pensa di Rosa Selvatica? » chiese Lusana in tono acido.

« Senza conoscere tutti i particolari, sì », rispose Jarvis. « Direi che il ministero della Difesa sudafricano ha piani precisi per attacchi fasulli degli insorti in metà delle nazioni del globo. »

« Lo crede veramente? »

« Sì », rispose con fermezza Jarvis. « Non riferisca a nessuno che l'ho detto io, ma in qualche angolo del nostro governo si possono trovare alcuni dei copioni più assurdi inventati dall'uomo e dal computer, cospirazioni per destabilizzare tutte le nazioni della terra, inclusi i nostri amici occidentali; misure per seminare bombe nucleari nei ghetti in caso di insurrezioni massicce di qualche minoranza; piani di battaglia per contrastare invasioni partite dal Messico e dal Canada. Non ne verrà mai utilizzato neppure uno su diecimila. Però ci sono, per ogni evenienza.»

«Una specie di assicurazione», disse Daggat.

Jarvis annuì. «Un'assicurazione contro l'impensabile.»

«Vuol dire che non c'è altro?» sbottò rabbiosamente Lusana. «Ha intenzione di liquidare l'Operazione Rosa Selvatica come l'incubo di un idiota?»

«Temo che abbia preso la faccenda troppo sul serio, generale.» Jarvis rimase imperturbato. «Si renda conto della realtà. Come diceva mio nonno, vede una tempesta in un bicchier d'acqua.»

«Mi rifiuto di crederlo», ribatté ostinatamente Lusana.

Jarvis si tolse gli occhiali e li mise nell'astuccio. «Naturalmente è libero di chiedere il parere di altre organizzazioni dei servizi segreti, generale. Ma credo di poter affermare con certezza che Rosa Selvatica riceverà più o meno la stessa accoglienza dovunque la presenti.»

«Le chiedo di accertare l'intenzione da parte di De Vaal di avviare l'operazione!» urlò Lusana.

Jarvis si dominò a stento. Si alzò, si abbottonò la giacca e si rivolse a Daggat. «Se vuole scusarmi, devo tornare in ufficio.»

«Capisco», disse Daggat. Girò dietro la scrivania e prese il braccio di Jarvis. «L'accompagno all'ascensore.»

Jarvis salutò Lusana con un cenno e un'espressione forzatamente diplomatica. «Generale?»

Lusana tremava, stringeva i pugni e taceva. All'improvviso si voltò e guardò dalla finestra.

Appena uscirono nell'atrio degli ascensori, Daggat disse a Jarvis: «La prego di scusare il comportamento del generale. Ma cerchi di considerare le tensioni tremende che ha dovuto subire in questi ultimi mesi. E poi c'è stato il lungo volo dal Mozambico, la scorsa notte».

« Tutti sanno che il *jet-lag* innervosisce i viaggiatori. »
Jarvis inarcò un sopracciglio. « O forse soffre di rimorsi di
coscienza per l'ingresso clandestino nel nostro paese. »

Daggat si umettò le labbra. « Lo sa? »

Jarvis sorrise amabilmente. « È normale. Non si preoccupi. Il nostro compito è tener d'occhio gli uomini come il
generale. L'NSA non persegue le violazioni civili. Se l'Immigrazione non sa nulla, in questo caso, tanto meglio. Ma
le do un consiglio. Al suo posto non lascerei che il generale rimanesse troppo a lungo a Washington. L'amicizia con
un rivoluzionario estremista potrebbe essere dannosa per
un uomo della sua reputazione. »

« Il generale Lusana non è un estremista. »

Jarvis alzò le spalle, per nulla impressionato. « Questo è
ancora da vedere. »

Sopra l'ascensore si accese la spia rossa della discesa.
Jarvis si voltò. « C'è un'altra cosa », disse Daggat. « Un favore. »

Il campanello dell'ascensore squillò, le porte si aprirono. L'interno era vuoto. « Se posso », disse Jarvis, e girò lo
sguardo da Daggat all'unica via di fuga.

« Indaghi sull'Operazione Rosa Selvatica. Non chiedo
un grande sforzo da parte dei suoi », si affrettò a soggiun-
gere Daggat. « Ma qualche sondaggio che potrebbe con-
fermarne o no la validità. »

Le porte cominciarono a chiudersi. Jarvis le tenne aperte, con un piede nell'ascensore, l'altro all'esterno. « Av-
vierò un'indagine », disse. « Ma l'avverto... quello che scopriremo potrebbe non piacerle. »

Le porte si chiusero.

Daggat si svegliò alle dieci. Era solo nel suo ufficio. I collaboratori erano andati a casa da un pezzo. Guardò l'orologio e calcolò che aveva dormicchiato per quasi un'ora. Si
soffregò gli occhi e si stirò mentre la porta dell'anticamera
si apriva. Non alzò lo sguardo; pensava che fossero gli ad-

detti alle pulizie. Ma quando non sentì i suoni abituali dei
cestini che venivano vuotati e degli aspirapolvere che ronzavano si accorse di una presenza estranea.

Felicia Collins era appoggiata languidamente allo stipite
della porta e lo guardava in silenzio.

Nella mente di Daggat scattò un pensiero. Fece un gesto di scusa. «Mi dispiace, ho perso il senso del tempo.
Ho dimenticato che dovevamo andare a cena insieme.»

«Sei perdonato», disse lei.

Daggat prese la giacca. «Avrai una gran fame.»

«È passata dopo il quarto martini.» Felicia si guardò
intorno. «Ho pensato che tu e Hiram foste in riunione.»

«L'ho lasciato al Dipartimento di Stato questo pomeriggio. Gli stanno usando il solito trattamento tiepido ri-
servato ai visitatori di quarta classe.»

«Non corre pericoli mostrandosi in pubblico?»

«Ho fatto in modo che abbia un servizio di sicurezza
ventiquattr'ore su ventiquattro.»

«Allora non è più ospite in casa nostra.»

«No, ha una suite al Mayflower a spese del governo.»

Felicia si stirò voluttuosamente e avanzò. «A proposito,
oggi sono stata a pranzo con Loren Smith. Mi ha raccontato la sua vita amorosa.»

«Ha abboccato all'amo?»

«Sì, se alludi al nostro piccolo nascondiglio ad Arlington.»

Daggat la prese fra le braccia con un'espressione gentile, ma boriosamente soddisfatta. «Non te ne pentirai, Felicia. Da questa storia può uscire solo qualcosa di buono.»

«Vallo a raccontare a Loren Smith», disse lei voltando-
gli le spalle.

Daggat la lasciò. «Ha fatto qualche nome?»

«Credo che voglia convincere Phil Sawyer a sposarla,
ma intanto si fa sbattere da un tale della NUMA.»

«Ha detto chi è?»

«Si chiama Dirk Pitt.»

Daggat spalancò gli occhi. «Dirk Pitt, hai detto?»

Felicia annuì.

La mente di Daggat entrò in funzione per stabilire un nesso, e finalmente ci riuscì. «Accidenti, è perfetto!»

«Di cosa stai parlando?»

«L'illustre senatore anziano della California, George Pitt. Non ci avevi pensato? Loren Smith, modello di virtù, se la fa con il figlio del senatore.»

Felicia rabbrividì, investita da un'improvvisa sensazione di freddo. «Per amor di Dio, Frederick, lascia perdere il tuo stupido piano prima che ti sfugga dalle mani.»

«Non credo», disse Daggat con un sorriso sinistro. «Faccio quello che ritengo sia meglio per il paese.»

«Vuoi dire quello che ritieni sia meglio per gli interessi di Frederick Daggat.»

Daggat la prese per il braccio e la guidò fuori dell'ufficio. «Quando avrai avuto il tempo di ripensarci, ti accorgerai che ho ragione.» E spense le luci. «Adesso andiamo a cena. Poi prepareremo il nido d'amore di Loren Smith per la sua prima e unica visita.»

38.

L'AMMIRAGLIO James Sandecker era un uomo piccolo, energico, con i capelli d'un rosso fiammante e parecchio coraggio. Quando era stato costretto a mettersi in pensione dalla Marina, aveva usato la sua considerevole influenza sul Congresso per ottenere l'incarico di direttore capo della neonata National Underwater and Marine Agency. Era un abbinamento destinato al successo fin dall'inizio. In soli sette anni Sandecker aveva preso un'insignificante organizzazione con ottanta dipendenti e l'aveva trasformata in un colosso che contava cinquemila tecnici e scienziati, sostenuto da stanziamenti annui superiori ai quattrocento milioni di dollari.

I suoi avversari lo accusavano di mettersi in mostra, di varare progetti oceanici che acquisivano pubblicità più che dati scientifici. Gli ammiratori elogiavano la sua capacità di fare dell'oceanografia una scienza popolare quanto quella spaziale. In ogni caso, aveva messo solide radici nella NUMA, esattamente come J. Edgar Hoover le aveva messe a suo tempo nell'FBI.

Sandecker bevve l'ultima sorsata della bottiglia di Seven-Up, aspirò il mozzicone d'un sigaro gigante e guardò le facce cupe dell'ammiraglio Walter Bass, del colonnello Abe Steiger, di Al Giordino e di Dirk Pitt.

«Quello che mi è difficile mandar giù», continuò, «è il totale disinteresse da parte del Pentagono. Mi sembrerebbe logico che il rapporto del colonnello Steiger sulla scoperta del Vixen 03, corredato di foto, li avesse sconvolti tutti. Invece il colonnello ci ha riferito che i suoi superiori si sono comportati come se fosse meglio dimenticare l'episodio.»

«C'è una giustificazione valida per la loro indifferenza», rispose Bass. «I generali O'Keefe e Burgdorf ignorano il nesso fra il Vixen 03 e il progetto MR, perché non risulta agli atti da nessuna parte. »

« Com'è possibile? »

« Ciò che fu scoperto dopo la morte del dottor Vetterly e dei suoi scienziati spinse quanti erano informati della terribile potenza dell'MR a insabbiare le prove e a cancellare ogni ricordo della sua esistenza, in modo che non venisse riesumata mai più. »

« Vuol dire che eliminaste un intero progetto della Difesa sotto il naso dei capi di Stato Maggiore? » chiese Sandecker con aria incredula.

« Per ordine diretto del presidente Eisenhower dovetti dichiarare nei miei rapporti ai capi di Stato Maggiore che l'esperimento era fallito e che la formula dell'MR era morta con il dottor Vetterly. »

« E quelli ci credettero? »

« Non avevano motivo di non crederlo », disse Bass. « Oltre al presidente, il segretario della Difesa Wilson, me e pochi scienziati, nessun altro sapeva esattamente cosa aveva scoperto Vetterly. Per quanto riguardava i capi di Stato Maggiore, il progetto non era altro che uno dei vari esperimenti a basso costo nel quadro della guerra chimico-biologica. Non ebbero dubbi e non fecero domande imbarazzanti prima di accantonarlo come un fallimento. »

« Che ragione c'era di aggirare la struttura del potere delle forze armate? »

« Eisenhower era un vecchio militare che aborriva le armi di distruzione di massa. » Bass sembrava rattrappirsi sulla sedia mentre riordinava i suoi pensieri. « Io sono l'ultimo superstite del team della Morte Rapida », continuò. « Purtroppo il segreto non morirà con me come avevo sperato, perché il signor Pitt ha scoperto incidentalmente una fonte dell'agente patogeno perduta da molto tempo. Non rivelai i fatti allora (né lo farò ora) ai capi del Pentagono, per timore che decidessero di recuperare il carico del Vixen 03 e di tenerlo in magazzino, in nome della difesa nazionale, in previsione del giorno in cui avrebbe potuto essere usato contro un futuro nemico. »

« Ma se si fosse trattato di proteggere il nostro paese... » protestò Sandecker.

Bass scosse la testa. « Non credo che capisca quanto è orribile l'effetto dell'organismo dell'MR, ammiraglio. Non si conoscono mezzi per impedirne od ostacolarne le conseguenze mortali. Mi permetta di fare un esempio. Se circa un etto di MR venisse liberato su Manhattan, l'organismo ucciderebbe il novantotto per cento della popolazione in quattro ore. E nessun essere umano, signori, potrebbe mettere piede sull'isola per tre secoli. Le generazioni future potrebbero solo indugiare sulle spiagge del New Jersey e vedere gli edifici possenti erodersi e sgretolarsi sugli scheletri degli abitanti d'un tempo. »

Gli altri impallidirono e si sentirono agghiacciare. Per qualche secondo nessuno parlò. Rimasero immobili a visualizzare una città diventata la tomba di tre milioni di cadaveri. Fu Pitt che, alla fine, ruppe il silenzio inquieto.

« E gli abitanti di Brooklyn e del Bronx... non sarebbero colpiti? »

« L'organismo dell'MR si diffonde in colonie. Stranamente, non procede per mezzo dei contatti umani o del vento. Tende a restare localizzato. Naturalmente se una quantità sufficiente dell'agente biologico venisse sparsa per mezzo di aerei o di razzi sull'intera America settentrionale, il continente resterebbe privo della presenza umana fino al 2300. »

« Non c'è niente che possa annientare l'MR? » chiese Steiger.

« H_2O », rispose Bass. « L'organismo può esistere solo in un'atmosfera con una forte concentrazione di ossigeno gassoso. Si può dire che annega quando è immerso nell'acqua, esattamente come noi. »

« Mi sembra strano che Vetterly fosse l'unico a saperlo produrre », intervenne Pitt.

Bass sorrise a labbra strette. « Non avrei mai permesso che un uomo solo tenesse per sé i dati critici. »

« Quindi distrusse i documenti del dottore. »

« Sì, e falsificai tutti gli ordini e le carte su cui riuscii a mettere le mani e che erano relativi al progetto, incluso il piano di volo originale del Vixen 03. »

Steiger si assestò sulla sedia e sospirò con evidente sollievo. « Almeno questo è un aspetto dell'enigma che non mi causerà altri grattacapi. »

« Ma il progetto, senza dubbio, doveva aver lasciato qualche traccia », disse Sandecker con aria pensierosa.

« Sull'isola di Rongelo ci sono ancora gli scheletri », fece notare Pitt. « Cosa può impedire ai pescatori e ai navigatori ignari di sbarcarvi? »

« Risponderò a rovescio alla sua domanda », disse Bass. « Anzitutto, le carte nautiche dell'area indicano Rongelo come una discarica per l'acido cianidrico. E le coste sono circondate da boe che segnalano il pericolo. »

« Acido cianidrico? » ripeté Giordino. « In effetti è molto pericoloso, no? »

« Appunto. È un agente che blocca la respirazione. In certe dosi causa una morte quasi immediata. E questo è precisato sulle carte e nei cartelli fissati alle boe e scritti in sei lingue. » Bass indugiò, prese un fazzoletto e si asciugò la testa calva, lucida di sudore. « E quei pochi documenti superstiti relativi al progetto MR sono custoditi in un sotterraneo ad altissima sicurezza del Pentagono che contiene le pratiche contrassegnate dalla sigla SPODF. »

« SPODF? »

« 'Solo per occhi del futuro' », spiegò Bass. « Ogni fascicolo è sigillato e porta la data in cui potrà essere aperto. Neppure il presidente è autorizzato a esaminare un documento prima del giorno prestabilito. È stato definito l'armadio che custodisce gli scheletri del nostro paese. Il dossier su Amelia Earhart, gli UFO, la verità sull'insistenza con cui il governo impose le vaccinazioni contro la peste suina negli anni '70, gli scandali politici al cui confronto il Watergate fu un'avventura da boy scout. C'è di tutto. Il fascicolo del progetto MR, per esempio, non potrà essere aperto fino all'anno 2550. E allora, così si augurava il presidente

Eisenhower, i nostri discendenti non saranno più in grado di coglierne le implicazioni. »

Gli altri presenti nella sala delle conferenze della NUMA non avevano mai sentito parlare di pratiche SPODF, ed erano rimasti sbalorditi.

« Immagino che adesso la domanda più ovvia », disse Pitt, « sia questa: perché, ammiraglio, si sta confidando con noi? »

« Ho chiesto che si svolgesse questo incontro per chiarire la questione del Vixen 03 perché mi trovo nella condizione di dovermi fidare di qualcuno che recuperi l'MR contenuta nell'aereo e la distrugga. »

« Lei ci chiede parecchio », protestò Sandecker. Riaccese un altro sigaro e lanciò sbuffi di fumo. « Se il Pentagono lo sospettasse, verremmo tutti bollati come traditori. »

« È una possibilità spiacevole che non deve essere trascurata », ammise Bass. « La nostra unica consolazione consisterebbe nel sapere che l'opinione pubblica e la morale sono dalla nostra parte. »

« Non so perché, ma non sono mai riuscito a vedermi nei panni del salvatore dell'umanità », borbottò Giordino.

Steiger fissò Bass. Forse vedeva la sua carriera nell'Aeronautica andare in fumo per la seconda volta in due settimane. « Ho l'impressione che la sua scelta dei complici si basi su una logica demenziale, ammiraglio. Per esempio, io che c'entro con il recupero del Vixen 03? »

Il sorriso teso di Bass diventò più spontaneo. « Può crederlo o no, colonnello, ma lei è il personaggio chiave del team. Il suo rapporto ha rivelato all'Aeronautica l'esistenza dell'aereo. Per fortuna, un esponente molto importante del governo ha ritenuto inopportuno approfondire la cosa. Lei avrà il compito di fare in modo che l'interesse del Pentagono continui a essere negativo. »

Pitt, ormai, sembrava aver capito tutto. « Okay, dunque l'ammiraglio Sandecker finanzia l'impresa con le risorse della NUMA mentre Giordino e io ci occupiamo del lavoro di recupero vero e proprio. Come intende distruggere le proprietà letali dell'MR non appena avremo ripescato i contenitori? »

«Affonderemo le testate nell'oceano», rispose Bass senza esitazioni. «Con il passare del tempo, quando la superficie esterna si corroderà, l'acqua neutralizzerà l'agente patogeno. »

Pitt si rivolse a Sandecker. «Potrei trasferire Jack Folsom e la sua squadra dalla *Chenago* e farli arrivare entro quarantott'ore sul Table Lake con tutta l'attrezzatura necessaria. »

L'ammiraglio Sandecker era realista e aveva le idee chiare. Conosceva abbastanza Bass per non giudicarlo un allarmista. Tutti i presenti si voltarono a guardare il direttore della NUMA, che sembrava perduto nella contemplazione del fumo azzurro del sigaro. Finalmente annuì.

«Sta bene, signori. Si va. »

«Grazie, James», disse Bass, con aria soddisfatta. «Mi rendo conto che è disposto a correre un grosso rischio fidandosi della parola d'un vecchio lupo di mare arrugginito. »

«Direi che è il caso di fidarci», rispose Sandecker.

«Mi è appena venuta in mente una cosa», intervenne Giordino. «Se l'acqua ammazza l'MR, perché non la lasciamo semplicemente sul fondo del lago? »

Bass scosse la testa. «No, grazie. Come l'avete trovata voi, potrebbe trovarla qualcun altro. È molto meglio depositarla per l'eternità dove nessun umano avrà mai occasione di vederla. C'è da ringraziare Dio che i contenitori non siano stati scoperti in tutti questi anni. »

«E questo solleva un'altra questione», disse Pitt, notando che Giordino e Steiger abbassavano gli occhi, inquieti.

Sandecker scosse il sigaro sopra una conchiglia che fungeva da portacenere. «E cioè? »

«Secondo il piano di volo originale, il Vixen 03 decollò da Buckley con un equipaggio di quattro uomini. È esatto, ammiraglio Bass? »

Bass assunse un'espressione interrogativa. « Sì, erano appunto quattro. »

« Forse avrei dovuto parlarne prima », disse Pitt. « Ma avevo paura di complicare la questione. »

« Lei non è il tipo che prende certe cose alla lontana », intervenne spazientito Sandecker. « Dove vuole arrivare? »

« Al quinto scheletro. »

« Il quinto... che cosa? »

« Quando mi sono immerso e ho esaminato il relitto, ho trovato le ossa di un quinto uomo legato al pavimento della stiva. »

Sandecker si rivolse a Bass. « Ha un'idea di chi potrebbe essere? »

Bass aveva l'aria di chi ha appena preso un ceffone. « Un uomo della squadra addetta alla manutenzione a terra », mormorò. « Probabilmente era ancora a bordo quando decollò l'aereo. »

« No, è impossibile », obiettò Pitt. « Lo scheletro aveva ancora addosso brandelli di carne. I resti non potevano essere sott'acqua dallo stesso tempo degli altri. »

« Ha detto che i contenitori erano ancora sigillati », disse Bass, come se si aggrappasse alle pagliuzze.

« Sì, signore. Non ho visto segni di manomissione », gli assicurò Pitt.

« Mio Dio, mio Dio! » Bass si coprì il volto con le mani. « C'è qualcuno, oltre a noi, che sa dell'aereo! »

« Non possiamo esserne sicuri », disse Steiger.

Bass riabbassò le mani e fissò Pitt con occhi vitrei. « Ripeschi quell'aereo, signor Pitt. Per il bene di tutta l'umanità, ripeschi il Vixen 03 dal fondo di quel lago... e in fretta. »

Pitt non riusciva a liberarsi da un senso di paura mentre, dopo la riunione, varcava l'ingresso principale della sede della NUMA. La notte di Washington era satura di umidità che aggravava la sua depressione. Attraversò il parcheggio deserto e aprì la portiera della macchina. Stava per mettersi al volante quando notò la figura sul sedile del passeggero.

Loren dormiva raggomitolata, dimentica del mondo. Indossava un abito verde alla greca e stivaletti di vitello sotto l'ampia pelliccia. Pitt si chinò, le scostò i capelli dalle guance e la scosse leggermente per svegliarla. Lei aprì gli occhi e lo fissò, inarcò le labbra in un sorriso felino. Il suo volto era stranamente pallido e giovane.

« Mmm. È un piacere vederti qui. »

Pitt si curvò a baciarla. « Sei impazzita? Una creatura seducente tutta sola in un parcheggio deserto di Washington. È un miracolo che non sia stata aggredita e violentata da un'intera banda. »

Loren lo scostò e arricciò il naso. « Puah, hai addosso un gran puzzo di sigari. »

« Sono rimasto chiuso in una sala per le conferenze in compagnia dell'ammiraglio Sandecker per sei ore. » Pitt accese il motore. « Come hai fatto a rintracciarmi? »

« Ho chiamato il tuo ufficio per avere il numero di Savannah. La tua segretaria mi ha detto che eri già tornato in città per partecipare a una conferenza. »

« E come mai ti sei piazzata nella mia macchina? »

« Ho lottato invano contro l'impulso travolgente di compiere un gesto sciocco e femminile. » Loren gli massaggiò l'interno di una coscia. « Contento? »

« Non posso mentire », rispose Pitt con un sorriso. « Sei un sollievo molto gradito, dopo le ultime ventiquattr'ore. »

« Un sollievo gradito? » Loren finse di imbronciarsi. « Sei bravissimo quando si tratta di incantare una ragazza con i complimenti. »

« Non abbiamo molto tempo », l'avvertì Pitt, ridiventando serio di colpo. « Devo ripartire domattina. »

« L'avevo immaginato. Ecco perché ho preparato una simpatica sorpresa. »

Loren si strinse a lui e gli accarezzò la coscia.

« Non riesco a crederlo », mormorò Pitt, sbalordito.

« Felicia mi aveva detto che era sexy, ma non avevo idea che fosse così. »

Pitt e Loren affondavano quasi sino alle caviglie nella moquette cremisi e guardavano affascinati una stanza che aveva le quattro pareti e il soffitto rivestiti di specchi sfumati d'oro. L'unico mobile era un grande letto rotondo situato su una piattaforma e coperto da lenzuola di raso rosso. L'illuminazione era assicurata da quattro riflettori inseriti negli angoli del soffitto, che davano una tenue luce azzurra.

Loren si avvicinò al letto e toccò i cuscini lucidi come se fossero squisiti oggetti d'arte. Pitt fissò per qualche istante la sua immagine riflessa moltiplicata all'infinito, quindi le andò alle spalle e la spogliò abilmente.

« Non muoverti », intimò. « Voglio divorare con gli occhi mille Loren Smith nude. »

Lei arrossì e continuò a guardare le immagini innumerevoli nello specchio. « Mio Dio », sussurrò, « ho l'impressione di esibirmi davanti a una folla. » Poi si tese e bisbigliò qualcosa mentre Pitt si chinava a passarle la lingua sull'ombelico.

Il trillo smorzato del telefono strappò Frederick Daggat dal sonno profondo. Al suo fianco, Felicia gemette, si girò e continuò a dormire. Daggat cercò a tentoni l'orologio sul comodino e guardò il quadrante luminoso. Erano le quattro. Sollevò il ricevitore.

« Qui Daggat. »

« Sam Jackson. Ho le foto. »

« Qualche problema? »

« No, è stato uno scherzo. Aveva ragione, non ho avuto bisogno di usare gli infrarossi. Hanno lasciato le luci accese. Non posso dargli torto... la stanza è tutta rivestita di specchi. La pellicola ad alta velocità dovrebbe far risaltare tutti i particolari che ha chiesto. È stato uno spettacolo. Peccato che non l'abbiamo registrato su video. »

« Non si sono insospettiti? »

« Come facevano a sapere che uno era un finto specchio? Erano troppo occupati per notare qualunque cosa che non fosse un terremoto. Per stare sul sicuro ho adoperato una macchina fotografica silenziosa. »

« Quando posso vedere i risultati? »

« Alle otto del mattino, se è urgente. Ma vorrei avere la possibilità di dormire un po'. Se aspetta fino a sera, le prometto le copie venti-per-venticinque, degne di una mostra. »

« Vada pure con calma e faccia un buon lavoro », disse Daggat. « Voglio che si vedano bene tutti i particolari. »

« Ci conti », rispose Jackson. « A proposito, chi è la signora? È una vera tigre. »

« Non la riguarda, Jackson. Chiami quando è tutto pronto. E ricordi che a me interessano soltanto le posizioni artistiche. »

« Ho capito, ho capito. Buonanotte, deputato. »

39.

DALE JARVIS si preparava a sgombrare la scrivania per affrontare la mezz'ora di tragitto in macchina per tornare a casa sua, dove lo aspettavano la moglie e la tradizionale cena del venerdì a base di arrosto di maiale, quando bussarono alla porta. Entrò John Gossard, il capo della Sezione Africa dell'agenzia. Gossard era arrivato all'NSA dall'Esercito dopo la guerra del Vietnam, dove aveva prestato servizio come specialista di logistica della guerriglia. Era un uomo tranquillo e cinico, che zoppicava da quando lo shrapnel di un lanciagranate gli aveva tranciato il piede destro. Tutti sapevano che beveva parecchio, ma che sbrigava con la massima efficienza e precisione le richieste di dati da parte della sua sezione. Le sue fonti d'informazioni erano invidiate dall'intera agenzia.

Jarvis allargò le braccia in un gesto di scusa. « John, urla pure quanto vuoi, ma mi era sfuggito dalla mente. Avevo intenzione di rispondere al tuo invito a una partita di pesca. »

« Puoi farcela? » chiese Gossard. « Ci vengono anche McDermott e Sampson dell'ufficio analisi, settore sovietico. »

« Non rifiuto mai la possibilità di insegnare ai nostri cremlinologi come si prendono i pesci grossi. »

« Bravo. La barca è prenotata. Salpiamo dall'attracco nove della Plum Point Marina alle cinque in punto di domenica. » Gossard posò la borsa sulla scrivania e l'aprì. « Fra parentesi, avevo due ragioni per passare da te prima di andare a casa. La seconda è questa. » Mise una cartelletta davanti a Jarvis. « Te la lascio per il fine settimana, se prometti di non buttarla nel cesso con i tuoi vecchi tascabili di spionaggio. »

Jarvis sorrise. « Non aver paura. Cos'hai portato? »

« I dati che hai chiesto a proposito di uno stranissimo piano sudafricano chiamato Operazione Rosa Selvatica. »

Jarvis inarcò le sopracciglia. « Hai fatto presto. Ho presentato la richiesta questo pomeriggio. »

« La Sezione Africa non si fa crescere addosso le ragnatele », sentenziò Gossard.

« C'è qualcosa che devo sapere prima di leggerlo? »

« Non c'è niente che possa cambiare la storia del mondo. È più o meno come sospettavi: una fantasia. »

« Allora Hiram Lusana diceva la verità. »

« Nel senso che il piano esiste », rispose Gossard. « Vedrai, ti piacerà. È una concezione molto avvincente. »

« Hai stuzzicato la mia curiosità. In che modo i sudafricani intendono realizzare il piano spacciandosi per l'ERA? »

« Mi dispiace », ribatté Gossard con un sorriso maligno, « ma se te lo dicessi rovinerei la storia. »

Jarvis gli lanciò un'occhiata seria. « Puoi fidarti davvero dell'attendibilità della tua fonte? »

« La mia fonte è autentica. Un tipo strano. Insiste per usare il nome in codice Emma. Non siamo mai riusciti ad accertarne l'identità. Le sue informazioni sono solide. E le vende a chiunque sia disposto a pagare. »

« Immagino che gli avrai scucito una bella somma per l'Operazione Rosa Selvatica », disse Jarvis.

« Non proprio. Era inclusa in un pacchetto con altri cinquanta documenti. Abbiamo pagato appena diecimila dollari per tutto quanto. »

Quando le fotografie caddero dall'asciugatore nel cestino, Sam Jackson le raccolse e le mise in ordine. Era un nero alto e angoloso con i capelli intrecciati, la faccia giovanile e le mani affusolate. Passò le foto a Daggat e si sfilò il grembiule.

« E questo è tutto. »

« Quante sono? » chiese Daggat.

« Una trentina che mostrano le facce in modo chiaro. Ho controllato con la lente. Tutte le altre non servono. »

« Peccato che non siano a colori. »

« La prossima volta metta qualcosa d'altro, oltre alle luci azzurre », disse Jackson. « Saranno eccitanti, ma non servono per ottenere diapositive nitide a colori. »

Daggat studiò con attenzione le venti-per-venticinque in bianco e nero, poi le esaminò di nuovo. La terza volta ne scelse dieci e le mise nella borsa. Restituì a Jackson le altre venti.

« Le metta in una busta insieme ai negativi e alle stampe a contatto. »

« Le porta via? »

« Credo sia meglio che io sia l'unico con la responsabilità di tenerle al sicuro. Non è d'accordo? »

Evidentemente Jackson non lo era. Lanciò a Daggat un'occhiata inquieta. « Ehi, amico, i fotografi non hanno l'abitudine di separarsi dai negativi. Non ha intenzione di metterle in vendita, vero? Non mi dispiace fare un lavoretto porno privato per un buon cliente, ma non è di questo che vivo. Preferisco evitare le grane con la polizia. »

Daggat si avvicinò a Jackson, a faccia a faccia. « Io non sono suo 'amico' », disse freddamente. « Sono Frederick Daggat, membro del Congresso degli Stati Uniti. Hai afferrato il messaggio, fratello? »

Per un istante Jackson ricambiò l'occhiata. Poi abbassò lentamente lo sguardo sulle macchie di sostanze chimiche sparse sul pavimento di linoleum. Daggat aveva tutte le carte in mano, grazie ai suoi poteri di rappresentante del popolo. Al fotografo non restava altro che far marcia indietro.

« Come vuole », disse.

Daggat annuì; poi sorrise, come se avesse dimenticato le obiezioni di Jackson. « Ti sarei grato se ti sbrigassi. Giù, in macchina, c'è una signora bella e ansiosa che aspetta. È un tipo impaziente, se capisci quel che voglio dire. »

Jackson mise i negativi, le stampe a contatto e le copie

venti-per-venticinque in una grossa busta che porse a Daggat. « E il mio compenso? »

Daggat gli buttò un biglietto da cento dollari.

« Ma eravamo d'accordo per cinquecento », protestò Jackson.

« Considera le tue fatiche un atto altruistico nell'interesse del tuo paese », disse Daggat mentre si avviava alla porta. Poi si voltò. « Un'altra cosa. Se non vuoi avere problemi imprevisti in futuro, è meglio che dimentichi tutto l'episodio. Non è mai successo. »

Jackson rispose nell'unico modo possibile. « Come vuole, deputato. »

Daggat salutò con un cenno, uscì e si chiuse la porta alle spalle senza far rumore.

« Stronzo figlio di puttana! » sibilò Jackson a denti stretti mentre prendeva un'altra serie di fotografie da un cassetto. « Vedrai, ti sistemo io! »

La moglie di Dale Jarvis era abituata al fatto che il marito leggesse a letto. Gli diede il bacio della buonanotte, si raggomitolò voltando le spalle al raggio della lampada accesa sul comodino e poco dopo si addormentò.

Jarvis si sistemò due cuscini dietro la schiena, regolò la lampada nell'angolazione voluta e si assestò gli occhiali sul naso. Appoggiò il fascicolo prestatogli da Gossard sulle ginocchia sollevate e cominciò a leggere. Via via che voltava le pagine prendeva appunti su un blocco. Alle due del mattino chiuse il dossier sull'Operazione Rosa Selvatica.

Si sdraiò e rimase a guardare nel vuoto per qualche minuto. Si chiese se doveva restituire il fascicolo a Gossard e dimenticarlo, o se doveva dare disposizioni per indagare su quel piano bizzarro. E decise di arrivare a un compromesso.

Si alzò dal letto senza far rumore per non disturbare la moglie, andò in punta di piedi nello studio, prese un telefono e compose un numero al buio. La chiamata ebbe risposta al primo squillo.

« Sono Jarvis. Voglio un riepilogo sulla situazione attuale di tutte le corazzate straniere e americane. Sì, è esatto... corazzate. Lo voglio sulla mia scrivania entro domani. Grazie e buonanotte. »

Tornò a letto, baciò lievemente la moglie sulla guancia e spense la lampada.

40.

L'UDIENZA della sottocommissione Esteri della Camera dei Rappresentanti sugli aiuti economici alle nazioni africane, presieduta da Frederick Daggat, si aprì in una sala per le conferenze semideserta davanti a un drappello di giornalisti annoiati. Daggat era fiancheggiato dal democratico Earl Hunt dell'Iowa e dal repubblicano Roscoe Meyers dell'Oregon. Loren Smith era seduta, tutta sola, a un'estremità del tavolo.

L'udienza si protrasse nel pomeriggio. I rappresentanti di vari governi africani vennero a chiedere aiuti economici. Erano le quattro quando fu il turno di Hiram Lusana. Adesso la sala era affollata. I fotografi erano in piedi sui sedili e sparavano flash, mentre i cronisti cominciavano a scribacchiare furiosamente sui blocchi o a borbottare nei registratori. Lusana non badò a quel chiasso. Sedeva al tavolo con la tranquillità di un croupier che sa di avere tutte le probabilità in suo favore.

«Generale Lusana», gli si rivolse Daggat, «benvenuto alla nostra udienza. Credo che conosca già le procedure. Si tratta soltanto di una seduta che ha lo scopo di accertare i fatti. Lei avrà venti minuti per esporre le sue richieste. Poi la Commissione le farà qualche domanda. Le nostre opinioni saranno riferite più tardi alla Commissione Esteri della Camera.»

«Lo so», disse Lusana.

«Signor presidente.»

Daggat rivolse la sua attenzione a Loren. «Sì, deputata Smith?»

«Devo oppormi alla comparsa del generale Lusana a questa udienza perché non rappresenta un governo africano.»

Un brusio scosse la sala.

« È vero », disse Lusana guardandola negli occhi. « Non rappresento un governo, ma rappresento la libera anima di tutti i neri del continente africano. »

« Molto eloquente », commentò Loren. « Ma le regole sono chiare. »

« Non può essere sorda alle suppliche di milioni di miei compatrioti per un semplice cavillo giuridico. » Lusana era immobile, e la sua voce così bassa che i presenti in fondo alla sala lo sentivano a stento. « Il bene più prezioso di un uomo è la sua nazionalità! Senza questa, non è niente. In Africa ci battiamo per rivendicare la nazionalità che ci spetta. Sono qui a difendere la dignità dei neri! Non chiedo denaro per comprare armi, non chiedo ai vostri soldati di battersi a fianco dei nostri. Chiedo solo i fondi necessari per acquistare viveri e medicinali per le migliaia di persone che hanno sofferto nella guerra contro la disumanità. »

Era una commedia recitata magistralmente, ma Loren non abboccò.

« Lei è furbo, generale. Se discuto il suo intervento, in pratica riconoscerò la legittimità della sua presenza in questa sala. La mia obiezione è ancora valida. »

Daggat fece un cenno impercettibile a uno dei suoi collaboratori e si rivolse a Earl Hunt. « Ho preso nota della protesta della deputata Smith. Cosa ne dice, deputato Hunt? »

Mentre Daggat chiedeva l'opinione di Hunt e di Roscoe Meyers, il suo assistente andò alle spalle di Loren e le consegnò una grossa busta bianca.

« Cos'è? »

« Mi è stato detto che è urgente e che deve aprirla subito, signora. » Poi l'uomo si affrettò a uscire da una porta secondaria.

Loren aprì la busta ed estrasse una delle numerose fotografie venti-per-venticinque. La mostrava nuda e avvinghiata a Pitt in una posizione orgiastica. Rimise la foto nella busta. Il suo volto era impallidito e tradiva paura e disgusto.

Daggat si rivolse a lei. «Deputata Smith, la decisione è in bilico. Il deputato Hunt e io riteniamo che il generale Lusana debba essere ascoltato. Il deputato Meyers è invece d'accordo con lei. Come presidente dell'udienza, le chiedo, nell'interesse dell'onestà, di permettere che il generale dica quanto ha da dire.»

Loren si sentì accapponare la pelle. Daggat rideva di lei: conosceva benissimo il contenuto della busta. Si sforzò di dominare la nausea che le saliva alla gola. Era chiaro, Felicia Collins l'aveva venduta alla causa di Lusana. Era stata una stupida a farsi intrappolare come un'adolescente ingenua alle prese con un magnaccia di città.

«Deputata Smith?» insistette Daggat.

Non c'erano vie d'uscita. Daggat l'aveva in pugno. Loren abbassò gli occhi, tremando.

«Signor presidente», disse, sconfitta, «ritiro la mia obiezione.»

A quarantatré anni Barbara Gore aveva ancora la figura di una modella di *Vogue*. Era snella, con le gambe ben modellate, e il viso dagli zigomi alti non era ingrassato. Un tempo aveva avuto una relazione con Dale Jarvis; ma ormai era acqua passata, e adesso era semplicemente un'amica, oltre che la segretaria personale.

Era seduta davanti alla scrivania, con le belle gambe accavallate in quel modo che è comodo solo per le donne e interessante per l'occhio maschile. Ma Jarvis non vi badava. Era occupato a dettare. Dopo un po' s'interruppe e incominciò a frugare in un mucchio di rapporti riservatissimi.

«Se mi dicessi cosa stai cercando», disse Barbara in tono paziente, «forse potrei aiutarti.»

«Un riepilogo su tutte le corazzate esistenti. Me l'avevano promesso per oggi.»

Con un sospiro, Barbara estrasse dal mucchio un foglio di carta azzurra fissato con la spillatrice. «È sulla tua scrivania dalle otto di questa mattina. » A volte Barbara si irritava per il modo disordinato in cui lavorava Jarvis; ma aveva imparato da tempo ad accettare le sue idiosincrasie e ad adeguarvisi.

« Che cosa dice? »

« Che cosa vuoi che dica? » ribatté lei. « Non ti sei degnato di spiegarmi quello che cerchi. »

« Voglio comprare una corazzata, naturalmente. Chi è che ne ha una da vendere? »

Barbara gli lanciò un'occhiataccia e studiò i fogli azzurri. « Sei sfortunato. L'Unione Sovietica ne ha una sola e la usa per addestrare gli allievi dell'accademia navale. La Francia le ha demolite tutte. Idem la Gran Bretagna, anche se ne conserva una nei ruoli in nome della tradizione. »

« E gli Stati Uniti? »

« Ne hanno conservate cinque come ricordo. »

« Dove si trovano, attualmente? »

« Sono tenute come monumenti nazionali negli stati di cui portano i nomi: *North Carolina*, *Texas*, *Alabama* e *Massachusetts*. »

« Hai detto che sono cinque. »

« La Marina tiene la *Missouri* a Bremerton, nello stato di Washington. Oh, quasi dimenticavo. L'*Arizona* figura ancora nei ruoli della Marina come nave in servizio. »

Jarvis intrecciò le mani dietro la testa e fissò il soffitto. « Mi pare di ricordare che la *Wisconsin* e l'*Iowa* erano ormeggiate nell'arsenale della Marina di Filadelfia, qualche anno fa. »

« Ottima memoria », disse Barbara. « Secondo il rapporto, la *Wisconsin* fu demolita nel 1984. »

« E l'*Iowa*? »

« Venduta come rottame. »

Jarvis si alzò e andò alla finestra. Per qualche istante guardò fuori, con le mani in tasca. Poi disse: « Il dossier Operazione Rosa Selvatica ».

Come se avesse letto nei suoi pensieri, Barbara indicò il fascicolo. « Eccolo qui. »

« Mandalo a John Gossard della Sezione Africa e digli che l'Operazione è stata una lettura interessante. »

« È tutto? »

Jarvis si voltò. « Sì », rispose pensosamente. « Tutto considerato, non c'è altro. »

Nello stesso momento una piccola imbarcazione gettò l'ancora a cento metri da Walnut Point, in Virginia, e cominciò a girare lentamente su se stessa fino a che la prua non fendette la marea in arrivo. Patrick Fawkes prese una vecchia sedia pieghevole e la sistemò sullo stretto ponte di poppa, inserendola a fatica tra le fiancate. Poi appoggiò al timone una canna da pesca e lanciò fuori bordo la lenza priva di amo.

Aveva appena aperto un cesto da picnic per estrarne una grossa fetta di formaggio del Chesire e una bottiglia di Cutty Sark quando un rimorchiatore che trainava tre chiatte cariche di rifiuti gli passò accanto e lo salutò con un fischio. Fawkes agitò il braccio e si puntellò con i piedi mentre l'onda del passaggio del rimorchiatore faceva ondeggiare la scialuppa. Poi annotò su un taccuino l'ora del passaggio.

La vecchia sedia pieghevole cigolò per protesta quando sedette. Poi mangiò un pezzetto di formaggio e bevve una sorsata di whisky dalla bottiglia.

Tutte le navi commerciali e le imbarcazioni da diporto che passavano accanto al pescatore apparentemente addormentato venivano annotate sul taccuino. L'ora della comparsa, la direzione e la velocità venivano egualmente trascritte. Un particolare avvistamento interessò Fawkes più degli altri. Seguì con il binocolo un caccia lanciamissili della Marina fino a quando non sparì oltre la punta, e osservò con attenzione i supporti vuoti per i missili e il comportamento disinvolto dell'equipaggio.

A sera una lieve pioggia cominciò a battere sul ponte scrostato dell'imbarcazione. Fawkes amava la pioggia. In mare, durante i temporali, spesso era rimasto ad affrontarne la furia sul ponte, e più tardi aveva rimbrottato i suoi ufficiali che preferivano il tè bollente e le comodità della plancia. Anche adesso ignorò il riparo offerto dalla piccola cabina e preferì restare sul ponte dopo aver indossato un impermeabile d'incerata per proteggersi.

Era piacevole. La pioggia purificava l'aria che gli penetrava nei polmoni, il formaggio gli aveva riempito lo stomaco, e lo scotch gli riscaldava il sangue. Lasciò i suoi pensieri liberi di vagare, e incominciò a evocare immagini della sua famiglia perduta. Gli odori della fattoria del Natal gli salivano alle narici, e il suono della voce di Myrna che lo chiamava a cena era chiaro e distinto alle sue orecchie.

Quattro ore più tardi si scosse e tornò alla realtà quando il rimorchiatore, che trainava le chiatte ormai vuote, ricomparve nel tragitto di ritorno. Fawkes si alzò in fretta e annotò il numero e la posizione delle luci di navigazione. Poi salpò l'ancora, accese il motore e si inserì nella scia dell'ultima chiatta della fila.

41.

La neve cadeva fitta su Table Lake, nel Colorado, quando i sommozzatori della NUMA, protetti dall'acqua gelida grazie alle mute termiche, finirono di tagliare le ali e la coda del Vixen 03. Poi inserirono due enormi supporti sotto la fusoliera mutilata.

L'ammiraglio Bass e Abe Steiger arrivarono seguiti da un camion blu dell'Aeronautica che trasportava un certo numero di avieri intirizziti della Squadra Identificazione e Recupero Relitti... e cinque bare.

Alle dieci del mattino tutti erano pronti. Pitt agitò le braccia per dare il segnale agli operatori delle gru. Lentamente i cavi che pendevano dai bracci mobili e sparivano sotto la superficie increspata del lago si tesero e fremettero con l'aumento della tensione. Le gru s'inclinarono di qualche grado per lo sforzo e cigolarono alle giunture. Poi, all'improvviso, come se si fossero liberate da un peso enorme, si raddrizzarono.

« L'aereo è uscito dalla morsa del fango », annunciò Dirk Pitt.

Giordino, che gli stava a fianco e portava una cuffia per le comunicazioni radiofoniche, annuì. « I sommozzatori segnalano che sta salendo. »

« Di' a chi manovra il cavo intorno al muso di tenerlo basso. C'è il rischio che i contenitori cadano attraverso l'apertura nella coda. »

Giordino trasmise gli ordini di Pitt attraverso il minuscolo microfono fissato alla cuffia.

La gelida aria di montagna era carica di tensione. Gli uomini stavano immobili nell'attesa, con gli occhi fissi sull'acqua fra le gru. Gli unici suoni erano quelli dei motori. Era una squadra di veterani; ma anche se avevano recuperato dal mare una quantità di relitti, i tentacoli dell'emozione non mancavano mai di avvinghiarli durante un'operazione del genere.

L'ammiraglio Bass aveva l'impressione di rivivere quella notte nevosa di tanti anni prima. Gli sembrava impossibile associare l'immagine del maggiore Raymond Vylander allo scheletro che si trovava nella cabina. Si avvicinò all'acqua fino a quando questa non gli lambì le scarpe, e provò una sensazione di bruciore al petto e alla spalla sinistra.

Poi l'acqua sotto i cavi turbinò, passò dall'azzurro al color argento, e il tettuccio curvo del Vixen 03 emerse alla luce del giorno per la prima volta dopo trentaquattro anni. L'alluminio un tempo lucido si era corroso, era diventato d'un grigio biancastro e striato dalle alghe viscide del fondo. Mentre le gru lo sollevavano nell'aria, l'acqua carica di sedimenti ricadeva dallo squarcio aperto nella parte posteriore della fusoliera.

Le insegne gialle e azzurre sulla parte superiore erano sorprendentemente nitide, e le parole MILITARY AIR TRANSPORT SERVICE erano ancora leggibili. Il Vixen 03 non somigliava più a un aereo. Era più facile immaginarlo come un'enorme balena morta, priva di pinne e di coda. I cavi dei comandi, quelli elettrici e idraulici, tranciati e contorti, che pendevano dalle ferite aperte potevano rappresentare gli intestini.

Abe Steiger fu il primo che spezzò il silenzio.

« È strano che sia stata quella la causa dell'incidente », disse indicando lo squarcio nella stiva, subito dietro la cabina. « Deve essersi staccata la pala di un'elica. »

Bass guardò lo squarcio e non disse nulla. Il dolore al petto diventava più intenso. Con uno sforzo di volontà lo scacciò dalla mente; e intanto, con un gesto inconsapevole, si massaggiava l'interno dolorante del braccio sinistro. Cercò di sbirciare attraverso il parabrezza, ma i sedimenti accumulati nel corso degli anni oscuravano tutto. Le gru avevano sollevato la fusoliera tre metri al di sopra della superficie del lago quando lo colpì un pensiero. Si voltò a fissare Pitt con aria perplessa.

«Non vedo l'ombra di una chiatta, improvvisata o no. Come pensa di portare a terra il relitto?»

Pitt sorrise. «A questo punto chiamiamo una gru volante, ammiraglio.» Fece un cenno a Giordino. «Okay, dai il segnale a Dumbo.»

Due minuti più tardi, come un grande pterodattilo lanciato dal suo nido nel Mesozoico, un elicottero sgraziato passò sopra le cime degli alberi. I due grossi rotori sferzavano l'aria rarefatta di montagna con tonfi bizzarri.

Il pilota portò l'elicottero gigante sopra le gru ormeggiate. Due ganci scesero lentamente dal ventre aperto e furono fissati ai cavi di supporto dagli operatori. Poi il pilota trasferì il peso all'elicottero e i connettori dei cavi delle gru si allentarono e furono sganciati. Il Dumbo artigliò l'aria, mentre le sue turbine lottavano con il peso massiccio. Delicatamente, come se manovrasse un carico di cristalli fragilissimi, il pilota portò il Vixen 03 verso la riva.

Pitt e gli altri voltarono le spalle mentre una nube di spruzzi, sollevata dalle pale dei rotori, saliva dal lago. Giordino non vi badò e si portò in un punto dove il pilota poteva scorgerlo facilmente e indicò a cenni mentre dirigeva l'operazione attraverso la trasmittente della cuffia.

Il Dumbo impiegò appena cinque minuti per depositare il suo carico e sparire di nuovo al di là degli alberi. I presenti rimasero immobili a guardare, senza accostarsi al relitto. Steiger mormorò un ordine alla sua squadra di avieri, e quelli tornarono al camion, scaricarono le bare e le posarono a terra in una fila ordinata. Uno degli uomini di Pitt portò una scaletta e l'appoggiò alla parte squarciata della stiva. Pitt rimase in silenzio e accennò con la mano per indicare che l'ammiraglio Bass doveva essere il primo a salire a bordo.

Bass salì, passò intorno ai contenitori e raggiunse l'ingresso della cabina di comando. Restò immobile per lunghi istanti, pallidissimo e sofferente.

«Si sente bene, signore?» chiese Pitt che era salito dopo di lui.

La voce che gli rispose era debole e lontana. « Non trovo il coraggio di guardarli. »

« E comunque non servirebbe a nulla », disse gentilmente Pitt.

Bass si appoggiò alla paratia mentre il dolore al petto si faceva più intenso. « Mi lasci un minuto per orientarmi. Poi controllo le testate. »

Steiger raggiunse Pitt, aggirando con aria diffidente le testate come se avesse paura di toccarle. « Quando mi darà il via farò salire i miei uomini per recuperare le salme dell'equipaggio. »

« Può cominciare dall'ospite misterioso », disse Pitt, indicando con la testa un mucchio di contenitori ammassati. « Lo troverà legato al pavimento, tre metri sulla sua destra. »

Steiger andò a controllare nell'area segnalata da Pitt e alzò le spalle, sorpreso. « Non c'è niente. »

« Gli sta sopra, in pratica », ribatté Pitt.

« Ma che cosa significa, Cristo? » scattò Steiger. « Le dico che qui non c'è niente. »

« Deve essere cieco! » Pitt lo spostò e abbassò lo sguardo. Le cinghie erano ancora fissate agli anelli, ma il corpo dalla vecchia uniforme kaki era scomparso. Ammutolito, Pitt fissava lo spazio sul pavimento, mentre cercava di afferrare la realtà di quella sparizione. Si inginocchiò e raccolse le cinghie quasi marce. Erano state tagliate.

Gli occhi di Steiger avevano un'espressione di dubbio. « L'acqua era ghiacciata, quando si è immerso. Forse la sua mente ha visto qualcosa... » Non finì la frase, ma il sottinteso era chiaro.

Pitt si rialzò. « Era qui », disse. Si aspettava una discussione che non ci fu.

« Potrebbe essere caduto dall'apertura a poppa durante l'operazione di sollevamento? » suggerì Steiger, incerto.

« Non è possibile. I sommozzatori che nuotavano intorno al relitto fino a quando non è arrivato in superficie avrebbero avvertito, se fosse caduto qualche pezzo. »

Steiger fece per dire qualcosa, ma all'improvviso girò gli occhi nel sentire un suono rantolante che proveniva dall'estremità anteriore della stiva. « In nome di Dio, che cos'è? »

Pitt non perse tempo a rispondergli. Aveva capito.

Trovò l'ammiraglio Bass disteso sul pavimento bagnato. Lottava per respirare ed era madido d'un sudore freddo. Il dolore insopportabile gli stravolgeva la faccia in una maschera tormentata.

« Il cuore! » gridò Pitt a Steiger. « Cerchi Giordino e gli dica di richiamare l'elicottero. »

Poi incominciò a liberare dagli indumenti il collo e il petto dell'ammiraglio, che sollevò una mano e lo afferrò per il polso. « Le... le testate », rantolò.

« Stia calmo. Fra poco la faremo portare all'ospedale. »

« Le testate... » ripeté Bass.

« Sono al sicuro nei contenitori », gli assicurò Pitt.

« No... no... non capisce. » La voce dell'ammiraglio era un sussurro rauco. « I contenitori... li ho contati... ventotto. »

Le sue parole si udivano appena. Pitt dovette accostare l'orecchio alle labbra tremanti.

Giordino accorse, portando diverse coperte. « Steiger mi ha avvertito », disse. « Come sta? »

« Tiene duro. » Pitt liberò il polso dalla stretta convulsa e toccò gentilmente la mano di Bass. « Ci penso io, ammiraglio. Glielo prometto. »

Bass sbatté gli occhi e annuì.

Pitt e Giordino l'avevano avvolto nelle coperte quando Steiger ritornò seguito da due avieri che portavano una barella. Pitt si alzò e si scostò. L'elicottero era già atterrato quando portarono fuori dal Vixen 03 l'ammiraglio che era ancora cosciente.

Steiger prese Pitt per il braccio. « Che cosa cercava di dirle? »

« Il suo inventario dei contenitori delle testate », rispose Pitt. « Ne ha contati ventotto. »

« Mi auguro che ce la faccia », disse Steiger. « Almeno

ha avuto la soddisfazione di sapere che quei mostri sono stati recuperati. Adesso non rimane altro che affondarli nell'oceano, e questa storia dell'orrore sarà finita. »

« No, temo che sia appena incominciata. »

« Sta parlando per indovinelli. »

« Secondo l'ammiraglio Bass, il Vixen 03 non partì da Buckley portando ventotto contenitori pieni di agente della Morte Rapida. »

A Steiger non sfuggì il tono di gelida paura nella voce di Pitt. « Ma l'inventario... ne ha contati ventotto. »

« Dovevano essere trentasei », mormorò cupamente Pitt. « Sono scomparse otto testate. »

PARTE QUARTA

SENZA BIGLIETTO DI RITORNO

42.

La sede della National Underwater and Marine Agency, una struttura tubolare di vetro verde a specchio, s'innalzava per trenta piani su una collina di East Washington.

All'ultimo piano l'ammiraglio James Sandecker sedeva a una gigantesca scrivania ricavata dal portello di una nave confederata che aveva sfidato il blocco e che era stata ripescata nell'Albemarle Sound. In quel momento il suo telefono privato squillò.

« Sandecker. »

« Sono Pitt, signore. »

Sandecker premette un interruttore su una piccola console e attivò una telecamera olografica. L'immagine al naturale di Pitt si materializzò in tre dimensioni e a colori al centro dell'ufficio.

« Alzi la telecamera », disse Sandecker. « Così è senza testa. »

Grazie al miracolo dell'olografia satellitare, la faccia di Pitt parve spuntare dalle spalle, e l'immagine proiettata, inclusi la voce e i gesti, divenne identica all'originale. La differenza principale, che non finiva mai di divertire Sandecker, stava nel fatto che era possibile attraversare l'immagine con la mano perché era completamente immateriale.

« Così va meglio? » chiese Pitt.

« Adesso, almeno, è intero. » Sandecker non sprecò altre parole. « Mi dia le ultime notizie di Walter Bass. »

Con aria stanca, Pitt sedette su una sedia pieghevole ai piedi di un grande pino mentre la brezza tesa gli agitava i capelli d'ebano.

« Il cardiologo dell'ospedale militare Fitzsimons di Denver dice che le condizioni sono stazionarie. Se sopravvivrà alle prossime quarantott'ore, Bass avrà buone possibilità di guarire. Appena sarà abbastanza in forze per affrontare il viaggio, lo trasferiremo all'ospedale della Marina, a Bethesda. »

« E le testate? »

« Le abbiamo portate in un deposito ferroviario di Leadville », rispose Pitt. « Il colonnello Steiger si è offerto di organizzare la spedizione al Molo Sei di San Francisco. »

« Gli dica che gli siamo grati per la collaborazione. Ho ordinato alla nostra nave da ricerca della Costa del Pacifico di tenersi pronta. Il comandante ha ricevuto istruzioni di scaricare le testate al largo dello zoccolo continentale, dove la profondità è di tremila metri. » Sandecker esitò, prima di formulare la domanda. « Ha rintracciato le otto testate mancanti? »

L'espressione cupa di Pitt era una risposta eloquente, già prima che l'immagine parlasse.

« Non abbiamo avuto fortuna, ammiraglio. Una ricerca meticolosa nel lago non ha fornito la minima traccia. »

Sandecker lesse la frustrazione sul viso di Pitt. « Temo che sia venuto il momento d'informare il Pentagono. »

« Pensa davvero che sia prudente? »

« Che altro possiamo fare? » ribatté Sandecker. « Non abbiamo a disposizione i mezzi per un'indagine su vasta scala. »

« Ci basterebbe una pista », insistette Pitt. « È probabile che le testate siano immagazzinate da qualche parte a coprirsi di polvere. Forse i ladri non sanno neppure che cosa hanno nelle mani. »

« Lo ammetto », disse Sandecker. « Ma chi potrebbe volerle, tanto per cominciare? Cristo, pesano quasi una tonnellata ciascuna, e sono riconoscibili a prima vista come vecchi proiettili già in dotazione alla Marina. »

« E la soluzione ci porterà anche all'assassino del padre di Loren Smith. »

« Niente cadavere, niente incriminazioni », commentò Sandecker.

«Io so molto bene che cosa ho visto», disse Pitt con grande fermezza.

«Sì, ma non cambierà la situazione. Il nostro problema sta nel trovare le testate scomparse, e dobbiamo farcela prima che qualcuno si metta in mente di giocare all'esperto di demolizioni.»

All'improvviso sembrò che lo sfinimento abbandonasse Pitt. «Ha appena detto qualcosa che mi ha fatto venire in mente un'idea. Mi lasci cinque giorni di tempo per scovare le testate. Se non troverò nulla, potrà giocare la partita come meglio crede.»

Sandecker sorrise a denti stretti nel vedere quello slancio. «A ogni modo la partita è mia, comunque la guardi», disse in tono brusco. «Dato che sono il rappresentante del governo di grado più elevato coinvolto in questo pasticcio, sono diventato involontariamente il responsabile dal giorno in cui lei si è impadronito abusivamente di un aereo e di un sistema televisivo subacqueo della NUMA.»

L'immagine di Pitt lo fissò, ma mantenne il silenzio.

Sandecker lo lasciò fremere ancora per un momento e si soffregò gli occhi. Poi disse: «D'accordo, accetterò il rischio anche se la ritengo una sciocchezza».

«Allora ci sta?»

Sandecker cedette. «Le do cinque giorni, Pitt. Ma Dio mi aiuti se resterà a mani vuote.»

Fece scattare l'interruttore dell'olografo e l'immagine di Pitt sbiadì e scomparve.

43.

MANCAVA poco al tramonto quando Maxine Raferty si staccò dalla corda del bucato e vide Pitt che saliva la strada a piedi. Continuò a lavorare e ad appendere le camicie del marito prima di salutare con la mano.

« Signor Pitt, che piacere vederla. »

« Signora Raferty, come va? »

« Loren è alla baita con lei? »

« No, è rimasta a Washington. » Pitt girò lo sguardo sullo spiazzo. « Lee è in casa? »

« Sì, è in cucina a riparare l'acquaio. » Dalla montagna soffiava una brezza sostenuta e a Maxine sembrava strano che Pitt tenesse la giacca a vento piegata sul braccio e sulla mano destra.

Lee Raferty era seduto al tavolo della cucina e limava un pezzo di tubo metallico. Alzò gli occhi quando entrò Pitt.

« Signor Pitt! Ehi, si sieda. È arrivato giusto in tempo. Stavo per aprire una bottiglia di vino della mia riserva personale. »

Pitt accostò una sedia. « Produce vino, oltre alla birra? »

« Quassù in montagna bisogna essere autosufficienti », rispose Lee con un gran sorriso. Indicò il tubo con il mozzicone del sigaro. « Prenda questo. Mi costerebbe un patrimonio far venire fin quassù da Leadville un idraulico. È meglio fare da solo. Una guarnizione rotta. Saprebbe farlo anche un bambino. »

Raferty posò su un vecchio giornale il tubo arrugginito, si alzò e andò a prendere dalla credenza due bicchieri e un orcio di ceramica.

« Volevo parlare con lei », disse Pitt.

« Sicuro. » Lee riempì i bicchieri fino all'orlo. « Ehi, che ne pensa di quel pandemonio al lago? Ho sentito che hanno trovato un vecchio aereo. Potrebbe essere quello che cercava lei? »

« Sì », rispose Pitt mentre assaggiava il vino, tenendo il bicchiere con la mano sinistra. Era abbastanza sorprendente che il vino fosse tanto buono. « È una delle ragioni per cui sono qui. Speravo che potesse spiegarmi perché ha assassinato Charlie Smith. »

Lee inarcò leggermente le sopracciglia grigie, e fu l'unica reazione. « Io... assassinare il vecchio Charlie? Ma di che cosa sta parlando? »

« D'un litigio fra due soci che credevano di aver scoperto una miniera d'oro in fondo a un lago di montagna. »

Lee fissò Pitt e inclinò la testa con aria interrogativa. « Sta parlando come un pazzo. »

« L'ultima cosa che si aspettava era che uno sconosciuto si presentasse alla sua porta e facesse domande su un aereo perduto. Aveva già commesso un errore quando aveva rinunciato a liberarsi della bombola d'ossigeno e del carrello anteriore. Devo rendere omaggio alle doti teatrali sue e di sua moglie. Ho bevuto la vostra commedia dei bravi campagnoli con l'ingenuità di un turista. Dopo che me ne sono andato ha seguito le mie mosse, e quando mi ha visto immergermi nel lago ha avuto la certezza che avevo scoperto l'aereo e lo scheletro di Charlie Smith. A questo punto ha commesso uno sbaglio irrimediabile: ha ceduto al panico e ha portato via le ossa di Charlie. Probabilmente le ha sepolte fra le montagne. Se l'avesse lasciato legato nel relitto, per lo sceriffo sarebbe stato molto difficile collegarla a un omicidio commesso tre anni fa. »

« Non riuscirà a provare niente di niente », disse Lee, e riaccese con calma il mozzicone di sigaro. « Non c'è alcun cadavere. »

« Non potrò provarlo in tribunale », replicò Pitt. « È innocente fino a prova contraria, ma la storia è un classico. Uccidere il vicino per avidità: ecco il movente. Cominciamo dal primo capitolo, con un inventore eccentrico, Charlie Smith, che stava collaudando la sua ultima creazione, una canna da pesca a lancio automatico. Uno dei piombi ha trascinato l'amo a grande profondità, e l'amo si è impigliato in un oggetto. Charlie, che era un pescatore esperto, pensava di aver agganciato un tronco sommerso; e quindi ha manovrato abilmente la lenza fino a quando non è riuscito a liberarla. Però sentiva tirare; c'era qualcosa che veniva trascinato in superficie. E poi l'ha visto: una bombola d'ossigeno per aerei. Il supporto s'era corroso durante gli anni d'immersione, ed erano bastati gli strattoni di Charlie perché la bombola si staccasse e affiorasse.

« Il comportamento più logico sarebbe stato informare lo sceriffo. Purtroppo, Charlie era un tipo curioso. Doveva dimostrare a se stesso che là sotto c'era un aereo. Ha preso una corda e un graffino e ha cominciato a dragare il fondo del lago. Durante un passaggio deve aver ripescato il carrello anteriore che si era staccato durante l'atterraggio di fortuna. Ora che i suoi sospetti avevano trovato conferma, Charlie ha cominciato a sentire il profumo del tesoro. E così, invece di fare la parte del cittadino onesto e di segnalare la scoperta, si è rivolto a Lee Raferty. »

« E perché avrebbe dovuto venire da me? »

« Un ex palombaro della Marina in pensione... sembrava l'ideale. Penso che l'attrezzatura per l'immersione e il compressore usati da voi due si trovino in questo momento nel suo garage. Un'immersione a quarantadue metri doveva essere uno scherzo per un esperto come lei, con tanto di scafandro. Lo strano carico dell'aereo ha stuzzicato la sua immaginazione. Cosa si aspettava di trovare nei contenitori? Vecchie bombe atomiche. Immagino la fatica di due uomini vicini alla settantina che si sono immersi nell'acqua gelida e hanno strappato pesi di una tonnellata dal fondo del lago per trasportarli a riva. Devo riconoscerlo, avete avuto un gran fegato. E mi auguro di essere altrettanto in forma quando arriverò alla vostra età. »

« Non è stato tanto faticoso. » Lee sorrise. Sembrava che Pitt non gli facesse paura. « Dopo che Charlie ha ideato una piccola carica esplosiva per allargare la falla nella fusoliera, per me è stato semplice attaccare un cavo a un contenitore, mentre lui lo rimorchiava a riva con il fuoristrada. »

« Volere è potere », convenne Pitt. « E poi, Lee? Dopo aver portato via il contenitore, per un ex marinaio e un esperto di demolizioni doveva apparire evidente che avevate per le mani un gioiello capace di scaldare il cuore di un ammiraglio d'una vecchia corazzata. Ma qual era il valore ai prezzi di oggi? Che richiesta c'era per un proiettile navale superato, se non come rottame? »

Lee Raferty riprese a limare il tubo con fare noncurante. « Molto ingegnoso, signor Pitt. Lo ammetto. Non al cento per cento, badi, ma in parte. Comunque ha sottovalutato due veterani molto furbi. Diavolo, sapevamo che nei contenitori non c'erano proiettili normali: era bastata un'occhiata per capirlo. Charlie ha impiegato dieci minuti per rendersi conto che erano pieni di gas tossici. »

Pitt era sbalordito. Due vecchi li avevano presi in giro. « E come? » chiese, laconico.

« Esteriormente sembrava un normale proiettile navale, ma abbiamo visto che era congegnato come un razzo luminoso. Sa com'è fatto. Quando raggiunge l'altitudine prestabilita, si libera un paracadute e una piccola carica esplosiva spacca la testa e accende un quantitativo di fosforo. Questo, però, era regolato in modo da scagliare tutto intorno un certo numero di bombe minuscole piene di gas letale. »

« E a Charlie era bastato guardarli per capire che contenevano gas? »

« Aveva scoperto la piccola nicchia del paracadute. E questo gli aveva dato la prima indicazione. Poi ha smantellato la testata, ha disattivato la carica e ha guardato all'interno.

« Mio Dio! » mormorò Pitt, sull'orlo della disperazione. « Charlie ha aperto la testata? »

« E allora? Era un maestro in fatto di disattivazioni. »

Pitt respirò profondamente e lanciò la domanda più ovvia. « Che cosa ne avete fatto delle testate? »

« Secondo me, spettavano di diritto a chi le aveva scoperte. »

« E adesso dove sono? »

« Le abbiamo vendute. »

« Che cosa? » Pitt si sentì mancare il fiato. « A chi? »

« Alla Phalanx Arms Corporation di Newark, nel New Jersey. Comprano e vendono armi su scala internazionale. Ho contattato il vice presidente, un tipo strano che sembra un venditore ambulante di ferramenta più che un mercante di morte. Si chiama Orville Mapes. Comunque è venuto nel Colorado, ha controllato il proiettile e ci ha offerto cinquemila dollari per ognuno di quelli che potevamo spedirgli al magazzino. Non ha fatto domande. »

« Immagino il resto », disse Pitt. « Charlie ha pensato che, se quegli ordigni fossero esplosi, sarebbe stato responsabile di migliaia, forse centinaia di migliaia, di morti. Ma lei era più insensibile, Lee. Per lei i soldi contavano più della coscienza. Avete discusso, vi siete azzuffati e Charlie ha avuto la peggio. Lei ha nascosto il suo cadavere nell'aereo affondato. Poi ha fatto scoppiare qualche candelotto di dinamite, ha buttato in mezzo ai rottami uno stivale e il pollice di Charlie, e ha pianto al suo funerale. »

Raferty non reagì all'accusa di Pitt. Non staccò lo sguardo dal tubo. Lentamente, placidamente, continuò a limarne le estremità filettate. Era troppo distaccato, pensò Pitt. Non aveva l'aria di un uomo che sta per essere denunciato per omicidio. Non sembrava un topo in trappola.

« Fu un peccato che Charlie non abbia visto le cose a modo mio. » Raferty alzò le spalle. « Contrariamente a quello che pensa lei, signor Pitt, non sono un tipo avido. Non ho cercato di vendere i proiettili tutti insieme. Li consideravo una specie di libretto di risparmio. Quando Max e io avevamo bisogno di qualche dollaro, facevo un prelievo, diciamo così, e chiamavo Mapes. Lui mandava un camion a ritirare la merce e mi pagava in contanti. Una transazione pulita e non tassabile. »

233

«Mi piacerebbe sapere come ha assassinato Charlie Smith.»

«Mi dispiace deluderla, signor Pitt, ma non sono il tipo che ammazza la gente.» Raferty si tese e sulla sua faccia grinzosa apparve un sogghigno. «Max è la più forte tra noi due. Ed è lei che si occupa di certe cose. Ha sparato al cuore di Charlie.»

«Maxine?» Per Pitt, lo shock non era dovuto tanto alla rivelazione quanto alla scoperta di aver commesso un grave errore.

«Provi a lanciare una monetina in aria a venti passi e Max la ridurrà in briciole», continuò Raferty, indicando alle spalle di Pitt. «Su, fai sapere al signor Pitt che ci sei, tesoro.»

Le parole di Raferty trovarono risposta in due scatti metallici seguiti da un tonfo smorzato.

«Le cartucce finite sul pavimento dovrebbero dirle che il vecchio Winchester a leva di Max è carico e armato», disse Raferty. «Ha qualche dubbio?»

Pitt puntellò i piedi sul pavimento e fletté la mano sotto la giacca a vento. «Buon tentativo, Lee.»

«Allora guardi pure. Ma l'avverto... non faccia movimenti bruschi.»

Pitt si girò lentamente verso Maxine Raferty, che lo guardava con i miti occhi celesti al di sopra del mirino di un fucile a ripetizione. La canna era puntata con fermezza alla testa di Pitt.

«Mi dispiace, signor Pitt», disse Maxine in tono di rammarico. «Ma Lee e io non abbiamo intenzione di passare in galera i pochi anni che ci restano da vivere.»

«Un secondo omicidio non vi salverà», li avvertì Pitt. Contrasse i muscoli delle gambe mentre valutava la distanza fra sé e la donna: un metro e mezzo. «Ho portato i miei testimoni.»

«Tu hai visto qualcuno, tesoro?» chiese Lee.

Maxine scosse la testa. «È arrivato da solo. Sono rimasta a fare la guardia dopo che è entrato in casa. Non lo ha seguito nessuno.»

« L'immaginavo », disse Lee Raferty, e sospirò. « Lei sta bluffando, signor Pitt. Se avesse avuto qualche prova concreta contro me e Maxine, sarebbe venuto con lo sceriffo. »

« Oh, ma è quel che ho fatto. » Pitt sorrise e parve rilassarsi. « Sta aspettando in macchina a ottocento metri da qui, con due aiutanti che ascoltano ogni nostra parola. »

Raferty si tese. « Maledizione! È una balla! »

« Mi ha fissato al petto una trasmittente con un cerotto », spiegò Pitt, e con la mano sinistra aprì il primo bottone della camicia. « Proprio qui, sotto la... »

Maxine aveva abbassato il fucile non più di una frazione di centimetro quando Pitt si buttò da un lato e premette il grilletto della Colt automatica che teneva nascosta sotto le pieghe della giacca a vento.

Il Winchester e la Colt parvero esplodere nello stesso istante.

Al Giordino e Abe Steiger erano arrivati qualche minuto prima di Pitt e si erano acquattati sotto un gruppo di abeti. Steiger puntò il binocolo e vide Maxine che stendeva il bucato. « È il marito? » chiese Giordino.

« Dev'essere in casa. » Il binocolo di Steiger si spostò leggermente. « In questo momento Pitt si sta avvicinando alla donna. »

« La Colt 45 deve essere visibile quanto un terzo braccio. »

« La tiene nascosta con la giacca a vento. » Steiger scostò un ramo per vedere meglio. « Adesso sta entrando nella casa. »

« Allora avviciniamoci », suggerì Giordino. Stava per sollevarsi sulle ginocchia quando il braccio robusto di Steiger lo tenne bloccato.

« Fermo! La vecchia è rimasta indietro per scoprire se qualcuno l'ha seguito. »

Rimasero immobili e in silenzio per diversi minuti mentre Maxine attendeva sullo spiazzo e scrutava gli alberi circostanti. Poi diede un'ultima occhiata alla strada, girò intorno a un angolo della casa e sparì alla vista del colonnello.

« Mi dia il tempo di fare il giro prima di presentarsi alla porta principale », disse Steiger.

Giordino annuì. « Stia attento agli orsi. »

Steiger sorrise a denti stretti e si avventurò furtivamente in un burroncello. Era ancora a una cinquantina di metri dalla meta quando sentì gli spari.

Giordino era in attesa quando il rombo echeggiò dalle finestre della casa. Si alzò con un balzo e scese di corsa il pendio, scavalcò uno steccato e saltò nello spiazzo. In quel momento Maxine Raferty piombò a ritroso fuori della porta principale come un carro armato sfuggito al controllo, cadde dai gradini del portico e stramazzò a terra. Giordino si fermò di colpo, sorpreso, quando vide che la donna aveva l'abito macchiato di sangue. Restò immobile mentre la vecchia si rialzava con l'agilità di una ginnasta. Troppo tardi si accorse che teneva in mano qualcosa che sembrava un fucile malconcio.

Maxine, che stava per avventarsi di nuovo in casa, scorse Giordino che era fermo, stordito, in mezzo allo spiazzo. Strinse il Winchester goffamente, con una mano sotto la culatta, l'altra sopra la canna, e sparò tenendo l'arma all'altezza dell'anca.

La forza del proiettile scagliò Giordino in aria con un mezzo giro e lo buttò sull'erba. Dalla coscia sinistra esplose uno spruzzo rosso attraverso la stoffa dei pantaloni.

Pitt aveva avuto l'impressione che tutto avvenisse al rallentatore. La canna del Winchester gli lampeggiò in faccia. In un primo istante pensò d'essere stato ferito; ma quando finì sul pavimento si accorse che era ancora in grado di muovere gli arti e il corpo. Il colpo di Maxine gli aveva scalfito l'orecchio, mentre il proiettile sparato da lui aveva schiantato il calcio del Winchester ed era rimbalzato contro una vecchia lampada al cherosene, rompendone il paralume di vetro.

Lee Raferty ringhiò come un animale e mulinò il tubo. Colpì Pitt alla spalla e gli scalfì il cranio. Con un grugnito di dolore Pitt si girò di scatto, lottando contro la tenebra che minacciava di sopraffarlo e cercando disperatamente di schiarirsi la vista annebbiata. Puntò la Colt contro la figura che sapeva essere Lee.

Maxine avventò la canna del fucile sulla Colt, la sbalzò dalle dita di Pitt e la mandò a urtare contro il camino.

Poi si mosse in fretta per ricaricare l'arma semisfasciata mentre Lee avanzava e brandiva il tubo. Pitt alzò il braccio sinistro per ripararsi dal colpo e si sorprese quando non sentì l'osso che si fratturava. Sferrò un calcio a piedi uniti e centrò alle ginocchia Lee che gli cadde addosso.

«Spara, accidenti!» urlò Lee alla moglie. «Spara!»

«Non posso!» gridò lei. «Sei sulla linea di tiro!»

Lee lasciò cadere il tubo e lottò con violenza per liberarsi, ma Pitt lo avvinghiò al collo con il braccio destro e lo trattenne. Maxine si spostava convulsamente per la stanza, puntava il Winchester e cercava la posizione ideale per sparare. Pitt continuò a tenere Lee davanti a sé come uno scudo mentre cercava di rimettersi in piedi. Poi Lee si contorse bruscamente, lo colpì con una ginocchiata all'inguine e si liberò.

Attraverso la nebbia bruciante del dolore, Pitt riuscì ad afferrare la lampada al cherosene e a scagliarla contro Maxine. La colpì al petto. Lei gridò quando il vetro si frantumò, lacerò l'abito e penetrò in un seno enorme e cadente. Poi Pitt si spinse verso l'alto, caricò, e la colpì più forte di quanto avesse mai colpito qualcuno in vita sua. Per una donna d'età avanzata, Maxine era solida, ma non era in grado di reggere l'attacco brutale di Pitt. Volò all'indietro con tanta violenza da sfrecciare fuori della porta principale della casa.

«Bastardo!» urlò Lee. Si avventò nel camino, afferrò la

Colt che era finita tra la cenere e si voltò di scatto per fronteggiare Pitt.

Una finestra si disintegrò all'improvviso e Abe Steiger piombò nella cucina, sfasciando il tavolo con il suo peso. Lee si voltò fulmineamente e diede a Pitt l'istante che gli occorreva per raccogliere il tubo dal pavimento. Steiger non dimenticò mai il suono sconvolgente del tubo che fracassava l'osso della tempia di Lee Raferty.

Giordino sedeva sul pavimento e si fissava la gamba ferita. Alzò gli occhi verso Maxine, senza rendersi conto completamente di quanto era accaduto. Poi restò a bocca aperta, indifeso, mentre la donna espelleva la cartuccia vuota e riarmava il fucile. Maxine gli puntò la canna all'altezza dello stomaco e incurvò l'indice sul grilletto.

L'esplosione fu assordante, e il proiettile dilaniò lo sterno, catapultando sangue e midollo in un mucchietto macabro davanti ai piedi protesi di Giordino. Maxine rimase inerte per quasi tre secondi; poi si accasciò nello spiazzo con il sangue che le sgorgava fra i seni e macchiava l'erba.

Pitt era appoggiato alla ringhiera del portico. Stringeva in pugno la Colt. L'abbassò e si avvicinò a Giordino, a passi rigidi. Steiger uscì a guardare, impallidì e vomitò in un'aiuola fiorita.

Giordino teneva lo sguardo fisso su un lucido frammento di cartilagine bianca mentre Pitt gli si inginocchiava accanto. « Sei... sei stato tu a ridurre così quella cara vecchietta? »

« Sì », rispose Pitt. Non si sentiva molto orgoglioso di ciò che aveva fatto.

« Dio sia ringraziato », mormorò Giordino, e tese la mano per indicare. « Credevo che quella roba, lì per terra, fosse mia. »

44

« STUPIDO! » gridò Thomas Machita. « Maledetto stupido! »

Il colonnello Randolph Jumana ascoltò la sfuriata di Machita con tranquilla indulgenza. « Avevo le migliori ragioni per impartire quegli ordini. »

« Chi le ha dato l'autorità di attaccare il villaggio e massacrare i nostri fratelli neri? »

« Lei trascura i fatti fondamentali, maggiore. » Jumana si tolse gli occhiali dalla montatura di corno e si accarezzò il naso schiacciato. « Durante l'assenza del generale Lusana, il comando dell'ERA spetta a me. Non faccio altro che mettere in pratica le sue direttive. »

« Attaccando villaggi civili anziché obiettivi militari? » scattò Machita in tono rabbioso. « Gettando nel terrore i nostri fratelli e le nostre sorelle che hanno l'unica colpa di lavorare come dipendenti malpagati dei sudafricani? »

« La strategia, maggiore, consiste nell'insinuare un cuneo fra i bianchi e i neri. Tutti i nostri che si fanno assumere dal governo devono essere bollati come traditori. »

« I neri che fanno parte delle Forze della Difesa, sì », ribatté Machita. « Ma non si può sperare di guadagnare l'appoggio della popolazione massacrando indiscriminatamente maestri di scuola, postini e operai che costruiscono strade. »

La faccia di Jumana assunse un'espressione fredda e impersonale. « Se uccidere cento bambini può servire ad anticipare la vittoria conclusiva contro i bianchi anche di un'ora sola, non esiterei a dare l'ordine per l'esecuzione. »

Machita fu assalito da un'ondata di ribrezzo. « Ma sta parlando di un macello! »

« C'è un vecchio detto occidentale », disse seccamente Jumana. « 'Il fine giustifica i mezzi.' »

Machita fissò il colonnello e rabbrividì. «Quando il generale Lusana verrà a saperlo, l'espellerà dall'ERA.»

Jumana sorrise. «Troppo tardi. La mia campagna per spargere la paura e il disordine in tutto il Sud Africa è irreversibile.» Adesso aveva un'aria ancora più sinistra. «Il generale Lusana è uno straniero. Non sarà mai accettato dalle tribù dell'interno, né dai dirigenti neri delle città come se fosse uno di loro. Le garantisco che non si siederà mai alla scrivania del primo ministro a Città del Capo.»

«Il suo è il linguaggio del tradimento.»

«D'altra parte», continuò Jumana, «lei è nato in Liberia prima che i suoi genitori emigrassero negli Stati Uniti. Ha la pelle nera come la mia. Il suo sangue non è contaminato da rapporti con i bianchi, come è avvenuto invece per tanti neri americani. Non sarebbe una cattiva idea, Machita, se pensasse di cambiare bandiera.»

Machita rispose con freddezza. «Lei ha fatto il mio stesso giuramento quando ci siamo arruolati nell'ERA: sostenere i princìpi stabiliti da Hiram Lusana. La sua proposta mi disgusta. Non voglio saperne. Stia sicuro, colonnello, il suo tradimento verrà segnalato entro un'ora al generale Lusana.»

Machita si voltò, uscì dall'ufficio e sbatté la porta con un tonfo.

Dopo pochi secondi, l'aiutante di Jumana bussò ed entrò. «Il maggiore sembra agitato.»

«Una piccola divergenza di opinioni», disse impassibile Jumana. «Peccato che le sue motivazioni siano sbagliate.» Fece un cenno. «Prenda due delle mie guardie del corpo e vada nell'ala delle comunicazioni. Dovrebbe trovare il maggiore Machita sul punto di trasmettere un messaggio al generale a Washington. Interrompa la comunicazione e lo arresti.»

«Arrestare il maggiore?» L'aiutante era sbalordito. «Con quale accusa?»

Jumana rifletté un momento. «Perché ha passato informazioni segrete ai nemici. Dovrebbe bastare per tenerlo chiuso in un sotterraneo fino a quando non sarà possibile processarlo e fucilarlo. »

Hiram Lusana si fermò all'ingresso della biblioteca della Camera dei Rappresentanti e cercò con gli occhi Frederick Daggat, che era seduto a un lungo tavolo di mogano e prendeva appunti da un grosso volume rilegato in pelle.

« Spero di non disturbare », disse Lusana. « Ma il suo messaggio sembrava urgente e la segretaria mi ha detto che avrei potuto trovarla qui. »

« Si sieda », lo invitò Daggat senza cordialità.

Lusana accostò una sedia e attese.

« Ha letto l'ultima edizione del giornale del mattino? » chiese Daggat riabbassando lo sguardo sul volume.

« No. Ho parlato con il senatore Moore dell'Ohio. Mi è parso meglio disposto verso la nostra causa quando gli ho spiegato gli scopi dell'ERA. »

« A quanto pare, anche al senatore è sfuggita la notizia. »

« Di che cosa sta parlando? »

Daggat si frugò nel taschino e porse a Lusana un ritaglio di giornale. « Ecco, amico mio. Legga e pianga. »

TAZAREEN, *Sud Africa* (UPI) – *Almeno 165 abitanti neri del villaggio di Tazareen nella provincia del Transvaal sono stati uccisi in un massacro apparentemente immotivato dagli insorti dell'Esercito Rivoluzionario Africano durante un attacco all'alba, come riferiscono i portavoce della Difesa.*

Un ufficiale dell'esercito che era presente ha detto che l'incursione è stata compiuta da circa duecento guerriglieri dell'ERA che sono piombati nel villaggio, sparando a chiunque si muovesse e massacrando le vittime a colpi di machete.

« Sono stati assassinati quarantasei fra donne e bambini: alcuni di questi ultimi erano a letto e stringevano al petto le bambole », ha detto uno degli investigatori indicando le macerie bruciate del villaggio un tempo prospero. « Da un pun-

to di vista militare è stato uno spreco tremendo, un atto di ferocia animalesca. »

Una bimba di quattro anni è stata trovata con la gola tagliata. Diverse donne incinte presentavano vistosi ematomi sull'addome: erano state calpestate a morte.

Il ministero della Difesa non è in grado di dire che cosa abbia provocato l'attacco. Tutte le vittime erano civili. L'installazione militare più vicina è a diciotto chilometri di distanza.

Finora l'ERA, comandato dall'espatriato americano Hiram Jones che ora si fa chiamare Hiram Lusana, aveva combattuto una guerra militare, attaccando soltanto le Forze della Difesa sudafricane.

Gli assalti spietati di altri gruppi ribelli sono sempre stati frequenti lungo i confini settentrionali del Sud Africa. I dirigenti della Difesa trovano sconcertante questa nuova linea.

L'unico massacro precedente compiuto dall'ERA si è avuto durante l'attacco contro la fattoria dei Fawkes a Umkono, nel Natal, dove ci sono stati trentadue morti.

È noto che attualmente Hiram Lusana si trova a Washington per sollecitare finanziamenti in favore dell'ERA.

Lusana non riuscì ad assimilare il significato dell'articolo prima di averlo letto quattro volte. Poi alzò gli occhi, sconvolto, e allargò le mani in un gesto di stupore.

« Non è opera mia », disse.

Daggat staccò lo sguardo dal volume. « Le credo, Hiram. So che la stupidità non è una delle sue virtù. Ma è il comandante, e quindi è responsabile del comportamento delle sue truppe. »

« Jumana! » esclamò Lusana. « Si sbaglia, deputato. Sono uno stupido. Tom Machita aveva cercato di mettermi in guardia contro le tendenze di Jumana, e io non gli ho dato ascolto. »

« Il colonnello massiccio carico di medaglie », disse Daggat. « Lo ricordo al cocktail party. Lei mi aveva detto, credo, che era il capo di una tribù importante. »

Lusana annuì. «Un 'figlio favorito' della tribù Srona. Aveva passato otto anni in un carcere sudafricano prima che lo facessi fuggire. Ha forti appoggi nella provincia del Transvaal. Politicamente, mi era sembrata una mossa astuta nominarlo vicecomandante.»

«E come troppi africani che si trovano all'improvviso in una posizione di potere, si è fatto prendere dalla mania di grandezza.»

Lusana si alzò e si appoggiò a uno scaffale. «Che idiota», mormorò. «Non capisce che sta rovinando la causa per cui combatte?»

Daggat si alzò e gli posò una mano sulla spalla. «Le consiglio di partire con il primo aereo per il Mozambico, Hiram, e di riprendere in pugno il suo movimento. Emani comunicati negando il coinvolgimento dell'ERA nel massacro; incolpi gli altri gruppi ribelli, se è necessario, ma rimetta un po' d'ordine in casa sua. Io farò quel che posso per ammorbidire le reazioni negative che ci saranno qui.»

Lusana tese la mano. «Grazie, deputato. Le sono riconoscente per tutto ciò che ha fatto.»

Daggat gli strinse la mano con calore.

«E la sua sottocommissione? Come voterà, adesso?» chiese Lusana.

Daggat sorrise. «Tre a due in favore degli aiuti all'ERA, purché lei faccia una commedia convincente di fronte alle telecamere quando negherà ogni coinvolgimento nel massacro di Tazareen.»

Il colonnello Joris Zeegler s'era insediato nella cantina di una scuola a una quindicina di chilometri dal confine tra la provincia del Natal e il Mozambico. Mentre le lezioni continuavano ai piani superiori, Zeegler e vari alti ufficiali delle Forze della Difesa studiavano le mappe aeree e un plastico in scala del quartier generale dell'ERA, che era situato oltre la frontiera, a meno di quaranta chilometri.

Zeegler scrutava attraverso il filo di fumo della sigaretta

che gli penzolava dalle labbra, e indicava un piccolo edificio al centro del plastico.

« L'ex amministrazione dell'università », disse, « viene usata da Lusana come centro nevralgico. Una rete di comunicazioni fornita dai cinesi, gli uffici dello Stato Maggiore, il settore spionaggio, le aule per l'indottrinamento... si trovano tutti qui. Questa volta hanno ecceduto. Se distruggerete questo centro e tutti coloro che vi si trovano, avrete tagliato la testa all'ERA. »

« Mi scusi, signore », disse un capitano dalla faccia rossa e dai baffi folti. « Ma a me risultava che Lusana fosse in America. »

« Appunto. In questo momento è a Washington, a pregare in ginocchio gli yankee perché gli concedano un appoggio finanziario. »

« Allora a che servirebbe tagliare la testa al serpente se il cervello è altrove? Perché non aspettiamo che ritorni, per prendere nel sacco anche lui? »

Zeegler lanciò al capitano un'occhiata fredda e condiscendente. « La sua metafora non è esatta. Tuttavia, per rispondere alla domanda... non è il caso di aspettare il ritorno di Lusana. Le nostre fonti d'informazione hanno confermato che il colonnello Randolph Jumana ha organizzato un ammutinamento nelle file dell'ERA. »

Gli ufficiali radunati intorno al tavolo si scambiarono occhiate di stupore. Era la prima volta che sentivano parlare dell'estromissione di Lusana.

« Questo è il momento di colpire », continuò. « Assassinando donne e bambini indigeni a Tazareen, Jumana ha aperto la porta alla rappresaglia. Il primo ministro ha approvato un'incursione oltre il confine, contro il quartier generale dell'ERA. Possiamo aspettarci le solite proteste dei paesi del terzo mondo, naturalmente. Una formalità, niente di più. »

Un uomo dall'aria dura, i gradi di maggiore e l'uniforme mimetica alzò la mano. Zeegler gli diede la parola.

« Il rapporto accenna anche alla presenza di consiglieri

militari vietnamiti, forse anche di qualche osservatore cinese. Il nostro governo subirà ripercussioni se toglieremo di mezzo quei bastardi. »

« Sono incidenti che capitano », disse Zeegler. « Se uno straniero si trova per caso sulla vostra linea di tiro, non state a rodervi il fegato qualora un proiettile vagante lo spedisse nella terra del Buddha. Non hanno nessuna ragione valida per stare in Sud Africa. Il ministro De Vaal è consapevole di questa eventualità e si è impegnato a farsi carico personalmente del problema. »

Zeegler rivolse di nuovo l'attenzione al plastico.

« Ora, signori, per la fase finale dell'attacco, abbiamo deciso di ispirarci a una pagina del manuale dell'ERA sulla pulizia da effettuare su un campo di battaglia. » Sorrise, senza allegria. « Con la differenza che intendiamo far meglio. »

Thomas Machita rabbrividiva nella cella. Non ricordava quando aveva avuto tanto freddo. La temperatura nell'interno dell'Africa aveva seguito il suo corso, dai trentadue del pomeriggio appena trascorso a un grado sotto lo zero nelle ore che precedevano l'alba.

I gorilla di Jumana avevano trascinato via Machita dalla sala radio prima che potesse mandare un avvertimento a Lusana, a Washington. Gli avevano tempestato la faccia di pugni prima di spogliarlo e di gettarlo in una cella nello scantinato. Aveva un occhio gonfio; sopra l'altro sopracciglio un taglio profondo s'era incrostato durante la notte, e per vedere doveva togliere il sangue. Le labbra erano tumefatte e aveva perduto due denti in seguito a un colpo sferrato con il calcio di un fucile. Si spostò sul mucchio di foglie secche e luride e gemette per il dolore alle costole incrinate. In preda allo sconforto, guardava con espressione assente le pareti di cemento della prigione mentre la luce del nuovo giorno filtrava dalle sbarre di una finestrella. La cella era un cubo di un metro e mezzo di lato, e

Machita aveva appena lo spazio sufficiente per sdraiarsi se sollevava le ginocchia. La porta che comunicava con il corridoio era di legno durissimo, aveva uno spessore di sette centimetri e all'interno non aveva serrature né maniglia.

Sentì le voci attraverso il finestrino e si sollevò faticosamente per guardar fuori. La finestra dava sulla piazza d'armi, al livello dell'occhio. I giovani guerriglieri si stavano allineando per l'appello e l'ispezione. Più oltre, gli sfiatatoi del tetto della mensa emettevano ondate tremule di calore mentre i cuochi accendevano i fornelli. Una compagnia di reclute dell'Angola e dello Zimbabwe uscì dalle tende agli ordini dei comandanti.

Incominciò come un'altra normale giornata d'indottrinamento politico e di addestramento militare. Ma sarebbe diventata una giornata molto diversa.

Con gli occhi fissi sull'orologio, Joris Zeegler parlò a voce bassa nella radio da campo. «Tonic Uno?»

«Tonic Uno in posizione, signore», gracidò una voce nel ricevitore.

«Tonic Due?»

«Pronti per far fuoco, colonnello.»

«Dieci secondi», disse Zeegler. «Cinque, quattro, tre, due...»

La formazione dei guerriglieri sulla piazza d'armi crollò a terra all'unisono come per un ordine. Machita non riusciva a credere che duecento uomini fossero morti quasi istantaneamente mentre una scarica di fucileria erompeva dalla boscaglia fitta che circondava il perimetro del campo. Appoggiò la faccia alle sbarre, dimentico del dolore, e girò la testa per vedere meglio con l'unico occhio funzionante. Gli spari crebbero d'intensità mentre i soldati dell'ERA, in preda alla confusione, iniziavano un contrattacco inutile contro i nemici invisibili.

Si distinguevano i suoni dei fucili automatici CK-88 cinesi dai Felo di produzione israeliana usati dalle Forze della Difesa sudafricane. Il Felo emetteva una specie di latrato mentre sparava sciami di dischi affilatissimi capaci di tranciare un tronco di venti centimetri.

Machita comprese che i sudafricani avevano varcato il confine in un'incursione fulminea per vendicare la strage di Tazareen. « Maledetto Jumana! » gridò in preda a una rabbia impotente. « Sei stato tu a causare tutto questo! »

Dovunque c'erano uomini che cadevano contorcendosi. Erano così numerosi che era impossibile andare da un lato all'altro della piazza d'armi senza calpestare qualche corpo straziato. Un elicottero delle Forze della Difesa passò a bassa quota sul dormitorio dove s'era rifugiata una compagnia. Dal portello del carico dell'apparecchio cadde un oggetto voluminoso, e dopo pochi secondi la costruzione si disintegrò in un'esplosione fragorosa di mattoni e di polvere.

Le forze di terra sudafricane non avevano ancora rivelato la loro posizione. Stavano spazzando via il nucleo dell'ERA senza correre rischi. La pianificazione e l'esecuzione brillante stavano dando i risultati voluti.

Le chiazze verdi e marrone dell'elicottero mimetizzato si confusero per un istante alla vista di Machita e scomparvero sopra l'edificio in cui era situata la sua cella.

Si preparò all'esplosione inevitabile. La violenza fu due o tre volte superiore a quella che si aspettava. Fu come se un maglio gli svuotasse l'aria dai polmoni. Poi il soffitto della cella gli crollò addosso e tutto divenne nero.

« Stanno arrivando, signore », disse un sergente.

Pieter De Vaal accolse l'annuncio agitando con noncuranza il frustino. « Allora credo che dovremmo andare ad accoglierli, non le sembra? »

« Sì, signore. » Il sergente aprì la portiera della macchina e si scostò mentre De Vaal si alzava dal sedile posteriore, si assestava l'uniforme confezionata su misura e si avviava verso il piazzale d'atterraggio.

Si fermarono per un momento socchiudendo le palpebre mentre le luci di posizione degli elicotteri fendevano il buio della sera. Poi lo spostamento d'aria causato dalle pale li costrinse ad alzare le mani per trattenere i berretti e a girarsi mentre i sassolini soffiati via dalle piazzole gli bersagliavano la schiena.

Con precisione assoluta gli elicotteri delle Forze della Difesa rimasero librati in sequenza fino ad allinearsi tutti e dodici. Poi, a un ordine del comandante della squadriglia, si posarono con eleganza a terra. Le luci si spensero. Zeegler scese dal primo apparecchio e andò incontro a De Vaal.

« Com'è andata? » chiese il ministro della Difesa.

Il sorriso di Zeegler era visibile a stento nell'oscurità. « Un'operazione da libro di storia, signor ministro. Un'impresa incredibile. Non ci sono altre parole per descriverla. »

« Abbiamo subito perdite? »

« Quattro feriti leggeri. »

« E i ribelli? »

Zeegler tacque un momento per sottolineare l'effetto della risposta. « Duemilatrecentodieci morti. Almeno altri duecento sono sepolti sotto le macerie degli edifici distrutti. Pochissimi sono riusciti a fuggire nella boscaglia. »

« Mio Dio! » De Vaal era sbalordito. « Dice sul serio? »

« Ho controllato due volte il conto dei cadaveri. »

« Secondo le stime più ottimistiche, immaginavamo non più di qualche centinaio di morti fra i ribelli. »

« Un colpo di fortuna », disse Zeegler. « Il campo era pronto per l'ispezione. È stato come sparare a bersagli fissi. Il colonnello Randolph Jumana è stato falciato dalla prima scarica. »

« Jumana era un idiota », scattò De Vaal. « Aveva i giorni contati. Thomas Machita... quello è il più furbo. È l'unico bastardo dell'ERA che potrebbe prendere il posto di Lusana. »

« Abbiamo identificato numerosi ufficiali dello Stato Maggiore di Lusana, incluso il colonnello Duc Phon Lo, il suo consigliere militare vietnamita, ma il corpo di Machita non è stato trovato. Credo che sia rimasto sepolto sotto tonnellate di macerie. » Zeegler s'interruppe e guardò negli occhi De Vaal. « Tenuto conto del nostro successo, Herr Minister, sarebbe opportuno rinunciare all'Operazione Rosa Selvatica. »

« Vuol dire che sarebbe il caso di abbandonare il gioco quando siamo in vantaggio? »

Zeegler annuì in silenzio.

« Sono pessimista, colonnello. L'ERA impiegherà mesi, forse anni, per riprendersi. Ma si riprenderà. » De Vaal parve chiudersi nei suoi pensieri. Poi si scosse. « Finché il Sud Africa continuerà a vivere sotto la minaccia della violenza dei neri, non potremo far altro che usare tutti i metodi disponibili per sopravvivere. Rosa Selvatica si svolgerà secondo i piani. »

« Mi sentirò più tranquillo quando Lusana cadrà nella nostra rete. »

De Vaal rivolse un sorriso a Zeegler. « Non l'ha saputo? »

« Prego? »

« Hiram Lusana non tornerà in Africa. Mai più. »

Machita non sapeva quando aveva varcato di nuovo la soglia della coscienza. Non vedeva altro che tenebra. Poi il dolore cominciò a moltiplicarsi nelle sue terminazioni nervose. Gemette e percepì il gemito, ma nessun altro suono.

Cercò di alzare la testa. Una sfera giallastra apparve sopra di lui, sulla sinistra. Lentamente, l'oggetto si mise a fuoco e divenne un termine di riferimento. Stava guardando la luna piena.

Si sollevò faticosamente a sedere, con la schiena contro un muro freddo. Nella luce che filtrava tra le macerie vide che il pavimento sovrastante era caduto per poco più di mezzo metro prima di incunearsi fra le pareti della cella.

Dopo un breve riposo per raccogliere le forze, Machita incominciò a liberarsi dalle macerie. Trovò a tentoni un'asse e la usò per scostare il soffitto, fino a quando non riuscì ad aprire un varco sufficiente per passare. Sbirciò nella fredda aria notturna. Non c'era nulla che si muovesse. Piegò le ginocchia e si spinse verso l'alto fino a che non toccò con le mani l'erba della piazza d'armi. Una pressione decisa lo liberò.

Respirò profondamente e si guardò intorno. In quel momento comprese perché si era miracolosamente salvato. Il muro dell'amministrazione era crollato verso l'interno e aveva sfondato il piano terreno; e questo aveva protetto la cella dalle macerie e dalla rabbia dei sudafricani.

Nessuno era ad attenderlo quando si alzò barcollando. Non c'era anima viva. La luna rischiarava un paesaggio spoglio. Tutte le costruzioni erano state rase al suolo. La piazza d'armi era deserta. I cadaveri erano stati portati via.

Era come se l'Esercito Rivoluzionario Africano non fosse mai esistito.

45.

« Vorrei poterla aiutare, ma non so davvero come potrei. »

Lee Raferty aveva avuto ragione, pensò Pitt. Orville Mapes aveva l'aria del venditore ambulante di ferramenta più che del mercante d'armi. Ma su un punto s'era sbagliato: Mapes non era più vice presidente. Era diventato presidente del consiglio d'amministrazione della Phalanx Arms Corporation. Pitt guardò con fermezza negli occhi grigi dell'ometto.

« Sarebbe molto utile un controllo dell'inventario. »

« Non metto i miei documenti a disposizione di uno sconosciuto che piove dal cielo. I miei clienti non approverebbero un fornitore che non riuscisse a tenere segrete le transazioni. »

« La legge le impone di denunciare le vendite di armi al Dipartimento della Difesa. Dunque dove sta la segretezza? »

« Lei è del Dipartimento della Difesa, signor Pitt? » chiese Mapes.

« Indirettamente. »

« Allora chi rappresenta? »

« Mi dispiace, ma non posso dirlo. »

Mapes scosse la testa e si alzò. « Ho molto da fare e non ho tempo per i giochetti. Può trovare da solo la strada per uscire. »

Pitt non si mosse dalla sedia. « Si sieda, signor Mapes... la prego. »

Mapes si sorprese a guardare un paio di occhi verdi e duri come la giada. Esitò, pensò di contestare l'ordine, poi obbedì, lentamente.

Pitt indicò il telefono con un cenno. « Adesso sappiamo tutti e due come ci ritroviamo. Le consiglio di chiamare il generale Elmer Grosfield. »

Mapes fece una smorfia. «L'ispettore capo delle Spedizioni Armi all'Estero e io non siamo spesso della stessa opinione.»

«Immagino che il generale non approvi che le armi vietate vengano vendute a nazioni ostili.»

Mapes alzò le spalle. «Il generale ha una mentalità ristretta.» Si appoggiò alla spalliera della sedia e fissò Pitt con aria pensierosa. «Posso chiedere che rapporti ha con Grosfield?»

«Diciamo che rispetta i miei giudizi più di quanto io rispetti i suoi.»

«È una minaccia velata, signor Pitt? Se non starò al gioco, lei correrà a lamentarsi con Grosfield... È così?»

«La mia richiesta è molto semplice», rispose Pitt. «Basta un controllo sull'attuale ubicazione dei proiettili che ha comprato da Lee Raferty nel Colorado.»

«Non sono tenuto a mostrarle un bel niente», ribatté ostinato Mapes. «Almeno senza una spiegazione logica o una doverosa identificazione... o meglio ancora un'ordinanza del tribunale.»

«E se fosse il generale Grosfield a fare la richiesta?»

«In questo caso potrei lasciarmi convincere a stare al gioco.»

Pitt indicò di nuovo il telefono. «Le darò il suo numero privato...»

«L'ho anch'io», disse Mapes, mentre pescava in un piccolo schedario. Trovò la scheda perforata che cercava e la mostrò. «Non è che non mi fidi di lei, signor Pitt. Ma se non le dispiace, preferisco usare un numero della mia rubrica.»

«Faccia pure.»

Mapes prese il ricevitore, inserì la scheda nell'apparecchio automatico e premette un tasto. «Sono le dodici passate», disse. «Con ogni probabilità Grosfield è fuori a pranzo.»

Pitt scosse la testa. «Il generale è il tipo che mangia alla scrivania.»

«Ho sempre sospettato che fosse un taccagno», borbottò Mapes.

Pitt sorrise, augurandosi che l'altro non vedesse l'espressione ansiosa che aveva negli occhi.

Abe Steiger si asciugò sui pantaloni i palmi sudati e prese il telefono al terzo squillo. Addentò una banana prima di parlare.

«Qui è il generale Grosfield», borbottò.

«Generale, sono Orville Mapes, della Phalanx Arms.»

«Mapes, dov'è? La sento come se stesse parlando dal fondo di una botte.»

«Anche lei sembra molto lontano, generale.»

«Mi ha sorpreso mentre mangiavo un sandwich al burro d'arachidi. Mi piacciono con molta maionese. Allora, Mapes, che cosa succede?»

«Mi scusi se la disturbo mentre pranza, ma conosce un certo Dirk Pitt?»

Steiger fece una pausa e trasse un respiro profondo prima di rispondere. «Pitt? Sì, lo conosco. È un investigatore della Commissione Forze Armate del Senato.»

«Allora le sue credenziali arrivano fin lì.»

«Sì, ma non vanno più in alto», disse Steiger, come se stesse parlando a bocca piena. «Perché vuole saperlo?»

«È qui davanti a me, e pretende di ispezionare il mio inventario.»

«Mi chiedevo quando avrebbe cominciato a ronzare intorno a voi civili.» Steiger addentò di nuovo la banana. «Pitt dirige l'inchiesta Stanton.»

«L'inchiesta Stanton? Non ne ho mai sentito parlare.»

«La cosa non mi sorprende. Non ne fanno certo pubblicità. Un certo senatore benintenzionato si è messo in testa che le scorte di gas nervino siano state nascoste dall'Esercito. Perciò ha aperto un'inchiesta per trovarle.» Steiger finì di trangugiare la banana e gettò la buccia in uno dei cassetti della scrivania del generale Grosfield. «Pitt e i suoi investigatori non hanno trovato niente. E adesso dà la caccia a voi che commerciate in residuati bellici. »

« Che cosa mi suggerisce? »

« Che cosa le suggerisco? » sbuffò Steiger. « Dia a quel bastardo ciò che vuole. Se ha qualche contenitore di gas nei suoi magazzini, glieli consegni. Si risparmierà una carrettata di guai. La Commissione Stanton non ha intenzione di incriminare nessuno. Vuole solo assicurarsi che nessun dittatore del terzo mondo possa mettere le mani sulle armi sbagliate. »

« Grazie per il consiglio, generale », disse Mapes. Poi: « Maionese, ha detto? Io il burro d'arachidi lo preferisco con le cipolline ».

« Tutti i gusti sono gusti, signor Mapes. Addio. »

Steiger posò il telefono ed esalò un profondo sospiro di soddisfazione. Poi pulì il ricevitore con il fazzoletto e uscì nel corridoio. Stava per chiudere la porta dell'ufficio del generale quando un capitano con la divisa verde dell'Esercito girò all'angolo e lo guardò con aria insospettita.

« Mi scusi, colonnello, ma, se stava cercando il generale Grosfield, è uscito a pranzo. »

Steiger si raddrizzò, lanciò al capitano un'occhiata intimidatoria e disse: « Non conosco il generale. Questa giungla di cemento mi ha disorientato. Sto cercando il Dipartimento Incidenti e Sicurezza dell'Esercito. Mi sono perso e ho guardato nell'ufficio per chiedere indicazioni. »

Il capitano sembrava sollevato all'idea di evitare una situazione imbarazzante. « Oh, anch'io mi perdo dieci volte al giorno. Troverà il Dipartimento Incidenti e Sicurezza al piano di sotto. Basta che prenda l'ascensore girato l'angolo, alla sua destra. »

« Grazie, capitano. »

« È stato un piacere, signore. »

In ascensore, Steiger sorrise fra sé e si chiese che cosa avrebbe pensato il generale Grosfield quando avesse trovato la buccia di banana nel cassetto della scrivania.

Diversamente da molte guardie del servizio di sicurezza che indossano uniformi fuori misura e cinturoni appesantiti da grosse pistole, gli uomini di Mapes sembravano piuttosto truppe da combattimento vestite alla moda, come potrebbero immaginarle i direttori della rivista *Gentlemen Quarterly*. Due di loro stavano al cancello del magazzino della Phalanx in uniformi da campo confezionate su misura e con modernissimi fucili d'assalto appesi alle spalle.

Mapes fece rallentare la Rolls-Royce decapottabile e alzò le mani dal volante in un gesto che sembrava di saluto. La guardia annuì e fece un cenno al compagno che aprì il cancello dall'interno.

« Immagino che fosse un segnale », osservò Pitt.

« Prego? »

« Le mani in aria. »

« Ah, sì », disse Mapes. « Se lei mi avesse puntato contro di nascosto una pistola, avrei tenuto le mani sul volante. Un gesto normale. In quel caso, mentre una delle guardie ci faceva segno di passare e lei era distratto dall'apertura del cancello, il collega avrebbe girato dietro la macchina e le avrebbe fatto saltare le cervella. »

« È una fortuna che si sia ricordato di alzare le mani. »

« Lei è un vero osservatore, signor Pitt », disse Mapes. « Ma mi costringe a cambiare il segnale alle guardie. »

« Mi addolora molto che non mi creda capace di mantenere il segreto. »

Mapes non reagì al sarcasmo di Pitt. Tenne lo sguardo fisso sulla stretta strada asfaltata che passava tra le file interminabili di capannoni prefabbricati. Dopo un chilometro e mezzo arrivarono in un campo affollato di carri armati più o meno arrugginiti e malconci. Un piccolo esercito di meccanici era al lavoro su dieci veicoli parcheggiati accanto alla strada.

« Quanti ettari sono? » chiese Pitt.

« Duemila », rispose Mapes. « Quello che vede è il sesto esercito del mondo dal punto di vista dell'equipaggiamento. E la Phalanx Arms, inoltre, è al settimo posto come forze aeree. »

Mapes svoltò in una strada sterrata che fiancheggiava alcuni bunker scavati nel fianco di una collina e si fermò davanti a quello con la scritta ARSENALE SEI. Scese, prese dalla tasca una chiave, la inserì in una grossa serratura di bronzo e l'aprì. Poi spalancò due battenti d'acciaio e fece scattare un interruttore.

Nel bunker simile a una caverna, migliaia di casse e cassette di munizioni contenenti proiettili di ogni grandezza erano accatastate in un tunnel che sembrava estendersi all'infinito. Pitt non aveva mai visto un simile potenziale distruttivo concentrato in un unico luogo.

Mapes indicò un cart da campo di golf. «Non è il caso di farsi venire le vesciche ai piedi. Questo magazzino si estende sottoterra per più di tre chilometri.»

Nell'arsenale faceva freddo e il ronzio del motore elettrico del cart sembrava aleggiare nell'aria umida. Mapes svoltò in un tunnel laterale e rallentò. Accostò una mappa alla luce e la studiò. «A partire da qui, per un centinaio di metri, c'è l'ultimo quantitativo di proiettili navali da sedici pollici di questo mondo. Sono superati perché possono usarli soltanto le corazzate, e ormai non è rimasta neppure una corazzata in servizio. I proiettili a gas che ho comprato da Raferty dovrebbero essere immagazzinati più o meno al centro.»

«Non vedo traccia dei contenitori», commentò Pitt.

Mapes alzò le spalle. «Gli affari sono affari. I contenitori di acciaio inossidabile valgono un po' di quattrini. Li ho venduti a un'azienda chimica.»

«Ha un arsenale che non finisce più. Forse ci vorranno ore per trovarli.»

«No», rispose Mapes. «I proiettili a gas sono stati assegnati al Lotto Sei.» Scese dal cart, avanzò per una cinquantina di passi nel mare di proiettili, poi indicò. «Sì, eccoli.» Passò attraverso uno stretto accesso e si fermò.

Pitt rimase nella corsia ma, nonostante la luce fioca, scorse l'espressione sorpresa di Mapes.

«Qualche problema?»

Mapes si fermò e scosse la testa. «Non capisco. Ne ho trovati solo quattro. Dovrebbero essere otto.»

Pitt s'irrigidì. «Devono essere qui, da qualche parte.»

«Incominci a cercare dall'altra estremità, partendo dal Lotto Trenta», ordinò Mapes. «Io torno al Lotto Uno e comincio da lì.»

Dopo quaranta minuti s'incontrarono al centro. Gli occhi di Mapes avevano un'espressione sbalordita. Allargò le braccia in un gesto d'impotenza.

«Niente.»

«Accidenti, Mapes!» gridò Pitt. La sua voce echeggiò fra le pareti di cemento. «Deve averli venduti!»

«No», protestò Mapes. «Erano un pessimo acquisto. Avevo sbagliato i miei calcoli. Tutti i governi che ho interpellato non volevano saperne d'essere i primi a usare i gas, dopo il Vietnam.»

«Okay, quattro sono spariti e quattro sono qui», riepilogò Pitt, dominandosi a stento. «E adesso che cosa facciamo?»

Per un momento, Mapes sembrò perdere il filo dei suoi pensieri. «L'inventario... controlleremo l'inventario e lo confronteremo con le vendite.»

Mapes si fermò all'interfono in fondo al tunnel per avvertire il suo ufficio; quando tornò in compagnia di Pitt, il capo contabile della Phalanx Arms aveva preparato la documentazione sulla sua scrivania. Mapes sfogliò in fretta i registri. Impiegò meno di dieci minuti per trovare la risposta.

«Mi sbagliavo», disse a bassa voce.

Pitt rimase in attesa senza parlare, con le mani strette a pugno.

«I proiettili mancanti sono stati venduti.»

Pitt continuò a tacere, ma nei suoi occhi c'era un'espressione omicida.

«Un errore», disse Mapes con voce tesa. «Gli operai

hanno preso i proiettili da un lotto sbagliato. L'ordine originale richiedeva l'asportazione di quaranta proiettili pesanti per la Marina dal Lotto Sedici. Posso soltanto presumere che la prima cifra del numero, l'uno, non fosse visibile nella copia carbone, e che gli uomini abbiano creduto che si riferisse al Lotto Sei. »

« Mi sembra giusto dire, Mapes, che qui dentro regna il disordine. » Pitt si affondò le unghie nei palmi delle mani. « Che nome c'è scritto sull'ordine di acquisto? »

« Purtroppo ci furono tre ordini durante lo stesso mese. »

Dio, pensò Pitt, perché non c'è mai niente di semplice e facile? « Prenderò un elenco dei compratori. »

« Spero che si renderà conto della mia situazione », disse Mapes, che aveva ritrovato i toni decisi dell'uomo d'affari. « Se i clienti venissero a sapere che ho rivelato i loro acquisti... Credo capirà perché queste cose devono restare segrete. »

« Per essere sincero, Mapes, mi piacerebbe infilarla in uno dei suoi cannoni e spararla sulla luna. Mi dia quell'elenco prima che le sguinzagli contro il procuratore generale e l'intero Congresso. »

Mapes impallidì leggermente. Prese una penna e scrisse su un blocco i nomi dei compratori. Poi strappò il foglietto e lo porse a Pitt.

Uno dei proiettili era stato ordinato dal Museo imperiale della guerra, a Londra. Due erano finiti all'Associazione veterani delle guerre straniere, Dayton City, Oklahoma. Gli altri trentasette erano stati comprati da un agente dell'Esercito Rivoluzionario Africano, che non aveva dato neppure l'indirizzo.

Pitt mise in tasca il foglio e si alzò. « Manderò una squadra di uomini a portar via gli altri proiettili a gas dal tunnel », disse freddamente. Detestava Mapes, detestava tutto ciò che quel piccolo, grasso mercante di morte rappresentava. Non resistette alla tentazione di lanciare un'altra frecciata prima di andarsene.

« Mapes? »

« Sì? »

Nella mente di Pitt passarono mille insulti, ma non riuscì a sceglierne uno in particolare. Si decise a parlare mentre l'espressione d'attesa di Mapes si trasformava in perplessità.

« Quanti uomini sono stati uccisi o mutilati dalla sua mercanzia l'anno scorso e l'anno precedente? »

« Quello che gli altri fanno con la mia merce non mi riguarda », rispose Mapes in tono disinvolto.

« Se uno di quei proiettili a gas scoppiasse, lei sarebbe responsabile di milioni di morti. »

« Milioni, signor Pitt? » Gli occhi di Mapes divennero più duri. « Per me è soltanto un dato statistico. »

46.

STEIGER fece posare il caccia a reazione Spook F-140 sulla pista della base aerea Sheppard, nei pressi di Wichita Falls, Texas. Dopo aver parlato con l'ufficiale addetto alle operazioni di volo, prese in consegna una macchina del parco della base e si diresse a nord, al di là del Red River, addentrandosi nell'Oklahoma. Si immise sulla Statale 53 e si fermò sul bordo della strada per scendere a orinare. Anche se era l'una del pomeriggio passata da poco, per chilometri e chilometri non si vedevano macchine o altri segni di vita.

Steiger non ricordava di aver mai visto una zona agricola così piatta e desolata. Il paesaggio spazzato dal vento era deserto, a parte un capanno lontano e una fienatrice abbandonata. Era uno spettacolo deprimente. Se qualcuno gli avesse messo in mano una pistola, Steiger avrebbe provato la tentazione di spararsi. Richiuse la lampo e tornò alla macchina.

Poco dopo una torre dell'acqua apparve accanto alla strada rettilinea e ingrandì. Poi si materializzò una cittadina con pochi alberi, e Steiger passò accanto a un cartello che dava il benvenuto a Dayton City, la Regina della Fascia del Grano. Si fermò a un vecchio distributore che aveva ancora i serbatoi di vetro sopra le pompe della benzina.

Un uomo anziano in tuta da meccanico uscì dalla fossa dell'ingrassaggio e si avvicinò. « Desidera? »

« Cerco la sede dell'Associazione veterani delle guerre straniere », spiegò Steiger.

« Se è qui per tenere un discorso al pranzo, è arrivato in ritardo », disse il vecchio.

« No, sono qui per altre ragioni », rispose Steiger con un sorriso.

Il vecchio non sembrava impressionato. Prese dalla tasca uno straccio sporco d'olio e si asciugò le mani bisunte. « Vada fino allo stop, in centro, e svolti a destra. Non può sbagliare. »

Steiger seguì le indicazioni e si fermò nel parcheggio di una costruzione sorprendentemente moderna in confronto alle altre della cittadina. C'erano diverse macchine che si allontanavano sollevando nubi di polvere rossa. Il pranzo, pensò Steiger, doveva essere terminato. Entrò e si soffermò sulla soglia di una grande sala con il pavimento di legno. Su molti tavoli c'erano piatti che contenevano ancora i resti dei polli fritti. Tre uomini che stavano in gruppo notarono la sua presenza e lo salutarono con un cenno. Un individuo dinoccolato sulla cinquantina, alto circa due metri, si staccò dagli altri e si avvicinò. Aveva la faccia rossa, i capelli corti e lucidi con la scriminatura in mezzo. Tese la mano.

« Salve, colonnello. Come mai è venuto a Dayton City? »

« Cerco il responsabile dell'Associazione, un certo signor Billy Lovell. »

« Billy Lovell sono io. Che posso fare per lei? »

« Piacere », disse educatamente Steiger. « Mi chiamo Steiger, Abe Steiger. Sono venuto da Washington per una missione piuttosto urgente. »

Lovell lo guardava con aria amichevole ma interrogativa. « Mi prende in giro, colonnello? Immagino che adesso mi dirà che un satellite-spia dei russi è precipitato in un campo nei dintorni. »

Steiger inclinò leggermente la testa. « No, niente di così drammatico. Sto cercando un paio di proiettili della Marina che la vostra Associazione ha acquistato dalla Phalanx Arms. »

« Ah, quei due proiettili fasulli? »

« Fasulli? »

« Sicuro. Volevamo farli esplodere durante il picnic per la Giornata dei Veterani. Li abbiamo caricati su un vecchio trattore e ci siamo dati da fare per tutto il pomeriggio, ma non sono scoppiati. Abbiamo cercato di convincere la Phalanx a sostituirli. » Lovell scosse la testa, mestamente. « Hanno rifiutato. Ci hanno risposto che non accettano reclami. »

Un pensiero agghiacciante passò nella mente di Steiger. « Forse non sono proiettili autodetonanti? »

« No, no. » Lovell scosse la testa. « La Phalanx aveva garantito che erano regolari proiettili da corazzata. »

« Li avete ancora? »

« Sicuro, sono qui fuori. Gli è passato davanti quando è arrivato. »

Uscirono. I due proiettili fiancheggiavano l'ingresso del posto. Erano dipinti di bianco, e saldati alle catene che si estendevano lungo il vialetto.

Steiger trattenne il respiro. Le punte dei proiettili erano arrotondate... erano due dei pericolosissimi ordigni spariti. Si sentì mancare le ginocchia e dovette sedere sui gradini. Lovell lo guardò, sorpreso.

« Si sente male? »

« Avete sparato contro quei cosi? » chiese Steiger, incredulo.

« Gli abbiamo tirato un centinaio di colpi. Abbiamo ammaccato un po' le ogive, ma è tutto. »

« È un miracolo... » mormorò Steiger.

« Che cosa? »

« Non sono proiettili esplosivi », spiegò Steiger. « Sono a gas. I meccanismi di scoppio non si autoattivano fino a che non si liberano i paracadute. I vostri spari non hanno avuto alcun effetto perché, diversamente dai normali proiettili esplosivi, non erano stati preregolati per detonare. »

« Fiuuu! » esclamò Lovell. « Vuole dire che contengono gas velenosi? »

Steiger annuì in silenzio.

« Mio Dio, potevamo devastare metà del paese! »

« E anche di più », borbottò sottovoce Steiger. Si rialzò. « Ora vorrei usare il gabinetto e il telefono, in quest'ordine. »

« Sicuro, venga, venga. Il gabinetto è a sinistra, in fondo al corridoio, e c'è un telefono nel mio ufficio. » Lovell si fermò e guardò Steiger con aria calcolatrice. «Se le consegniamo i proiettili, ecco, vorrei sapere...»

«Le prometto che al loro posto riceverà dieci proiettili da sedici pollici in condizioni perfette, che garantiranno un superbum per il prossimo picnic della Giornata del Veterano.»

Lovell sfoggiò un sorriso da un orecchio all'altro. «D'accordo, colonnello.»

Steiger andò nel gabinetto e si lavò la faccia con l'acqua fredda. Si guardò allo specchio: gli occhi erano stanchi e arrossati, ma irradiavano speranza. Era riuscito a recuperare due testate della Morte Rapida. Poteva solo augurarsi che Pitt avesse altrettanta fortuna.

Poi, nell'ufficio di Lovell, si mise al telefono, chiamò il centralino e prenotò una chiamata interurbana a carico del destinatario.

Pitt dormiva su un divano nel suo ufficio alla NUMA quando Zerri Pochinsky, la sua segretaria, lo svegliò scuotendolo gentilmente. I lunghi capelli d'un bruno fulvo incorniciavano il viso grazioso e pieno di gaia ammirazione.

«Hai un visitatore e due telefonate», gli annunciò con il morbido accento del sud.

Pitt si scosse e si sollevò a sedere. «Quali telefonate?» chiese.

«La deputata Smith», rispose Zerri in tono un po' acido. «E un'interurbana del colonnello Steiger.»

«E il visitatore?»

«Ha detto che si chiama Sam Jackson. Non ha appuntamento, ma dice che è importante.»

Pitt incominciò a rimettere in rotta la mente annebbiata dal sonno. «Prima voglio parlare con Steiger. Di' a Loren che la richiamo io, e fai entrare Jackson non appena avrò finito la telefonata.»

Zerri annuì. «Il colonnello è sulla linea tre.»

Pitt andò alla scrivania e premette uno dei tasti che lampeggiavano. «Abe?»

« Saluti dall'Oklahoma. »

« Come è andata? »

« Ho fatto centro. Può cancellare dall'elenco due testate. »

« Ottimo lavoro. » Pitt sorrise per la prima volta dopo diversi giorni. « Ha avuto qualche problema? »

« Nessuno. Resterò qui fino a che non arriverà una squadra per portarle via. »

« Ho un Catlin della NUMA che aspetta al Dulles con un carrello elevatore. Dove possono atterrare? »

« Un attimo solo. »

Pitt sentì le voci smorzate. Steiger stava parlando con qualcuno.

« Okay », disse il colonnello. « Il responsabile dell'Associazione mi riferisce che c'è una piccola pista privata lunga ottocento metri, un chilometro e mezzo a sud della cittadina. »

« È lunga il doppio di quello che serve a un Catlin », commentò Pitt.

« E lei ha avuto fortuna? »

« Il curatore del Museo imperiale della guerra, a Londra, ha detto che il proiettile acquistato dalla Phalanx per una mostra sulla Marina nella seconda guerra mondiale è indiscutibilmente del tipo perforante. »

« E quindi l'Esercito Rivoluzionario Africano ha le altre due testate dell'MR. »

« Una faccenda delicata », sospirò Pitt.

« A che servono i proiettili della Marina nella giungla africana? »

« È il nostro indovinello della giornata », disse Pitt mentre si strofinava gli occhi arrossati. « Almeno, per fortuna, non sono più in casa nostra. »

« E adesso cosa facciamo? » chiese Steiger. « Non possiamo dire a una banda di terroristi che devono restituirci l'arma più abominevole di tutti i tempi. »

« Il nostro primo compito », gli ricordò Pitt, « è rintracciare le testate. L'ammiraglio Sandecker ha convinto un suo vecchio amico della National Security Agency a fare qualche ricerca. »

« Mi sembra una faccenda spinosa. Quelli non sono sce- mi. Potrebbero fare qualche domanda imbarazzante. »

« Non è probabile », ribatté Pitt in tono sicuro. « L'am- miraglio ha preparato una spiegazione classica, e quasi quasi ci credevo anch'io. »

47

LA scelta era difficile. Dale Jarvis esitava fra la torta di mele all'olandese e la meringa al limone, zeppa di calorie. Decise di infischiarsene della dieta, le prese tutte e due e le mise sul vassoio accanto a una tazza di tè. Pagò la ragazza alla cassa e sedette a un tavolo in un angolo della spaziosa cafeteria della sede centrale dell'NSA a Fort Meade, nel Maryland.

« Un giorno o l'altro scoppierai. »

Jarvis alzò gli occhi verso la faccia solenne di Jack Ravenfoot, capo della divisione interna dell'agenzia. Ravenfoot era tutto ossa e muscoli. Era l'unico cheyenne purosangue a Washington che si fosse laureato a Yale con tutti gli onori e avesse il grado di commodoro in pensione.

« Preferisco i piatti saporiti alla carne salata di bisonte e agli scoiattoli della prateria che piacciono tanto a te. »

Ravenfoot alzò gli occhi al cielo. « Ora che ci penso, non ho più mangiato un buon piatto di scoiattolo della prateria dal tempo dei festeggiamenti per la vittoria di Little Big Horn. »

« Ah, voi sapete ferire un viso pallido là dove brucia di più », disse Jarvis con un gran sorriso. « Su, siediti. »

Ravenfoot restò in piedi. « No, grazie. Ho un impegno fra cinque minuti... A proposito, John Gossard della Sezione Africa mi ha detto che sai qualcosa di uno strano progetto che ha a che fare con le corazzate. »

Jarvis masticò un pezzetto di torta di mele. « Una corazzata, al singolare. Perché? »

« Un vecchio amico dei tempi in cui ero in Marina, James Sandecker... »

« Il direttore della NUMA? » l'interruppe Jarvis.

« Proprio lui. Mi ha chiesto di rintracciare un particolare carico di vecchi proiettili della Marina da 406 millimetri. »

« E tu hai pensato a me. »

« Le corazzate avevano cannoni da 406 millimetri », disse Ravenfoot. « Lo so bene. Ero comandante in seconda a bordo della *New Jersey* durante la guerra del Vietnam. »

« Sai perché Sandecker le vuole? » chiese Jarvis.

« Dice che una squadra dei suoi scienziati vuole sganciarle su certe formazioni coralline nel Pacifico. »

Jarvis smise di mangiare. « Che cosa? »

« Stanno svolgendo test sismologici. Sembra che le bombe di quel tipo lanciate sul corallo da un aereo a seicento metri causino uno scossone quasi identico a quello di un terremoto. »

« Credevo che le normali cariche di esplosivo dessero i medesimi risultati. »

Ravenfoot alzò le spalle. « Non saprei. Non sono un sismologo. »

Jarvis attaccò la meringa al limone. « Non mi sembra che ci sia niente d'interessante per la sezione valutazioni e neppure un disegno sinistro nella richiesta dell'ammiraglio. Secondo Sandecker, dove potrebbero essere immagazzinati quei proiettili speciali? »

« Li ha l'ERA. »

Jarvis bevve un sorso di caffè e si asciugò le labbra con un tovagliolino. « Perché dovremmo trattare con l'ERA quando i vecchi proiettili della Marina si possono trovare in qualunque deposito di residuati? »

« È un tipo sperimentale, realizzato verso la fine della guerra di Corea e mai usato in combattimento. Sandecker dice che funzionano molto meglio dei proiettili standard. » Ravenfoot si appoggiò alla spalliera di una sedia. « Ho chiesto a Gossard come stanno le cose con l'ERA, e secondo lui Sandecker sbaglia. I guerriglieri hanno bisogno di quei proiettili come un saltatore in alto ha bisogno di calcoli alla cistifellea... Sono state le sue esatte parole. Secondo lui, i proiettili cercati dalla NUMA stanno arrugginendo in un deposito della Marina. »

« E se invece li avesse davvero l'ERA, come dovrebbe comportarsi Sandecker? »

«Dovrebbe convincerli a fare uno scambio, immagino, oppure comprare i proiettili a prezzo maggiorato. Dopotutto, pagano i contribuenti.»

Jarvis sminuzzò la meringa con la forchetta. Non aveva più appetito. «Mi piacerebbe parlare con Sandecker. Niente in contrario?»

«Prego, fai pure. Ma probabilmente te la caveresti meglio se agissi tramite il suo direttore dei progetti speciali. È quello che si occupa della ricerca.»

«Chi è?»

«Dirk Pitt.»

«Quello che ha riportato a galla il *Titanic* qualche mese fa?»

«Proprio lui.» Ravenfoot consultò l'orologio. «Devo scappare. Se vieni a sapere qualcosa sui proiettili, dammi un colpo di telefono. Jim Sandecker è un vecchio amico, e gli devo ancora un paio di favori.»

«Puoi contarci.»

Jarvis rimase seduto per qualche minuto dopo che Ravenfoot si fu allontanato, e continuò a rigirare la torta con la forchetta. Poi si alzò e, pensierosamente, tornò nel suo ufficio.

Nel momento in cui il suo superiore entrò, Barbara Gore si accorse che la sua immaginazione stava facendo gli straordinari. Aveva visto troppe volte quell'espressione concentrata per non riconoscerla. Prese il blocco e la matita e lo seguì nell'ufficio privato. Sedette, accavallò le belle gambe e attese con pazienza.

Jarvis rimase in piedi, con gli occhi fissi alla parete. Poi si voltò, intento. «Chiama Gossard, fissa una riunione con il suo staff della Sezione Africa, e digli che vorrei dare un'altra occhiata al dossier dell'Operazione Rosa Selvatica.»

«Hai cambiato idea? Pensi che potrebbe esserci qualcosa?»

Jarvis non rispose immediatamente. «Può darsi. Può darsi.»

«C'è altro?»

« Sì, chiedi al dipartimento identificazione di mandarci tutto quello che hanno sull'ammiraglio James Sandecker e su Dirk Pitt. »

« Non sono della NUMA? »

Jarvis annuì.

Barbara lo guardò con aria interrogativa. « Non penserai che ci sia un nesso? »

« È troppo presto per capirlo », rispose Jarvis pensierosamente. « Si potrebbe dire che sto raccogliendo i fili in sospeso per vedere se finiscono tutti nella stessa spoletta. »

48.

FREDERICK DAGGAT e Felicia Collins attendevano a bordo della grossa limousine quando Loren uscì dal portico del Campidoglio. La guardarono mentre scendeva i gradini con passi eleganti. I riccioli color cannella erano agitati da una brezza leggera. Indossava un tailleur pantaloni color kaki con il blazer e il gilet. Una lunga sciarpa di seta grigia era avvolta intorno al collo e la borsa era ricoperta della stessa stoffa dell'abito.

Lo chauffeur di Daggat le aprì la portiera. Loren sedette accanto a Felicia, e Daggat si spostò su un sedile pieghevole. «È deliziosa, Loren», disse in tono familiare, anche troppo. «Si capiva benissimo che i pensieri dei miei colleghi maschi erano altrove, quando ha preso la parola alla Camera.»

«Essere donna ha i suoi vantaggi durante i dibattiti», replicò Loren senza scomporsi. «Come sei elegante, Felicia.»

Un'espressione strana passò sul volto di Felicia. L'ultima cosa che si aspettava da Loren era un complimento. Si allisciò la gonna dell'abito di jersey color panna ed evitò lo sguardo dell'altra.

«Sei molto gentile ad accettare di vederci», disse a voce bassa.

«Cos'altro potevo fare?» Il viso di Loren era una maschera di risentimento. «Ho paura di chiedere che cosa pretendete da me, questa volta.»

Daggat alzò il vetro alle spalle dell'autista. «Domani ci sarà la votazione per decidere la concessione di aiuti all'Esercito Rivoluzionario Africano.»

«E così voi due siete usciti dal fango per vedere se sono ancora disponibile», disse amaramente Loren.

«Tu rifiuti di capire», ribatté Felicia. «Non c'è niente

di personale. Frederick e io non ci guadagneremo niente. La nostra sola ricompensa è l'avanzamento della nostra razza. »

Loren la fissò. « E quindi ricorrete al ricatto in nome di una grande causa morale. »

« Sì, se questo significa salvare migliaia e migliaia di vite. » Daggat parlava come se facesse la predica a un bambino. « Ogni giorno di questa guerra porta cento morti. I neri vinceranno in Sud Africa, è una conclusione scontata. L'importante è il modo in cui vinceranno. Hiram Lusana non è un assassino psicopatico come Idi Amin. Mi ha assicurato che quando diventerà primo ministro l'unico grande cambiamento che imporrà sarà dare eguali diritti ai neri sudafricani. Tutti i princìpi democratici su cui si fondava l'attuale governo resteranno in vigore. »

« Come potete essere così stupidi da credere alle parole di un delinquente? » chiese Loren.

« Hiram Lusana è cresciuto in uno dei peggiori ghetti della nazione », insistette Daggat. « Il padre abbandonò la madre e nove figli quando Hiram aveva otto anni. Lei non può capire che cosa significa fare da ruffiano alle proprie sorelle per poter mangiare, deputata Smith. Non può capire cosa significa vivere in un caseggiato dove bisogna infilare i giornali nelle crepe perché non entri la neve, dove i gabinetti traboccano perché non c'è acqua, e con un esercito di ratti che attendono di andare all'assalto al tramonto del sole. Se il crimine è l'unico modo per sopravvivere, ci si dà al crimine. Sì, Lusana era un delinquente. Ma quando ha avuto l'occasione di innalzarsi al di sopra del marcio ne ha approfittato, dedicando le sue energie a combattere le circostanze che l'avevano afflitto. »

« Allora perché gioca a fare il dio in Africa? » chiese Loren in tono di sfida. « Perché non si batte per migliorare la condizione dei neri nel suo paese? »

« Perché Hiram crede fermamente che la nostra razza debba avere una base solida. Gli ebrei guardano a Israele con orgoglio; gli anglosassoni hanno una ricca eredità bri-

tannica. La nostra patria, invece, lotta ancora per emerge-
re da una società primitiva. Non è un segreto: i neri che si
sono impadroniti di quasi tutta l'Africa si sono comportati
in modo disastroso. Hiram Lusana è la nostra sola speranza di guidare la razza nera nella direzione giusta. È il nostro grande Mosè, e il Sud Africa è la nostra Terra Promessa! »

« Non è un po' troppo ottimista? »

Daggat la fissò. « Ottimista? »

« Secondo gli ultimi rapporti militari giunti dal Sud
Africa, le Forze della Difesa sono penetrate nel Mozambico e hanno annientato l'ERA e il suo quartier generale. »

« Ho letto anch'io quei rapporti », convenne Daggat.
« E non è cambiato niente. Un insuccesso temporaneo,
forse, non di più. Hiram Lusana è ancora vivo. Radunerà
un nuovo esercito, e io intendo aiutarlo con tutti i mezzi. »

« Amen, fratello », aggiunse Felicia.

Erano così assorti nei loro pensieri da non notare una
macchina che sopravanzava la limousine e rallentava. Al
primo semaforo il guidatore accostò la macchina al marciapiedi e balzò a terra. L'autista di Daggat non ebbe il
tempo di reagire; l'uomo si avvicinò alla limousine, spalancò la portiera posteriore destra e salì a bordo.

Daggat rimase a bocca aperta per la sorpresa. Felicia si
bloccò con una smorfia. Soltanto Loren sembrava quasi
tranquilla.

« Chi diavolo è? » chiese Daggat. Alle spalle dell'uomo
vide l'autista che frugava nel cassetto per prendere la pistola.

« Strano che non mi abbia riconosciuto dalle fotografie », commentò l'uomo con una risata.

Felicia tirò Daggat per la manica. « È lui », mormorò.

« Lui chi? » chiese Daggat.

« Pitt. Mi chiamo Dirk Pitt. »

Loren lo guardò, intenta. Non lo vedeva da diversi giorni e stentava a collegarlo all'uomo che aveva fatto l'amore
con lei: aveva gli occhi cerchiati per l'insonnia e il mento

ispido di barba, e rughe che prima non aveva mai notato, lasciate dallo stress e dalla stanchezza. Gli prese la mano.

« Da dove arrivi? » gli chiese.

« È stata una coincidenza », rispose Pitt. « Venivo a trovarti e stavo passando davanti alla scalinata del Campidoglio quando ti ho vista salire in macchina. Mi sono affiancato e ho notato che a bordo c'era anche il deputato Daggat. »

L'autista aveva abbassato il vetro e puntava una pistola alla nuca di Pitt. Daggat si rilassò. Si sentiva di nuovo padrone della situazione.

« Forse era ora che ci incontrassimo, signor Pitt. » Fece un cenno con la mano. L'autista annuì e abbassò la pistola.

« Lo penso anch'io », disse Pitt con un sorriso. « Anzi, mi risparmia una visita al suo ufficio. »

« Voleva vedermi? »

« Sì. Ho deciso di ordinare qualche copia. » Pitt mostrò un mucchietto di fotografie e le sventolò. « Ho visto risultati migliori, naturalmente. Ma queste non sono state realizzate in uno studio. »

Loren si premette un pugno contro la bocca. « Sai di queste orribili foto? Ho cercato di tenerti fuori da tutta la storia. »

« Vediamo », proseguì Pitt come se Loren non avesse parlato, e cominciò a buttarle a una a una sulle ginocchia di Daggat. « Ne voglio una dozzina di queste, e cinque di queste altre... »

« Il suo penoso tentativo di fare dello spirito non mi piace », lo interruppe Daggat.

Pitt lo guardò con aria innocente. « Dato che si occupa del commercio di foto pornografiche, credevo che non le dispiacesse accontentare i suoi clienti... o i suoi modelli. Naturalmente voglio lo sconto. »

« A che gioco sta giocando, signor Pitt? » chiese Felicia.

« Che gioco? » Pitt sembrava divertito. « Non è un gioco. »

« Daggat può rovinare politicamente tuo padre e me »,

spiegò Loren. «Finché ha in mano i negativi delle foto, può dettare legge.»

«Oh, andiamo», disse Pitt con un sorriso. «Il deputato Daggat sta per abbandonare l'attività di ricattatore. Tanto non ci sa fare. Non reggerebbe dieci minuti contro un vero, navigato professionista.»

«Come lei?» chiese minacciosamente Daggat.

«No, come mio padre. Credo che sappia chi è. Il senatore George Pitt. Quando gli ho spiegato il suo scherzetto, mi ha chiesto una serie di foto come ricordo. Ecco, non aveva mai visto in azione il suo figliolo.»

«Lei è pazzo», sibilò Felicia.

«L'ha detto a suo padre?» mormorò Daggat. Sembrava un po' stordito. «Non le credo.»

«Il momento della verità», disse Pitt, e accennò un sorriso. «Il nome di Sam Jackson non le dice niente?»

Daggat trattenne il respiro. «Ha parlato. Quel bastardo ha parlato.»

«Ha cantato come un canarino. La odia, fra l'altro. Non vede l'ora di testimoniare contro di lei all'udienza della Commissione Etica della Camera dei Rappresentanti.»

Nella voce di Daggat c'era una sfumatura di timore. «Non avrà il coraggio di presentare quelle foto in un'inchiesta.»

«Che diavolo ho da perdere?» chiese Pitt. «Mio padre, tanto, si metterà in pensione l'anno prossimo. Prenda il mio caso: non appena queste foto entreranno in circolazione, non saprò più come difendermi da metà delle segretarie della capitale.»

«Che porco egoista», sbottò Felicia. «Non le importa niente di quello che succederà a Loren?»

«M'importa, invece», disse Pitt. «È una donna e si troverà in imbarazzo. Ma sarà un prezzo modesto da pagare per la gioia di vedere il nostro amico Daggat che passa qualche annetto in galera a fabbricare targhe per automobili. Quando uscirà sulla parola dovrà cambiare mestiere, perché il suo partito non vorrà più saperne di lui.»

Daggat arrossì e si tese minacciosamente verso Pitt. « Fesserie! » sibilò.

Pitt gli rivolse un'occhiata che avrebbe paralizzato un pescecane. « Al Congresso non piacciono i mascalzoni che ricorrono a tattiche spregevoli per fare approvare le leggi di loro gusto. Qualche anno fa il sistema poteva funzionare, ma adesso in Campidoglio c'è abbastanza gente onesta che se venisse a sapere di questa storia la butterebbe a calci fuori della città. »

Daggat si afflosciò. Sapeva di essere stato sconfitto. « Che cosa vuole che faccia? »

« Distrugga i negativi. »

« È tutto? »

Pitt annuì.

Daggat sogghignò. « Non pretende altro, signor Pitt? »

« Io non mi muovo nella sua fogna. Credo che Loren sia d'accordo: è meglio per tutti gli interessati lasciar perdere la faccenda. » Pitt aprì la portiera e aiutò Loren a scendere. « Oh, un'altra cosa. Ho la dichiarazione giurata di Sam Jackson sui vostri affarucci. Spero che non sarà necessario mettere in piazza altre trovate sue e della sua amichetta. Se vengo a sapere che mi ha fatto un brutto scherzo, la sistemerò a dovere. È una promessa. »

Sbatté la portiera e si appoggiò al finestrino dell'autista. « Okay, amico, puoi andare. »

I due rimasero a guardare la limousine fino a quando non sparì nel traffico. Poi Loren si alzò in punta di piedi e baciò la guancia ispida di Pitt.

« Perché? » chiese lui con un sorriso soddisfatto.

« Una ricompensa per avermi tirata fuori da una situazione spiacevole. »

« Pitt al salvataggio. Mi commuovo sempre davanti a una deputata in difficoltà. » La baciò sulle labbra, ignorando le occhiate incuriosite dei passanti. « E questa è la tua ricompensa perché ti sei comportata con tanta generosità. »

« Quale generosità? »

«Avresti dovuto parlarmi delle fotografie. Ti avrei risparmiato molte notti insonni.»

«Credevo di farcela da sola», disse Loren, evitando di guardarlo negli occhi. «Le donne dovrebbero essere in grado di riuscirci.»

Pitt la cinse con un braccio e la condusse alla sua macchina. «Ci sono momenti in cui anche una femminista convinta ha bisogno di appoggiarsi a un maschio sciovinista.»

Mentre Loren prendeva posto sul sedile del passeggero, Pitt notò un foglietto infilato sotto una spazzola del tergicristallo. In un primo momento pensò che fosse un volantino pubblicitario. Stava per buttarlo via, ma la curiosità lo vinse e lo guardò. Il messaggio era scritto in una grafia minuziosa.

Caro signor Pitt,
le sarei molto grato se chiamasse questo numero, 555-5971, non appena le sarà possibile.

Grazie,
DALE JARVIS

Pitt alzò istintivamente la testa e scrutò il marciapiedi affollato, cercando inutilmente di scorgere il messaggero misterioso. Era un compito impossibile. C'erano circa ottanta persone in un raggio d'un centinaio di metri: ognuna di loro poteva aver infilato il foglietto nel tergicristallo mentre lui affrontava Daggat.

«Conosci per caso un certo Dale Jarvis?» chiese a Loren.

Lei rifletté per qualche istante. «Non posso dire che sia un nome familiare. Perché?»

«A quanto pare», disse pensosamente Pitt, «mi ha lasciato una lettera d'amore.»

49.

La gelida aria invernale si insinuava nel camion e trafiggeva la pelle di Lusana. Stava disteso bocconi, con le mani e i piedi legati contro i fianchi. I rialzi del pavimento metallico gli urtavano la testa a ogni sobbalzo. I suoi sensi funzionavano a fatica. Il cappuccio che gli copriva la testa nascondeva la luce e lo lasciava disorientato, e le corde che lo legavano rallentavano la circolazione.

L'ultima cosa che ricordava era la faccia sorridente del comandante nel bar della prima classe all'aeroporto. I pochi pensieri lucidi che aveva avuto dopo quel momento terminavano tutti con la stessa immagine.

« Sono il comandante Mutaapo », aveva detto il pilota, un nero di mezza età snello e quasi calvo, ma con un sorriso che lo ringiovaniva. Portava l'uniforme verdescuro delle BEZA-Mozambique Airlines, con una quantità di galloni dorati sulle maniche. « Un rappresentante del mio governo mi ha chiesto di provvedere perché lei abbia un volo sicuro, signor Lusana. »

« Le precauzioni erano necessarie per entrare negli Stati Uniti », aveva osservato Lusana. « Ma non credo di correre pericoli in un volo in partenza, circondato da turisti americani. »

« Tuttavia, signore, lei è affidato alla mia responsabilità come gli altri centocinquanta passeggeri. Devo chiederle se prevede qualche imprevisto che possa mettere in pericolo vite umane. »

« No, comandante, glielo assicuro. »

« Bene. » Mutaapo aveva mostrato i denti in un gran sorriso. « Beviamo a un viaggio tranquillo e confortevole. Che cosa preferisce, signore? »

« Un martini con un po' di limone, grazie. »

Era stato uno stupido, pensò Lusana mentre il camion

passava rombando a un passaggio a livello. Aveva ricordato troppo tardi che i piloti delle linee aeree commerciali non possono bere alcolici ventiquattr'ore prima di un volo. Si era accorto troppo tardi che il suo martini era drogato. Il sorriso ipocrita del comandante sembrava inchiodato nel tempo prima di annebbiarsi e dissolversi lentamente nel nulla.

Lusana non era in grado di misurare le ore e i giorni. Non sapeva che veniva mantenuto in uno stato soporoso costante per mezzo delle iniezioni frequenti di un blando sedativo. C'erano facce sconosciute che apparivano quando gli veniva tolto il cappuccio: erano però facce che aleggiavano in una nebbia eterea prima che la tenebra riprendesse a dominare.

Il camion frenò, si fermò, e Lusana sentì due paia di mani che lo sollevavano bruscamente e lo portavano su una specie di rampa. Il suono di una sirena lontana. Un clangore metallico, come se porte d'acciaio venissero aperte e richiuse con violenza. E c'era anche l'odore di vernice fresca e di olio.

Lo scaricarono senza cerimonie su un'altra superficie dura e lo lasciarono lì mentre gli uomini si allontanavano. Poi sentì che qualcuno tagliava le corde. Gli tolsero il cappuccio.

L'unica luce proveniva da una piccola lampadina rossa fissata a una parete.

Per quasi un minuto Lusana rimase immobile mentre la circolazione risvegliava le membra intormentite. Alzò gli occhi e socchiuse le palpebre.

Gli sembrava d'essere sulla plancia di comando di una nave. La luce rossa rivelava un timone e una grande console costellata di spie multicolori che si riflettevano su una lunga fila di finestrelle quadrate, allineate su tre o quattro pareti grigie.

Accanto a Lusana, con il cappuccio ancora in mano, c'era un uomo colossale. Dal punto in cui Lusana si trovava, sdraiato sul ponte, sembrava un gigante distorto che lo

278

guardava con aria gentile e sorrideva. Lusana non s'illuse. Sapeva bene che quasi tutti gli assassini più incalliti avevano espressioni angeliche prima di tagliare la gola alle loro vittime. Eppure la faccia di quell'uomo sembrava priva di intenzioni sanguinarie. Irradiava piuttosto una specie di distaccata curiosità.

« Lei è Hiram Lusana. » La voce di basso echeggiò fra le paratie d'acciaio.

« Sì », rispose Lusana, arrochito. Gli sembrava che la sua voce avesse un tono strano. Non l'aveva usata per quasi quattro giorni.

« Non sa quanto tenevo a conoscerla », disse il gigante. « Chi è? »

« Il nome Fawkes non le dice niente? »

« Dovrebbe dirmi qualcosa? » ribatté Lusana, deciso a resistere.

« Sì, è terribile quando uno dimentica i nomi di quelli che ha assassinato. »

Nella mente di Lusana balenò un'intuizione. « Fawkes... l'attacco contro la fattoria dei Fawkes nel Natal. »

« Mia moglie e i miei figli uccisi. La mia casa bruciata. Ha massacrato persino i miei operai. Intere famiglie che avevano la pelle come la sua. »

« Fawkes... è Fawkes », ripeté Lusana. La sua mente drogata cercava di orientarsi.

« So che la strage è stata commessa dall'ERA », fece presente Fawkes, con la voce che si induriva. « Sono stati i suoi uomini. È stato lei a dare gli ordini. »

« Non sono io, il responsabile. » La nebbia si diradava nella mente di Lusana. Stava ritrovando l'equilibrio, almeno interiormente. Le gambe e le braccia non rispondevano ai comandi. « Mi dispiace per quel che è successo alla sua famiglia. Un tragico spargimento di sangue del tutto immotivato. Ma dovrà cercare altrove il colpevole. I miei uomini non c'entrano. »

« Sì, avevo previsto una smentita. »

« Che intende farmi? » chiese Lusana. Non c'era paura nei suoi occhi.

Fawkes guardò oltre i vetri blindati della plancia. Fuori era buio e una nebbiolina leggera velava i vetri. Nei suoi occhi c'era una strana espressione di tristezza.

Si girò verso Lusana. «Faremo un viaggetto, io e lei. Un viaggio senza biglietto di ritorno.»

50.

IL tassì varcò un cancello dell'Aeroporto Nazionale di Washington alle nove e mezzo di sera e scaricò Jarvis dietro un hangar solitario a una estremità del campo pochissimo frequentata. Escluso un fioco barlume di luce che filtrava dal vetro impolverato d'una porta laterale, la costruzione gigantesca sembrava deserta. Spinse la porta e si sorprese un po' nel sentire che non cigolava. I cardini lubrificati girarono senza far rumore.

L'interno vastissimo era illuminato dalle lampade fluorescenti. Un venerabile trimotore Ford stava come un'oca enorme al centro della distesa di cemento, e tendeva le ali sopra diverse automobili d'antiquariato in varie fasi di restauro. Jarvis si avvicinò a una macchina che sembrava un mucchio di ferraglia arrugginita. Sotto il radiatore spuntavano due piedi.

«Lei è il signor Pitt?» chiese Jarvis.

«E lei è il signor Jarvis?»

«Sì.»

Pitt uscì di sotto la macchina e si sollevò a sedere. «Vedo che ha trovato la mia umile dimora.»

Jarvis esitò. Scrutò la tuta bisunta di Pitt, il suo aspetto disordinato. «Abita qui?»

«Ho un appartamento al piano di sopra», rispose Pitt, e indicò un piano a vetrate sopra il pavimento.

«Ha una bella collezione», commentò Jarvis, accennando agli antichi modelli. «Che cos'è quella con i parafanghi neri e la carrozzeria argentata?»

«Una Maybach-Zeppelin del 1936», rispose Pitt.

«E quella su cui sta lavorando?»

«Una landaulette scoperta Renault del 1912.»

«Mi sembra un po' malconcia», osservò Jarvis passando l'indice su uno strato di ruggine.

Pitt sorrise, paziente. « Non è ridotta troppo male, se pensa che è rimasta immersa nell'acqua di mare per settant'anni. »

Jarvis comprese al volo. « Proviene dal *Titanic*? »

« Sì. Sono stato autorizzato a tenerla dopo il recupero. Una specie di premio per i servigi resi, diciamo così. »

Pitt salì la rampa di scale che portava al suo alloggio. Jarvis entrò ed esaminò l'arredamento inconsueto con occhio da professionista. L'occupante era uno che aveva viaggiato molto, pensò, a giudicare dagli oggetti nautici: caschi di rame da palombaro che appartenevano a un'altra epoca, bussole, timoni di legno, campane di navi, persino vecchi chiodi e bottiglie, tutti etichettati con i nomi di navi famose dalle quali Pitt li aveva recuperati. Era come visitare il museo della vita di un uomo.

Jarvis sedette su un sofà di pelle, quando Pitt glielo indicò. Poi lo guardò negli occhi. « Mi conosce, signor Pitt? »

« No. »

« Eppure non ha esitato a incontrarsi con me. »

« Chi può resistere al fascino dell'intrigo? » ribatté Pitt con un sorriso. « Non mi capita tutti i giorni di trovare infilato sotto il tergicristallo un biglietto con un numero telefonico e scoprire che è della National Security Agency. »

« Naturalmente ha subodorato che era seguito. »

Pitt sedette su una poltrona e appoggiò i piedi su un'ottomana. « Lasciamo perdere i preamboli, signor Jarvis, e veniamo al dunque. Qual è il suo gioco? »

« Quale gioco? »

« Il motivo del suo interesse per me. »

« Sta bene, signor Pitt », iniziò Jarvis. « Mettiamo le carte in tavola. Qual è la vera ragione per cui la NUMA sta cercando un tipo speciale di proiettile pesante per la Marina? »

« Non vuol bere qualcosa? » chiese Pitt.

« No, grazie », rispose Jarvis mentre prendeva nota di quel modo disinvolto di guadagnare tempo.

« Se sa che ci diamo da fare, sa anche il perché. »

« Test sismologici su formazioni coralline? »

Pitt annuì.

Jarvis allungò le braccia sulla spalliera del sofà. « Per quando sono in programma questi esperimenti? »

« Si effettueranno l'anno prossimo, nelle ultime due settimane di marzo. »

« Capisco. » Jarvis rivolse a Pitt un'occhiata paterna e benevola, poi sferrò il colpo decisivo. « Ho parlato con quattro sismologi, e due di loro fanno parte della sua agenzia. Non condividono la sua idea di lanciare da un aereo proiettili da 406 millimetri. Anzi, secondo loro è ridicolo. Inoltre, ho appreso che la NUMA non ha in programma nessun test sismologico nel Pacifico. Per dirla in breve, signor Pitt, la sua ingegnosa giustificazione fa acqua da tutte le parti. »

Pitt chiuse gli occhi e rifletté. Poteva mentire e poteva tacere. No, si disse, le alternative si erano ridotte a zero. Non c'era speranza che lui, Steiger e Sandecker riuscissero a negoziare con l'ERA una pronta restituzione dell'MR. Avevano spinto le ricerche fin dove potevano portarli le loro risorse limitate. Era venuto il momento, decise, di far entrare in scena i professionisti.

Riaprì gli occhi e fissò Jarvis. « Se potessi metterle in mano un organismo patogeno capace di uccidere senza interruzione per trecento anni, che ne farebbe? »

La domanda colse Jarvis alla sprovvista. « Non capisco dove voglia arrivare. »

« Insisto sulla domanda », disse Pitt.

« È un'arma? »

Pitt annuì.

Jarvis fu assalito da una sensazione d'inquietudine. « Non conosco armi del genere. Le armi chimiche e batteriologiche sono state messe al bando incondizionatamente dieci anni fa da tutte le Nazioni Unite. »

« Risponda alla mia domanda, la prego », insisté Pitt.

« Lo consegnerei al nostro governo, immagino. »

«È certo che sia il comportamento più giusto?»

«Buon Dio, che cosa vuole sapere? Si tratta di un caso del tutto ipotetico.»

«Quell'arma deve essere distrutta», affermò Pitt. Lo sguardo dei suoi occhi verdi sembrava bruciare nella mente di Jarvis.

Vi fu un breve silenzio. Poi Jarvis disse: «Esiste veramente?»

«Sì.»

I pezzi del rompicapo andavano a posto. Per la prima volta in molti anni, Jarvis pensò che sarebbe stato meglio se non fosse stato così efficiente. Guardò Pitt e sorrise a denti stretti.

«Accetto il drink», disse a voce bassa. «E poi credo che noi due dovremo scambiarci certe notizie molto preoccupanti.»

Era mezzanotte passata quando Phil Sawyer fermò la macchina davanti all'appartamento di Loren. Molte donne lo giudicavano un bell'uomo, con il viso solido e una massa di capelli prematuramente grigi e pettinati con cura.

Loren lo guardò con aria provocante. «Ti dispiace aprire la porta del mio appartamento? La serratura s'incastra sempre.»

Sawyer sorrise. «Come potrei rifiutare?»

Scesero dalla macchina e attraversarono in silenzio il giardinetto. Il marciapiedi bagnato rifletteva la luce dei lampioni. Loren si strinse a Sawyer mentre la pioggerella fredda batteva sui capelli e sugli indumenti. Il portiere li salutò e tenne aperto l'ascensore. Quando arrivarono alla porta dell'appartamento, Loren frugò nella borsetta e porse la chiave a Sawyer, che la girò nella serratura. Entrarono.

Loren andò in camera da letto, Sawyer si accostò al piccolo bar portatile e si versò un cognac. Era arrivato al secondo bicchiere quando Loren tornò. Indossava un pigiama con il top argenteo e i pantaloni orlati di pizzo. Quando varcò la soglia, la luce della camera da letto delineò la sua figura snella attraverso la stoffa vaporosa. La combinazione del pigiama, i capelli color cannella, gli occhi viola diedero a Sawyer la sensazione di essere un adolescente confuso.

« Sei incantevole », riuscì a dire.

« Grazie. » Loren si versò un bicchiere di Galliano e gli sedette accanto sul sofà. « È stata una bellissima serata, Phil. »

« È stato un piacere. »

Lei si avvicinò e gli accarezzò leggermente la mano. « Questa sera mi sembri diverso. Non ti avevo mai visto così rilassato. Non hai nominato il presidente neppure una volta. »

« Fra sei settimane e tre giorni il nuovo presidente eletto pronuncerà il giuramento e finiranno così i miei otto anni di battaglie con i signori e le signore dei media. Dio, non avevo mai pensato che sarei stato contento di far parte di un'amministrazione arrivata al capolinea. »

« Che progetti hai, dopo l'insediamento del nuovo presidente? »

« Il mio capo ha avuto l'idea giusta. Subito dopo aver lasciato la carica, andrà a navigare con un ketch di quaranta piedi nel Sud Pacifico, dove dice che si darà alla pazza gioia. » Sawyer abbassò il bicchiere e guardò Loren negli occhi. « Io no. Preferisco i Caraibi, soprattutto per la luna di miele. »

Loren provò un vago fremito d'attesa. « Hai in mente qualcuna in particolare? »

Sawyer posò i due bicchieri e le prese le mani. « Deputata Smith », disse con finta serietà, « la imploro rispettosamente di dare il suo voto favorevole al matrimonio con Phil Sawyer. »

Gli occhi di Loren assunsero un'espressione assorta. Sebbene fosse stata sicura che quel momento sarebbe arrivato, era ancora incerta sulla risposta. Sawyer interpretò la sua esitazione nel modo sbagliato.

«So quel che pensi», disse dolcemente. «Ti stai chiedendo che cosa sarebbe vivere con un addetto stampa presidenziale disoccupato, giusto? Bene, puoi stare tranquilla. So da fonte attendibile che i dirigenti del partito vogliono presentarmi candidato al Senato per il mio stato alle prossime elezioni.»

«In questo caso», disse Loren con fermezza, «la vittoria va ai sì.»

Sawyer non si accorse del disagio negli occhi di Loren. Le prese la testa fra le mani e la baciò delicatamente sulle labbra. La stanza parve offuscarsi e il profumo femminile che esalava dal corpo di Loren lo avvolse. Si sentiva stranamente in pace mentre le affondava il viso fra i seni.

Più tardi, quando Sawyer, esausto, si fu addormentato, Loren pianse. Aveva tentato con tutta la sua anima. S'era impegnata; aveva persino emesso dalla gola gli attesi suoni animaleschi. Ma non era servito a nulla. Mentre facevano l'amore con violenza aveva continuato a paragonare Sawyer a Pitt. Non c'era un modo per spiegare la differenza secondo logica. Tutti e due le davano le stesse sensazioni, ma Pitt la trasformava in una belva scatenata e instancabile, mentre Sawyer la lasciava vuota e insoddisfatta.

Affondò la faccia nel cuscino per soffocare i singhiozzi. «Accidenti a te, Dirk Pitt», disse in silenzio. «Accidenti a te.»

«Non so bene quale delle due storie sia la più pazzesca», disse Pitt. «La sua o la mia.»

Jarvis scrollò le spalle. «E chi può dirlo? La possibilità più atroce è che le sue testate della Morte Rapida e la mia Operazione Rosa Selvatica potrebbero abbinarsi.»

«Un attacco contro una grande città costiera degli Stati Uniti con una corazzata, compiuta da neri sudafricani che si spacciano per terroristi dell'ERA? È una follia.»

«Si sbaglia», ribatté Jarvis. «Al contrario, è un piano geniale. Poche bombe piazzate qua e là, o un altro dirottamento aereo, non indurrebbero una nazione intera a vedere rosso. Ma una vecchia corazzata con le bandiere al vento che fa piovere esplosivi su una popolazione indifesa... sarebbe veramente sensazionale. »

« Quale città? »

« Non è specificato. È una parte del piano che rimane misteriosa. »

« Per fortuna manca l'ingrediente principale. »

« Una corazzata », disse Jarvis.

« Ha detto che sono state tolte tutte dal servizio attivo. »

« L'ultima è stata venduta a prezzo di rottame diversi mesi fa. Tutte le altre sono monumenti nazionali non operativi. »

Pitt guardò fuori per un momento. « Ricordo di aver visto una corazzata attraccata in una cala della baia di Chesapeake poche settimane fa. »

« Molto probabilmente era un incrociatore lanciamissili », opinò Jarvis.

« No, sono certo che aveva tre torri massicce », ribatté Pitt con fermezza. « Ero diretto a Savannah e l'aereo l'ha sorvolata prima di virare verso sud. »

Jarvis non era convinto. « Non ho motivo di dubitare dell'attendibilità delle mie informazioni. Tuttavia, nell'interesse della Sicurezza, farò controllare il suo avvistamento. »

« C'è anche un'altra cosa », disse Pitt. Si alzò dalla poltrona e si avvicinò a uno scaffale dove stavano alcune enciclopedie. Prese un volume rilegato in pelle e lo sfogliò.

« Le è venuto in mente qualcosa d'altro? » chiese Jarvis.

« L'Operazione Rosa Selvatica », rispose Pitt.

« Sì? »

« Il nome. Può indicare qualcosa? »

« Raramente i nomi in codice hanno un preciso significato », disse Jarvis. « Potrebbe tradirli. »

« Sono pronto a scommettere una bottiglia di vino d'annata che questo ce l'ha. »

Pitt mostrò il libro, aperto a una mappa. Jarvis inforcò gli occhiali da lettura e diede un'occhiata.

«D'accordo, l'Iowa è detto l'Hawkeye State. E con ciò?»

Pitt indicò un punto a metà della pagina di destra. «Il fiore che simboleggia lo stato dell'Iowa», disse a voce bassa, «è la rosa selvatica.»

Jarvis impallidì. «Ma la corazzata *Iowa* è stata mandata alla demolizione.»

«È stata demolita, oppure venduta per esser demolita?» ribatté Pitt. «C'è parecchia differenza.»

La fronte di Jarvis si corrugò per la preoccupazione.

Pitt lo guardò e lasciò che continuasse a preoccuparsi per qualche istante. «Se fossi al suo posto, darei una controllata a tutti i cantieri navali situati sulla costa occidentale della baia di Chesapeake, dalla parte del Maryland.»

«Il suo telefono.» Era un ordine più che una richiesta.

Pitt lo indicò in silenzio.

Jarvis compose un numero. Poi, mentre attendeva la risposta, chiese a Pitt: «Ha una macchina che non sia un pezzo d'antiquariato?»

«Ce n'è una della NUMA parcheggiata qui fuori.»

«Sono arrivato in tassì», disse Jarvis. «Mi farebbe questo favore?»

«Mi dia un minuto di tempo per ripulirmi», rispose Pitt.

Quando uscì dal bagno trovò Jarvis che lo aspettava alla porta. «Aveva ragione. Ieri la corazzata *Iowa* era attraccata al Forbes Marine Scrap and Salvage Yard, un cantiere di recupero e demolizioni del Maryland.»

«Lo conosco», disse Pitt. «Si trova pochi chilometri più in basso dell'imboccatura del fiume Patuxent, partendo dalla baia.»

51.

MENTRE Pitt guidava la macchina sotto la pioggia, Jarvis sembrava ipnotizzato dal movimento del tergicristallo. Finalmente i suoi occhi si misero a fuoco. Indicò la strada con un gesto casuale. « Immagino che la prossima cittadina sia Lexington Park. »

« Sì, fra sei chilometri e mezzo », rispose Pitt senza voltarsi.

« C'è una stazione di servizio aperta tutta la notte, alla periferia », continuò Jarvis. « Si fermi davanti alla cabina telefonica. »

Dopo qualche minuto i fari inquadrarono il cartello che indicava l'ingresso in Lexington Park. Dopo meno di un chilometro e mezzo, al di là di un'ampia curva, una stazione di servizio illuminatissima attirava l'attenzione nella notte piovosa. Pitt svoltò e parcheggiò davanti a una cabina telefonica esterna.

L'inserviente stava al caldo e all'asciutto nell'ufficio, con i piedi appoggiati a una vecchia stufa a nafta. Posò la rivista e per un paio di minuti osservò insospettito Pitt e Jarvis attraverso i vetri rigati dalla pioggia. Poi, quando si convinse che non si comportavano come due rapinatori, tornò a dedicarsi alla lettura. La luce della cabina telefonica si spense e Jarvis riprese posto in fretta sul sedile del passeggero.

« Qualche novità? » chiese Pitt.

Jarvis annuì. « I miei collaboratori sono entrati in possesso di un'informazione scoraggiante. »

« Le brutte notizie e il brutto tempo vanno sempre insieme », commentò Pitt.

« L'*Iowa* è stata cancellata dai ruoli della Marina e messa all'asta come residuato. Se l'è aggiudicata un'azienda che si chiama Walvis Bay Investment Corporation. »

« Mai sentita nominare. »

« È una prestanome dell'Esercito Rivoluzionario Africano. »

Pitt sterzò leggermente per evitare una profonda pozzanghera in mezzo alla strada. « È possibile che Lusana abbia mandato a vuoto i sogni del ministero della Difesa sudafricano offrendo di più all'asta per la nave? »

« Ne dubito. » Jarvis rabbrividiva per il freddo umido e teneva le mani sul bocchettone del riscaldamento. « Sono convinto che sia stato il ministero della Difesa sudafricano ad acquistare l'*Iowa* e a concludere l'affare sotto il nome della Walvis Bay Investment. »

« Non crede che Lusana ne sappia qualcosa? »

« Non è possibile », rispose Jarvis. « C'è l'abitudine di tenere segreti i nomi dei partecipanti all'asta, se questi lo richiedono. »

« Cristo », borbottò Pitt. « La vendita delle testate dalla Phalanx Arms all'ERA... »

« Se continueremo a scavare ancora un po' », disse Jarvis con voce tesa, « temo proprio che scopriremo che Lusana e l'ERA non hanno avuto niente a che vedere neppure con quell'acquisto. »

« Ecco il cantiere Forbes, proprio là avanti », disse Pitt.

L'alta recinzione che circondava il cantiere iniziava e procedeva parallela alla strada. Arrivato al cancello principale, Pitt frenò, fermandosi davanti a un cavo che bloccava l'entrata. Attraverso la pioggia era impossibile scorgere la nave. Anche le grosse gru erano perdute nell'oscurità. La guardia si accostò alla portiera, dalla parte di Pitt, prima ancora che questi abbassasse il vetro del finestrino.

« Desidera, signore? » chiese cerimoniosamente.

Jarvis si tese e mostrò i documenti. « Vorremmo avere la conferma della presenza dell'*Iowa* in questo cantiere. »

« Può credermi, signore, è in fondo al molo. Da quasi sei mesi sono in corso i lavori di ristrutturazione. »

Pitt e Jarvis si scambiarono un'occhiata preoccupata.

« Ho l'ordine di non far passare nessuno senza un'autorizzazione dei dirigenti della società », continuò la guardia. « Purtroppo dovrete aspettare fino a domattina per visitare la nave. »

Jarvis avvampò di collera. Ma, prima che avesse il tempo di protestare ufficialmente, un'altra macchina si avvicinò e ne scese un uomo in smoking.

« C'è qualche problema, O'Shea? » chiese.

« Questi signori vogliono entrare nel cantiere », rispose la guardia. « Ma non hanno il lasciapassare. »

Jarvis scese in fretta e si avvicinò allo sconosciuto. « Sono Jarvis, della direzione della National Security Agency, e questo signore è Dirk Pitt della NUMA. Dobbiamo assolutamente ispezionare l'*Iowa* con la massima urgenza. »

« A quest'ora di notte? » mormorò il nuovo venuto con aria confusa, mentre esaminava i documenti di Jarvis alla luce di riflettori. Poi parlò alla guardia.

« Tutto a posto, falli passare. » Si rivolse di nuovo a Jarvis. « Il percorso per arrivare al molo è un po' complicato. Sarà meglio che venga con voi. A proposito, sono Metz, Lou Metz, sovrintendente del cantiere. »

Metz tornò alla macchina e disse qualcosa alla donna che era a bordo. « Mia moglie », spiegò poi. « È l'anniversario del nostro matrimonio. Eravamo usciti a festeggiare, e prima di tornare a casa sono passato dal cantiere per ritirare certi progetti. »

O'Shea sganciò il cavo e lo lasciò cadere sul terreno bagnato. Fece cenno a Pitt di aspettare e si accostò al finestrino. « Se vede l'autista dell'autobus, signor Metz, gli domandi perché tarda a partire. »

Metz sembrava sorpreso. « Quale autista? »

« È arrivato stasera verso le sette con un carico di una settantina di neri che dovevano raggiungere l'*Iowa*. »

« E li hai lasciati passare? » chiese incredulo Metz.

« Avevano tutti il permesso, incluso l'autista del camion che è entrato dopo di loro. »

« Fawkes! » esclamò irritato Metz. « Che sta combinando quel pazzo scozzese? »

Pitt innestò la marcia e avanzò all'interno del cantiere. « Chi è Fawkes? » chiese.

« Il comandante Patrick McKenzie Fawkes », disse Metz. « Già della Marina britannica ora in pensione. Non ha nascosto il fatto che un gruppo di terroristi di colore lo ha ingaggiato perché ristrutturasse la nave. È più matto d'un capriolo, quello. »

Jarvis si voltò a guardarlo. « Perché? »

« Ha fatto disperare me e i miei uomini per fare un intervento completo di chirurgia estetica alla nave. Ha fatto togliere quasi tutto, e rimpiazzare metà delle sovrastrutture con sagome di legno. »

« L'*Iowa* non era stata progettata per galleggiare come un turacciolo », commentò Pitt. « Se la galleggiabilità e il centro di gravità vengono modificati in modo drastico, potrebbe capovolgersi in una tempesta. »

« Lo dice a me? » borbottò Metz. « Ho discusso per mesi con quel testone. Ma è stato completamente inutile. Ha preteso addirittura che rimuovessi due turbine funzionanti della General Electric e sigillassi i pistoni. » Tacque per un momento, poi batté la mano sulla spalla di Pitt. « Svolti a destra al primo mucchio di lastre d'acciaio, poi giri a sinistra al binario della gru mobile. »

La temperatura si era abbassata e la pioggia stava diventando gelida. Nella luce dei fari si materializzarono due grosse ombre squadrate. « L'autobus e il camion », disse Pitt. Fermò la macchina, ma lasciò accesi il motore e i fari.

« Non c'è traccia degli autisti », notò Jarvis.

Pitt prese una torcia elettrica dalla tasca della portiera e scese. Jarvis lo seguì, ma Metz corse via nella notte senza dire una parola. Pitt puntò il fascio luminoso all'interno dell'autobus, poi del camion. Erano vuoti.

Pitt e Jarvis girarono intorno ai veicoli deserti e trovarono Metz che stava immobile con i pugni stretti lungo i fianchi. La giacca dello smoking era fradicia di pioggia, i capelli incollati alla testa. Sembrava un annegato riportato in vita.

« L'*Iowa*? » chiese Jarvis.

Metz agitò convulsamente le braccia in direzione del buio. « Maledetto imbecille. »

« Chi? »

« *Quel maledetto scozzese l'ha portata via!* »

« Gesù! È sicuro? »

La faccia e la voce di Metz esprimevano sgomento e disperazione. « Non ho l'abitudine di perdere le corazzate. È rimasta ormeggiata qui durante tutti i lavori di ristrutturazione. » Poi scorse qualcosa e corse in fondo al molo. « Mio Dio, guardate! Le gomene d'ormeggio sono ancora legate alle bitte. Quei pazzi le hanno gettate dalla nave! Come se non avessero intenzione di ormeggiarla mai più. »

Jarvis si sporse a guardare le grosse gomene che sparivano nell'acqua color inchiostro. « È colpa mia. È stata una negligenza imperdonabile non credere a tutti gli indizi che si accumulavano. »

« Non possiamo avere la certezza che procederanno a un attacco », disse Pitt.

Jarvis scosse la testa. « Oh, lo faranno, ci può contare. » Poi, stancamente, si appoggiò a un pilone. « Se almeno ci avessero indicato una data e un obiettivo. »

« La data è sempre stata evidente », disse Pitt.

Jarvis lo guardò con aria interrogativa e attese.

« Ha detto che lo scopo dell'attacco è ispirare simpatia per i bianchi sudafricani e suscitare l'indignazione dell'America contro i rivoluzionari neri », continuò Pitt. « E oggi è il giorno ideale. »

« Sono le zero e cinque di mercoledì mattina. » La voce di Jarvis era nervosa. « E con ciò? »

« L'ideatore dell'Operazione Rosa Selvatica è dotato d'un grande tempismo », fece presente Pitt in tono ironico. « Oggi è il 7 dicembre, l'anniversario di Pearl Harbor. »

PARTE QUINTA

L'»IOWA«

52.

Pretoria, Sud Africa
7 dicembre 1988

Pieter De Vaal era solo nel suo ufficio al ministero della Difesa e leggeva un libro. Era sera e la luce dell'estate filtrava dalle finestre ad arco. Bussarono con discrezione alla porta.

De Vaal non alzò gli occhi dalla lettura.

« Sì? »

Entrò Zeegler. « Siamo stati informati che Fawkes ha iniziato l'operazione. »

L'espressione di De Vaal non tradì il minimo interesse. Posò il libro e porse un foglio a Zeegler. « Si accerti che l'ufficiale addetto alle comunicazioni invii personalmente questo messaggio al Dipartimento di Stato americano. »

Ho il dovere di avvertire il suo governo di un imminente attacco contro le vostre coste da parte di terroristi dell'Esercito Rivoluzionario Africano al comando del comandante Patrick Fawkes, già della Marina britannica. Sono sinceramente addolorato per il ruolo che il mio governo può aver avuto involontariamente in questa infamia gravissima.

ERIC KOERTSMANN
primo ministro

« Ha riconosciuto la responsabilità in nome del nostro primo ministro che è completamente all'oscuro dell'Operazione Rosa Selvatica », disse Zeegler, sbalordito. « Posso chiederle perché? »

De Vaal intrecciò le dita e lo fissò. « Non vedo alcun motivo per discutere i particolari. »

« Allora posso chiederle, almeno, perché ha gettato Fawkes ai lupi? »

296

Il ministro riprese a leggere il libro con un gesto di commiato. «Provveda a far partire il messaggio. Le sue domande troveranno una risposta al momento opportuno.»

«Abbiamo promesso a Fawkes che avremmo cercato di portarlo in salvo», insistette Zeegler.

De Vaal sospirò, spazientito. «Fawkes sapeva di essere spacciato nel momento in cui ha accettato di comandare l'attacco.»

«Se sopravvivrà e se parlerà alle autorità americane, la sua confessione sarà disastrosa per il nostro governo.»

«Stia tranquillo, colonnello», assicurò De Vaal con un sorriso maligno. «Fawkes non vivrà abbastanza a lungo per parlare.»

«Mi sembra molto sicuro, ministro.»

«E infatti lo sono», rispose con calma De Vaal. «Lo sono veramente.»

Nelle viscere dell'*Iowa* una figura infagottata in una tuta unta e in una pesante giacca di lana passò da un corridoio a quella che un tempo era l'infermeria di bordo. Si chiuse la porta alle spalle e si trovò in un'oscurità soffocante. Puntò la torcia elettrica e girò il fascio luminoso nell'ambiente sventrato. Molte paratie erano state asportate ed Emma aveva l'impressione di trovarsi in un'immensa caverna.

Convinto di essere solo, s'inginocchiò ed estrasse un'arma dall'interno della giacca. Avvitò un silenziatore alla canna e inserì nel calcio un caricatore da venti colpi.

Puntò la 27.5 Hocker-Rodine automatica nell'oscurità e premette il grilletto. Un *piff* appena percettibile fu seguito da due tonfi smorzati quando il proiettile rimbalzò contro le paratie invisibili.

Soddisfatto del risultato, si fissò l'arma al polpaccio destro con un largo cerotto. Poi, dopo aver fatto qualche passo per accertarsi che fosse ben sistemata, Emma spense la torcia elettrica, tornò nel corridoio e si avviò verso la sala macchine.

53

CARL SWEDBORG, comandante del peschereccio *Molly Bender*, batté sul barometro con le nocche, lo osservò stoicamente per un momento, poi si avvicinò al tavolo delle carte nautiche e prese la tazza di caffè. Visualizzò mentalmente il corso del fiume mentre beveva e guardava il ghiaccio che si accumulava sul ponte. Detestava le notti lugubri e fredde. L'umidità gli penetrava nelle ossa di settantenne, tormentandogli le giunture. Avrebbe dovuto andare in pensione già dieci anni prima; ma, dato che la moglie era morta e i figli erano sparsi un po' in tutti gli Stati Uniti, non avrebbe sopportato di restare solo in una casa vuota. Fino a quando fosse riuscito a trovare un imbarco, avrebbe continuato a navigare fino alla morte.

« Almeno la visibilità è a quattrocento metri », disse distrattamente.

« Ho visto di peggio, molto peggio. » Era Brian Donegal, un immigrato irlandese alto e scarmigliato che stava al timone. « È meglio trovare il maltempo all'uscita, piuttosto che al ritorno. »

« Sono d'accordo », annuì Swedborg in tono asciutto. Rabbrividì e finì di abbottonarsi il giaccone scozzese. « Bada al timone e tieniti ben a sinistra della boa del canale di Ragged Point. »

« Non agitarti, comandante. Il mio naso irlandese è capace di fiutare le boe come un segugio. »

Le chiacchiere baldanzose di Donegal non mancavano mai di strappare un sorriso a Swedborg, che incurvò le labbra involontariamente mentre adottava un tono di finta severità. « Preferisco che adoperi gli occhi. »

La *Molly Bender* aggirò Ragged Point e continuò a scendere il fiume, passando accanto alle boe luminose che indicavano il canale e si succedevano come lampioni lungo un viale fradicio di pioggia. Le luci della riva brillavano smorzate sotto il nevischio sempre più fitto.

« C'è qualcuno che risale il canale », annunciò Donegal.

Swedborg prese un binocolo e guardò oltre la prua. « La nave di testa ha tre luci bianche. Quindi è un rimorchiatore in servizio. È troppo buio per distinguere il contorno, ma deve trainare parecchi natanti. Riesco a vedere le due luci bianche dell'ultimo, in linea, circa trecento metri a poppa del rimorchiatore. »

« Siamo su una rotta di collisione, comandante. Le luci dell'albero maestro sono in linea con la nostra prua. »

« Cosa ci fa quel bastardo sulla nostra parte del fiume? » si chiese Swedborg a voce alta. « Che imbecille! Non sa che due imbarcazioni che si avvicinano devono tenersi sulla loro dritta del canale? Ha invaso il nostro lato. »

« Noi possiamo manovrare più facilmente », fece notare Donegal. « Sarà meglio che lo avvertiamo e passiamo dall'altra parte. »

« D'accordo, Donegal. Vira a sinistra e fischia due volte per segnalare le nostre intenzioni. »

Il rimorchiatore non rispose. E le sue luci, così almeno sembrava a Swedborg, si avvicinavano molto più rapidamente di quanto fosse prevedibile, molto più rapidamente di quanto potesse fare un rimorchiatore che trainasse tante chiatte.

Poi Swedborg inorridì quando lo vide deviare in direzione della nuova rotta del *Molly Bander*.

« Dai! Quattro fischi rapidi! » gridò.

Era il segnale di pericolo in uso nell'Inland Waterway, e si lanciava quando non si capiva la rotta di un altro mezzo o le sue intenzioni.

Due degli uomini dell'equipaggio, svegliati dai fischi, entrarono storditi nella timoniera e rimasero di sasso quando videro le luci dello sconosciuto rimorchiatore... che non si comportava affatto come tale.

Nei pochi secondi che ancora restavano, Swedborg prese un megafono e gridò nella notte: «Ehi! Virate a sinistra!»

Fu come se avesse parlato a un fantasma. Nessuno rispose, e dall'oscurità gelida non uscì neppure un fischio. Le luci continuarono ad avanzare implacabili verso il peschereccio indifeso.

Swedborg si rese conto che la collisione era inevitabile e si aggrappò all'intelaiatura del finestrino. Donegal, deciso a lottare fino all'ultimo, fece macchina indietro e girò il timone verso dritta.

L'ultima cosa che videro fu una mostruosa prua grigia che torreggiava nel nevischio sopra la timoniera, un massiccio cuneo d'acciaio con il numero 61.

Poi il piccolo peschereccio fu stritolato e inghiottito dalle acque gelide del fiume.

Pitt fermò la macchina davanti al cancello della Casa Bianca. Jarvis, che stava per scendere, si voltò a guardarlo. «Grazie per la collaborazione», disse sinceramente.

«E adesso?» chiese Pitt.

«E adesso ho il compito molto sgradevole di tirare giù dal letto il presidente e i capi di Stato Maggiore», disse Jarvis con un sorriso stanco.

«Posso fare qualcosa per rendermi utile?»

«No. Ha fatto già più del suo dovere. Adesso tocca al Dipartimento della Difesa continuare la partita.»

«Le testate della Morte Rapida», si raccomandò Pitt. «Mi assicura che saranno distrutte quando la nave verrà localizzata e sequestrata?»

«Io posso solo dirle che tenterò. A parte questo, non prometto niente.»

«Non basta», insisté Pitt.

Jarvis era troppo stanco per discutere. Scrollò le spalle, come se non si curasse più di nulla. «Mi dispiace, ma è così che stanno le cose.» Poi sbatté la portiera, mostrò il pass alla guardia al cancello e sparì.

Pitt girò la macchina e svoltò in Vermont Avenue. Dopo circa tre chilometri vide un caffè aperto e si fermò nel parcheggio.

Ordinò una tazza di caffè alla cameriera che sbadigliava, andò al telefono e fece due chiamate. Poi finì il caffè, pagò e uscì.

54.

HEIDI MILLIGAN gli andò incontro quando Pitt entrò nell'ospedale della Marina di Bethesda. I capelli biondi erano seminascosti da un foulard e, nonostante l'espressione stanca degli occhi, appariva vibrante e stranamente giovanile.

« Come sta l'ammiraglio Bass? » chiese Pitt.

Heidi gli rivolse un'occhiata tesa. « Walt tira avanti. È un duro. Ce la farà. »

Pitt non le credette. Heidi si aggrappava a un ultimo filo di speranza e cercava di mostrarsi coraggiosa. Le passò il braccio intorno alla vita e la condusse lungo il corridoio.

« Può parlare con me? »

Lei annuì. « I dottori non sono entusiasti dell'idea; ma Walt ha insistito dopo che gli ho riferito il suo messaggio. »

« Non l'avrei disturbato se non fosse tanto importante », spiegò Pitt.

Heidi lo guardò negli occhi. « Capisco. »

Arrivarono alla porta, e lei aprì. Indicò a Pitt di avvicinarsi al letto dell'ammiraglio.

Pitt detestava gli ospedali. L'odore dolciastro dell'etere, l'atmosfera deprimente, l'atteggiamento sbrigativo di medici e infermiere gli davano sui nervi. Aveva deciso già da molto tempo: quando fosse toccato a lui, sarebbe morto nel suo letto, a casa.

La decisione si rafforzò quando vide per la prima volta l'ammiraglio dopo il Colorado. Il pallore cereo del volto del vecchio non era molto diverso dal colore candido del cuscino, e il respiro ansante risuonava all'unisono con il sibilo del respiratore. C'erano tubicini che gli penetravano nelle braccia o sparivano sotto le lenzuola per alimentare l'organismo e asportare le escrezioni. La figura un tempo muscolosa s'era rattrappita.

Un medico andò incontro a Pitt e gli toccò il braccio. « Temo che non abbia la forza di parlare. »

Bass girò leggermente la testa verso Pitt e fece un gesto fiacco con una mano. « Si avvicini, Dirk », mormorò con voce rauca.

Il medico si arrese con una scrollata di spalle. « Resterò qui vicino per ogni eventualità. » Poi uscì nel corridoio e chiuse la porta.

Pitt accostò una sedia al letto e si chinò verso l'orecchio di Bass. « Il proiettile della Morte Rapida », disse. « Come funziona durante la traiettoria? »

« Forza centrifuga... rigatura. »

« Capisco », rispose Pitt a voce bassa. « La rigatura interna del cannone fa ruotare il proiettile e crea una forza centrifuga. »

« Attiva un generatore... che a sua volta attiva un piccolo radaraltimetro... »

« Allude a un altimetro barometrico? »

« No... non funzionerebbe », sussurrò Bass. « I proiettili pesanti della Marina hanno un'alta velocità e una traiettoria piatta... troppo bassa per un'esatta lettura barometrica... è necessario il radar per avere il segnale al suolo. »

« Non mi sembra possibile che un radaraltimetro possa sopravvivere alla forza di gravità che si sviluppa quando spara il cannone », obiettò Pitt.

Bass accennò un sorriso, con uno sforzo. « L'ho progettato io. Mi creda sulla parola... lo strumento sopravvive alla pressione iniziale quando esplode la carica. »

L'ammiraglio chiuse gli occhi e rimase immobile, esausto per lo sforzo. Heidi si accostò e posò la mano sulla spalla di Pitt.

« Forse dovrebbe tornare nel pomeriggio. »

Pitt scosse la testa. « Allora sarebbe troppo tardi. »

« Lo ucciderà », disse Heidi, con gli occhi pieni di lacrime e una smorfia di collera.

La mano di Bass si mosse lentamente sulle coperte e strinse il polso di Pitt. Gli occhi si aprirono. « Avevo bisogno di un momento per riprendere fiato... Non se ne vada... È un ordine. »

Heidi vide l'espressione angosciata negli occhi di Pitt e indietreggiò. Pitt si chinò di nuovo verso l'ammiraglio.

« E poi che cosa succede? »

« Quando il proiettile supera il suo zenit e incomincia a scendere verso terra, l'indicatore onnidirezionale dell'altimetro prende a segnalare la diminuzione della quota... »

La voce di Bass si smorzò. Pitt attese, paziente.

« A quattrocentocinquanta metri si apre un paracadute. Rallenta la discesa del proiettile e attiva un piccolo congegno esplosivo. »

« Il paracadute si apre a quattrocentocinquanta metri », ripeté Pitt.

« A trecento metri l'ordigno esplode e spacca la testa del proiettile, liberando una massa di minuscole bombe contenenti il microrganismo della Morte Rapida. »

Pitt si assestò sulla sedia e rifletté sulla descrizione dell'azione del proiettile. Guardò negli occhi velati di Bass.

« Il fattore tempo, ammiraglio. Quanto passa fra l'apertura del paracadute e la dispersione dell'MR? »

« Sono trascorsi troppi anni... non riesco a ricordare. »

« Tenti, la prego », l'implorò Pitt.

Bass stava declinando in fretta. Si sforzava di rimettere in marcia l'attività cerebrale, ma le cellule reagivano torpidamente. Poi il volto contratto si distese. Sussurrò: « Credo... non sono sicuro... trenta secondi... la discesa è di circa cinque metri e mezzo al secondo... »

« Trenta secondi? » incalzò Pitt, per ottenere la conferma.

La mano di Bass gli lasciò il polso e ricadde sulle coperte. L'ammiraglio chiuse gli occhi e sprofondò nel coma.

55.

L'UNICO danno riportato dall'*Iowa* quando aveva speronato il *Molly Bender* era qualche graffio alla vernice della poppa. Fawkes non aveva sentito il minimo urto. Se avesse virato bruscamente verso sinistra avrebbe potuto scongiurare la tragedia. Ma in quel caso avrebbe allontanato la corazzata dalla parte centrale del canale e l'avrebbe fatta arenare.

Aveva bisogno di tutto lo spazio possibile che poteva tenere fra il letto del fiume e lo scafo dell'*Iowa*. Dopo i mesi passati ad asportare migliaia di tonnellate d'acciaio non indispensabili, la nave s'era sollevata dall'immersione operativa di undici metri e mezzo a circa sei metri e settanta; e Fawkes aveva un margine ridottissimo. Le grandi eliche stavano già alzando il fango del fondo che intorbidiva per chilometri la scia della corazzata.

Le innumerevoli ricognizioni che Fawkes aveva compiuto al buio sul fiume per sondare ogni spanna e segnare ogni boa e ogni secca davano adesso il loro frutto. Mentre il nevischio calava d'intensità, riuscì a scorgere la boa illuminata al centro del canale, al largo dell'isola St. Clement; dopo un paio di minuti captò i rintocchi sepolcrali della campana e fu come se ascoltasse un vecchio amico. Si asciugò sulle maniche i palmi sudati, uno dopo l'altro. Ora iniziava la parte più complessa.

Da quando avevano tolto gli ormeggi, Fawkes s'era preoccupato per il pericolo rappresentato dalle secche di Kettle Bottom, un tratto di fiume lungo una decina di chilometri, un labirinto di barene che potevano imprigionare lo scafo dell'*Iowa* e bloccarla a pochi chilometri dalla destinazione.

Staccò una mano dal timone e prese un microfono. « Voglio un rapporto continuo sulla profondità. »

«Sì, comandante», rispose una voce stridula attraverso l'altoparlante.

Tre ponti più sotto, due dei neri fecero a turno nel comunicare le profondità che apparivano sul quadrante modificato dell'apparecchio. Davano i risultati in piedi, anziché in braccia com'era consueto.

«Ventisei piedi... venticinque... ventiquattro.»

Le secche di Kettle Bottom incominciavano a rivelare la loro presenza e le grosse mani di Fawkes stringevano le caviglie del timone come se vi fossero incollate.

In sala macchine, Emma si dava vistosamente da fare per aiutare i pochi uomini dell'equipaggio che avevano il compito di far funzionare la la mastodontica unità. Erano tutti madidi di sudore mentre si sforzavano di sbrigare compiti che normalmente richiedevano un numero di uomini cinque volte superiore. La rimozione di due apparati motori era servita a qualcosa, ma c'era sempre troppo da fare, soprattutto quando si teneva conto del doppio ruolo che dovevano svolgere, prima come macchinisti e poi, quando fosse venuto il momento, come artiglieri.

Emma, che non amava la fatica fisica, si rendeva utile distribuendo grandi borracce d'acqua. In quell'inferno fumante nessuno sembrava notare la sua faccia sconosciuta; erano troppo contenti di tracannare l'acqua che andava a sostituire quella perduta con la sudorazione.

Lavoravano alla cieca, senza sapere mai che cosa succedeva al di là della corazza d'acciaio dello scafo, senza conoscere dove li portava la nave. Quando erano saliti a bordo, Fawkes aveva detto soltanto che avrebbero fatto una breve crociera di collaudo per dare una scrollata alle vecchie macchine e sparare qualche bordata. Immaginavano che stessero per uscire dalla baia e per avventurarsi nell'Atlantico. Perciò rimasero sbalorditi quando all'improvviso la nave tremò e lo scafo incominciò a scricchiolare, protestando sotto i loro piedi.

L'*Iowa* aveva speronato una secca. L'attrito esercitato dal fango aveva ridotto in modo drastico la sua velocità, ma continuava ad avanzare. Dal ponte arrivò l'ordine: « Avanti tutta ». I due enormi pistoni aumentarono le rivoluzioni mentre le macchine si impegnavano con tutta la potenza dei loro 106.000 cavalli vapore.

Le facce degli uomini in sala macchine rispecchiavano confusione e sbalordimento. Avevano creduto di essere in acque profonde.

Charles Shaba, il capo macchinista, chiamò la plancia. « Comandante, ci siamo arenati? »

« Sì, figliolo, abbiamo sfiorato una secca che non figurava nelle carte », rispose la voce tonante di Fawkes. « Continuate a impegnarvi fino a quando l'avremo superata. »

Shaba non condivideva l'ottimismo di Fawkes. Aveva l'impressione che la nave proseguisse lentamente l'avanzata. Il ponte vibrava sotto i suoi piedi mentre le macchine parevano decise a schizzare via dai supporti. Poi, a poco a poco, sentì che il ritmo si normalizzava, come se le eliche addentassero di nuovo l'acqua. Dopo un minuto, Fawkes urlò dalla plancia:

« Di' ai ragazzi che siamo liberi. Siamo di nuovo in acque profonde ».

Gli uomini della sala macchine ripresero a svolgere i rispettivi compiti con sorrisi di sollievo. Un addetto alla lubrificazione attaccò un canto popolare; gli altri gli fecero coro, sullo sfondo del rombo delle grandi turbine.

Emma non si unì agli altri. Era l'unico a conoscere la verità sul viaggio dell'*Iowa*. Fra poche ore gli uomini che gli stavano intorno sarebbero morti. Avrebbero potuto salvarsi se il fondo piatto dell'*Iowa* fosse rimasto saldamente arenato nel fango della secca, ma non era così.

Fawkes era fortunato, pensò. Maledettamente fortunato. Fino a quel momento.

56.

IL presidente sedette in fondo al lungo tavolo per le conferenze nella sala situazioni dell'esecutivo, cento metri sotto
la Casa Bianca, e guardò negli occhi Dale Jarvis. « È superfluo che glielo dica, Dale. L'ultima cosa di cui ho bisogno è una crisi negli ultimi giorni della mia amministrazione, soprattutto una crisi che non può attendere fino a domattina. »

Jarvis fremeva per il nervosismo. Il presidente era famoso per il suo temperamento vulcanico. Jarvis s'era trovato
presente in più di un'occasione, quando le famose orecchie che costituivano la felicità dei vignettisti politici avevano incominciato a farsi rosse per la collera. Jarvis, che
aveva poco da perdere a parte il posto, contrattaccò.

« Non ho l'abitudine di interrompere il suo riposo, signore, e neppure i sogni marziali dei capi di Stato Maggiore, se non quando ne ho un motivo maledettamente valido. »

Timothy March, il segretario della Difesa, trattenne il
respiro. « Credo che Dale voglia dire... »

« Voglia dire », l'interruppe Jarvis, « che in qualche posto, nella baia di Chesapeake, c'è un branco di pazzi scate-
nati, con un'arma biologica in grado di sterminare tutti gli
esseri viventi di una grande città e continuare il massacro
Dio sa per quante generazioni ancora. »

Il generale Curtis Higgins, presidente dei capi di Stato
Maggiore, gli rivolse un'occhiata dubbiosa. « Non conosco
armi che abbiano una potenza del genere. E comunque le
armi a gas del nostro arsenale sono state neutralizzate e distrutte anni fa. »

« Queste sono le panzane che raccontiamo all'opinione
pubblica », ribatté Jarvis. « Ma tutti i presenti sanno che
non è così. In realtà l'Esercito non ha mai smesso di produrre e immagazzinare armi chimico-biologiche. »

« Si calmi, Dale. » Le labbra del presidente erano stirate in un sogghigno. Trovava una specie di soddisfazione maliziosa quando i suoi subordinati cominciavano a litigare fra loro. Per alleviare l'atmosfera sovraccarica, si appoggiò alla spalliera della poltroncina e accavallò una gamba sul bracciolo. « Per il momento, propongo di accettare l'avvertimento di Dale come se fosse vangelo. » Si rivolse all'ammiraglio Joseph Kemper, il capo delle Operazioni Navali. « Joe, dato che a quanto sembra è una scorreria navale, rientra nella sua giurisdizione. »

Kemper non aveva l'aria del leader militare. Grasso, con i capelli bianchi, aveva l'aspetto del commesso di un grande magazzino. Guardò pensosamente gli appunti che aveva preso in fretta mentre Jarvis faceva il suo rapporto.

« Ci sono due fatti che confermano l'avvertimento del signor Jarvis. Primo, la corazzata *Iowa* è stata venduta alla Walvis Bay Investment. E le foto trasmesse dal satellite dimostrano che ieri sera era attraccata al cantiere Forbes. »

« E in questo momento? » chiese il presidente.

Kemper non rispose. Premette un tasto sul tavolo e si alzò. I pannelli di legno della parete di fronte si aprirono e rivelarono uno schermo di due metri e quaranta per tre. Kemper prese un telefono e ordinò: « Incominciamo ».

Un'immagine televisiva ad alta risoluzione, ripresa da una grande altezza, apparve sullo scherno. La nitidezza e il colore erano superiori a quelle delle immagini trasmesse da un comune televisore. La telecamera del satellite penetrava l'oscurità della prima mattina e la coltre di nubi come se non esistessero, e proiettava una veduta della costa orientale della baia di Chesapeake così chiara da sembrare una cartolina illustrata. Kemper si avvicinò allo schermo e indicò con la matita, in un movimento circolare.

« Qui si vede l'imboccatura del fiume Patuxent e il bacino appena all'interno di Drum Point a nord e di Hog Point a sud. » La matita rimase immobile per un momento. « Queste linee sono i moli del cantiere Forbes... Un punto a favore del signor Jarvis. Come può notare, signor presidente, non c'è traccia dell'*Iowa*. »

A un ordine di Kemper le telecamere incominciarono a inquadrare la parte superiore della baia. Mercantili; pescherecci e una fregata lanciamissili passarono uno dopo l'altro; ma non c'era nulla di somigliante alla sagoma imponente di una corazzata. Cambridge sulla sinistra dello schermo; poi l'Accademia Navale di Annapolis sulla sinistra; il ponte a pedaggio sotto Sandy Point, e poi via, risalendo il fiume Patapsco fino a Baltimora.

« A sud che cosa c'è? » chiese il presidente.

« Se si esclude Norfolk, non ci sono città di dimensioni notevoli per quasi cinquecento chilometri. »

« Suvvia, signori. Neppure Merlino e Houdini messi insieme riuscirebbero a far sparire una corazzata. »

Prima che qualcuno potesse aggiungere qualcosa, un assistente della Casa Bianca entrò nella sala e posò un foglio davanti al presidente.

« È appena arrivato dal Dipartimento di Stato », annunciò quest'ultimo mentre esaminava il messaggio. « È un comunicato del primo ministro sudafricano Koertsmann. Ci avverte di un attacco imminente contro gli Stati Uniti continentali a opera dell'ERA e si scusa per ogni eventuale coinvolgimento del suo governo. »

« Non ha senso che Koertsmann accenni alla possibilità di un coinvolgimento con il nemico », notò March. « Avrei immaginato che negasse *qualunque* legame. »

« Con ogni probabilità vuole coprirsi le spalle », ipotizzò Jarvis. « Koertsmann deve sospettare che l'Operazione Rosa Selvatica sia caduta nelle nostre mani. »

Il presidente continuava a guardare il foglio come se non volesse accettare la verità agghiacciante.

« A quanto sembra », disse in tono solenne, « sta per scatenarsi l'inferno. »

La parte superiore della plancia era stato l'unico errore di calcolo. La sovrastruttura dell'*Iowa* era troppo alta per passare sotto l'unico ostacolo artificiale esistente fra Fawkes e il suo obiettivo. Lo spazio verticale era inferiore d'un metro a quello che aveva immaginato.

Più che vedere, sentì la struttura di compensato della centrale di tiro staccarsi dalla piattaforma di prua dopo essersi schiantata contro la campata del ponte.

Howard McDonald frenò bruscamente e si fermò con una sbandata, rovesciando le casse delle bottiglie di latte a bordo del furgone. McDonald, che stava attraversando il ponte a pedaggio Harry W. Nice per incominciare il giro delle consegne del latte a domicilio, ebbe l'impressione che un aereo fosse andato a sbattere contro le travature di supporto proprio sopra il suo camioncino. Restò immobile per qualche istante, in preda allo shock, mentre i fari illuminavano una montagna di rottami che ostruivano le due corsie. Spaventato, scese a terra e si avvicinò. Pensava che avrebbe trovato qualche cadavere dilaniato in mezzo al relitto.

Invece scoprì soltanto assi sfasciate di legno grigio. Alzò lo sguardo verso il cielo coperto da nubi basse, ma vide soltanto la luce rossa di segnalazione per gli aerei che lampeggiava sulla campata principale. Si avvicinò al parapetto e guardò in basso.

Se si escludevano le luci di quello che sembrava un convoglio di chiatte e che stava scomparendo intorno a Mathias Point, verso nord, il canale era deserto.

57.

Pitt, Steiger e l'ammiraglio Sandecker stavano attorno a un tavolo da disegno nell'hangar di Pitt all'Aeroporto Nazionale di Washington ed esaminavano una mappa delle vie d'acqua dell'area. «Fawkes ha compiuto un'operazione di chirurgia estetica all'*Iowa* per una ragione valida», stava dicendo Pitt. «Ha innalzato di quattro metri e novanta la linea di galleggiamento.»

«È certo che la cifra sia esatta?» chiese Sandecker. «Così rimane un pescaggio di sei metri e settanta.» Scosse la testa. «Mi sembra incredibile.»

«Me l'ha fornita uno che dovrebbe saperlo», rispose Pitt. «Mentre Dale Jarvis parlava al telefono con la sede centrale dell'NSA, ho interrogato Metz, il dirigente del cantiere. E ha giurato che le misure sono precise.»

«Ma a che scopo?» disse Steiger. «Se ha tolto i cannoni e li ha sostituiti con sagome di legno, la nave è inutilizzabile.»

«La torre numero due e tutto l'equipaggiamento della centrale di tiro sono ancora al loro posto», spiegò Pitt. «Secondo Metz, l'*Iowa* può sparare una salva di proiettili da duemila libbre a una distanza di trentadue chilometri e centrare una botte.»

Sandecker accese pensierosamente un grosso sigaro; poi, quando fu certo che tirasse a dovere, lanciò verso il soffitto una nuvoletta di fumo azzurro e batté le nocche sulla mappa. «Il suo piano è pazzesco, Dirk. Ci stiamo immischiando in un conflitto che si svolge molto al di sopra delle nostre teste.»

«Non possiamo star qui a frignare senza far niente», riprese Pitt. «Gli strateghi del Pentagono convinceranno il presidente a far saltare in aria l'*Iowa* con il probabile risultato di spargere al vento l'MR, o a mandare una squadra all'abbordaggio per catturare i proiettili, con il proposito di incorporarli nell'arsenale dell'Esercito. »

« Ma a che serve un microrganismo patogeno se non è possibile controllarlo? » chiese Steiger.

« Può scommetterci, che tutti i biologi del paese verranno finanziati per cercare l'antidoto », rispose Pitt. « E, se uno ci riuscirà, allora un giorno, chissà quando e chissà dove, un generale o un ammiraglio si farà prendere dal panico e darà l'ordine di disperderlo. Io non vorrei invecchiare con la certezza di aver avuto una possibilità di salvare innumerevoli vite e di non averlo fatto. »

« Bel discorso », disse Sandecker. « Sono d'accordo. Ma noi tre non possiamo competere con il Dipartimento della Difesa in una corsa al recupero delle testate dell'MR. »

« Se potessimo infiltrare un uomo a bordo dell'*Iowa*, un uomo capace di disarmare il meccanismo dei proiettili e di far finire in acqua le minuscole bombe piene di microrganismi... » Pitt non concluse la frase.

« E quell'uomo sarebbe lei? » chiese Sandecker.

« Fra noi tre sono il più qualificato. »

« Si sta dimenticando di me, per caso? » disse Steiger in tono acido.

« Se tutti gli altri sistemi falliranno, avremo bisogno di un uomo efficiente ai comandi dell'elicottero. Mi dispiace, Abe, ma io non so pilotarlo, quindi l'eletto è lei. »

« Se la mette così », rispose Steiger con un sorriso ironico, « come posso rifiutare? »

« Tutto sta nello scovare l'*Iowa* prima dei ragazzi della Difesa », disse Sandecker. « Non è molto probabile, dato che quelli hanno il vantaggio dei satelliti da ricognizione. »

« E se sapessimo esattamente dove si sta dirigendo l'*Iowa*? » chiese Pitt con un sorriso.

« E come possiamo saperlo? » borbottò Steiger in tono scettico.

« Il pescaggio è rivelatore », rispose Pitt. « C'è una sola via d'acqua entro il raggio d'autonomia di Fawkes che richieda un pescaggio non superiore ai sei metri e settanta. »

Sandecker e Steiger rimasero in silenzio, impassibili, in attesa che Pitt si spiegasse.

«La capitale», disse Pitt in tono deciso. «Fawkes ha intenzione di risalire il Potomac con l'*Iowa* per colpire Washington.»

Fawkes aveva le braccia indolenzite, e il sudore della concentrazione gli scorreva sulla faccia segnata e sgocciolava nella barba. Se non fosse stato per i movimenti delle braccia, sarebbe sembrato una statua di bronzo. Si sentiva disperatamente stanco. Era al timone dell'*Iowa* da quasi dieci ore, e lottava per guidare la grande nave lungo canali che non avrebbe mai dovuto percorrere. I palmi delle mani erano costellati da vesciche scoppiate, ma non se ne curava. Era arrivato alla dirittura finale del viaggio impossibile. I lunghi, letali cannoni della torre numero due erano già a tiro di Pennsylvania Avenue e della Casa Bianca.

Chiese maggiore velocità attraverso l'interfono, e la vibrazione che saliva dalle viscere della nave divenne più forte. Come un vecchio cavallo da guerra al suono delle trombe, l'*Iowa* affondava le eliche nel fiume fangoso e continuava a risalirlo costeggiando il Cornwallis Neck, sulla sponda del Maryland.

L'*Iowa* sembrava un mammut di un altro mondo; o meglio, somigliava a un mostro colossale emerso direttamente dal fondo dell'inferno. Avanzò più veloce, passando fra le boe del canale che si estendevano nella sua scia verso i primi barlumi dell'alba. Era come se avesse un cuore e un'anima, e sapesse che quello era il suo ultimo viaggio, e che stava per morire, ultima fra le corazzate operative.

Fawkes osservava affascinato il riflesso delle luci di Washington che si scorgeva una trentina di chilometri più avanti. La base dei Marine a Quantico si allontanò a poppa mentre la massa irresistibile dell'*Iowa* sfrecciava oltre Hallowing Point e superava Gunston Cove. Restava soltanto una curva prima che la sua prua entrasse nel canale rettilineo che terminava al campo di golf in East Potomac Park.

« Ventitré piedi », annunciò attraverso l'interfono la voce che segnalava la profondità. « Ventitré... ventidue e cinque... »

La nave superò un'altra boa. Le eliche fuori bordo a cinque pale, lunghe tre metri e mezzo, sferzavano i sedimenti del fondale, la prua sollevava spruzzi candidi mentre avanzava contro una corrente di cinque nodi.

« Ventidue piedi, comandante. » La voce aveva un tono urgente. « Ventidue, costante... costante... Oh, Dio, ventuno e cinque! »

Poi la nave urtò il fondo del fiume come un maglio che colpisce un cuscino. L'impatto fu una sensazione più intuita che percepita quando la prua affondò nel fango. Le macchine continuarono a rombare e le eliche a girare, ma l'*Iowa* rimase immobile.

S'era fermata ai piedi del pendio di Mount Vernon.

58.

« Non lo credevo possibile », disse l'ammiraglio Joseph Kemper mentre guardava con ammirazione l'immagine dell'*Iowa* sullo schermo. « È un'impresa straordinaria, far navigare una fortezza d'acciaio per quasi centocinquanta chilometri lungo un fiume stretto e tortuoso, nel cuore della notte. »

Il presidente era pensieroso. Si massaggiò le tempie. « Che sappiamo di quel Fawkes? »

« L'Ammiragliato britannico mi ha fornito lo stato di servizio del comandante Fawkes, e il signor Jarvis ha aggiunto altri dati tratti dagli schedari dell'NSA. »

Il presidente inforcò gli occhiali da lettura e aprì il fascicolo. Dopo qualche minuto alzò gli occhi verso Kemper. « Ottimi precedenti. Chi l'ha scelto per questo lavoro sapeva il fatto suo. Ma perché un uomo con un passato tanto rispettabile avrebbe dovuto lasciarsi coinvolgere in un'avventura pazzesca? »

Jarvis scosse la testa. « L'ipotesi più ragionevole è che la fine della moglie e dei figli massacrati dai terroristi gli abbia fatto perdere la testa. »

Il presidente rifletté sulle parole di Jarvis e si rivolse ai capi di Stato Maggiore. « Signori, aspetto le vostre proposte. »

Il generale Higgins scostò la sedia, si alzò e si avvicinò allo schermo. « I nostri pianificatori hanno programmato un certo numero di alternative, tutte basate sulla teoria che l'*Iowa* trasporti un agente biologico letale. Primo, possiamo mandare una squadriglia di F-21 Specter a reazione dell'Aeronautica a distruggere la corazzata con i missili Copperhead. L'attacco dovrebbe coincidere con l'intervento di unità dell'Esercito sulla terraferma. »

« Troppo incerto », disse il presidente. « Se la distruzione non sarà immediata e totale, rischieremmo di diffondere l'agente della Morte Rapida. »

« Secondo », continuò Higgins, « mandiamo una squadra di SEAL della Marina ad abbordare l'*Iowa* dal fiume e a occupare la sezione di poppa, dove c'è una piattaforma d'atterraggio per elicotteri. Poi le truppe d'assalto dei Marine potranno scendere e impadronirsi dell'intera nave. » Higgins tacque in attesa di un commento.

« E se la nave fosse impenetrabile », chiese Kemper, « in che modo riuscirebbero a entrare? »

Fu Jarvis a rispondere. « Secondo quelli del cantiere, quasi tutta la corazzata e le sovrastrutture dell'*Iowa* sono state sostituite con sagome di legno. I Marine potrebbero penetrare sottocoperta, purché ovviamente gli uomini di Fawkes non li massacrino mentre atterrano. »

« E se tutti gli altri sistemi falliscono », disse Higgins, « l'alternativa consiste nel finire il lavoro con un missile nucleare a bassa radioattività. »

Per circa un minuto nessuno parlò. Nessuno era disposto a parlare delle conseguenze impensabili dell'ultima proposta del generale. Alla fine, com'era suo dovere, prese l'iniziativa il presidente.

« Mi sembra che una piccola bomba a neutroni sarebbe la soluzione più pratica. »

« La radioattività non basta, da sola, a uccidere l'agente dell'MR », disse Jarvis.

« Inoltre », intervenne Kemper, « dubito che i raggi letali potrebbero penetrare nelle torri. Quando sono chiuse, sono praticamente impenetrabili all'aria. »

Il presidente guardò Higgins. « Devo presumere che i suoi abbiano soppesato tutte queste terribili possibilità. »

Higgins annuì, solenne. « In sostanza, è la solita questione: sacrificare pochi per salvare molti. »

« E quanti sarebbero i pochi, secondo lei? »

« Da cinquanta a settantacinquemila morti. Forse un numero doppio di feriti. Le piccole comunità più vicine all'*Iowa* e il settore congestionato di Alexandria sarebbero quelli colpiti più duramente. La Washington vera e propria subirebbe danni minori.»

«Fra quanto tempo potrebbero intervenire i Marine?» chiese il presidente.

«Stanno salendo a bordo degli elicotteri in questo preciso momento», rispose il generale Guilford, il comandante dei Marine. «E i SEAL stanno scendendo il fiume con una motovedetta della Guardia Costiera.»

«Tre squadre da combattimento di dieci uomini ciascuna», soggiunse Kemper.

Il telefono accanto alla sedia del generale Higgins trillò. Kemper si sporse e rispose, ascoltò, posò il ricevitore. Alzò lo sguardo verso Higgins che era rimasto in piedi accanto allo schermo.

«Le squadre di addetti alle comunicazioni hanno piazzato le telecamere sulle alture meridionali a monte dell'*Iowa*», annunciò. «Fra pochi secondi trasmetteranno le immagini.»

Kemper aveva appena finito di parlare quando le immagini trasmesse dal satellite svanirono e furono rimpiazzate da un'inquadratura della corazzata che riempì lo schermo con la sovrastruttura.

Il presidente si versò una tazza di caffè, ma non bevve. Fissava l'*Iowa* e cercava una soluzione. Alla fine sospirò e si rivolse al generale Higgins.

«Agiremo con i SEAL e i Marine. Se non riusciranno nell'intento, dia un fischio agli Specter e ordini alle forze a terra di aprire il fuoco con tutti i mezzi disponibili.»

«E l'attacco nucleare?» chiese Higgins.

Il presidente scosse la testa. «Non posso addossarmi la responsabilità di ordinare il massacro dei miei compatrioti, quali che siano le circostanze.»

«Manca mezz'ora al levar del sole», disse Kemper a voce bassa. «Il comandante Fawkes ha bisogno della luce del giorno per puntare i cannoni. Tutti i sistemi del controllo radar e del fuoco automatico sono stati rimossi dall'*Iowa* prima che venisse cancellata dai ruoli di servizio.

Non può raggiungere una precisione ragionevole a meno che non abbia un osservatore nell'area-bersaglio in grado di riferirgli via radio la portata e la precisione di tiro della corazzata. »

« È possibile che l'osservatore sia su un tetto qui di fronte », commentò il presidente mentre beveva un sorso di caffè.

« Non mi sorprenderebbe », rispose Kemper. « Ma non potrà comunicare via radio ancora per molto tempo. Abbiamo monitor da triangolazione computerizzati che possono individuare la sua posizione in pochi secondi. »

Il presidente sospirò. « Allora per il momento questo è tutto, signori. »

« C'è un'altra prospettiva, signor presidente. L'ho lasciata per ultima », disse Higgins.

« Sentiamo. »

« I proiettili della Morte Rapida. Se li catturassimo intatti, propongo che vengano analizzati dai laboratori del Dipartimento della Difesa... »

« Devono essere distrutti! » l'interruppe Jarvis. « Un'arma così tremenda non può essere conservata! »

« Temo che sia appena sopravvenuto un problema più immediato », li interruppe Timothy March.

Tutti gli sguardi puntarono di nuovo sullo schermo. Kemper prese il telefono e urlò: « Spostate l'inquadratura al di sopra della poppa dell'*Iowa*! »

Mani invisibili obbedirono all'ordine. La sagoma della corazzata rimpicciolì mentre la telecamera allargava l'area dell'immagine. Una serie di luci di posizione di un mezzo aereo che si avvicinava catturò l'attenzione di tutti.

« Che ne pensate? » chiese il presidente.

« È un elicottero! » rispose Higgins in tono irritato. « Qualche maledetto civile deve essersi incuriosito e deve essersi messo in mente di sorvolare la nave. »

Tutti si alzarono e si affollarono intorno allo schermo, impotenti, mentre l'elicottero avanzava verso la nave arenata. Gli osservatori si tesero: nei loro occhi si leggevano frustrazione e paura.

« Se Fawkes cede al panico e apre il fuoco prima che le nostre forze si portino in posizione », disse Kemper con voce atona, « ci andrà di mezzo molta gente. »

L'*Iowa* era al centro del Potomac, con le macchine silenziose; l'ordine era stato: « all stop ». Fawkes si guardò intorno con moderato ottimismo. Non aveva mai comandato un equipaggio come quello. Molti sembravano ragazzi, e tutti indossavano le uniformi mimetiche da giungla rese popolari dall'ERA. E, a parte l'efficienza con cui svolgevano le loro mansioni, non avevano nulla che li identificasse come personale della Marina sudafricana.

Il compito di Charles Shaba come capo macchinista era terminato quando le macchine si erano fermate, e, secondo gli ordini ricevuti, adesso era diventato capo artigliere. Quando salì in plancia, trovò Fawkes chino su una piccola radio e lo salutò militarmente.

« Mi scusi, comandante. Possiamo parlare? »

Fawkes si voltò e passò un braccio massiccio intorno alle spalle di Shaba. « Che c'è? » chiese sorridendo.

Shaba, soddisfatto perché il comandante era di buonumore, si mise sull'attenti e fece la domanda che assillava i membri dell'equipaggio. « Signore, dove diavolo siamo? »

« Ad Aberdeen. Lo conosce, figliolo? »

« No, signore. »

« È un vasto pezzo di terra dove gli americani collaudano le loro armi. »

« Credevo... cioè, gli uomini credevano che ci saremmo diretti verso il largo. »

Fawkes guardava dalla finestra. « No, figliolo. Gli americani ci hanno gentilmente permesso di svolgere le esercitazioni di tiro sul loro terreno. »

« Ma come usciremo da qui? » insistette Shaba. « La nave è incagliata sul fondale. »

Fawkes lo guardò con aria paterna. « Non si preoccupi. La disincaglieremo facilmente con l'alta marea. Vedrà. »

Shaba sospirò di sollievo. «Gli uomini saranno contenti di saperlo, comandante.»

«Bene, figliolo.» Fawkes gli diede una pacca sulla schiena. «Ora vada al suo posto e faccia caricare i cannoni.»

Shaba salutò e uscì. Fawkes lo vide sparire nell'oscurità e per la prima volta provò un profondo senso di rammarico per quanto stava per fare.

I suoi pensieri furono interrotti dal rumore di un apparecchio. Alzò gli occhi verso il cielo che si rischiarava e vide le luci lampeggianti di un elicottero che risaliva il fiume da est. Prese il binocolo a infrarossi e lo puntò verso l'elicottero. Attraverso le lenti si distingueva la sigla NUMA.

National Underwater and Marine Agency, pensò Fawkes. Non era pericoloso. Con ogni probabilità tornava alla capitale da una spedizione oceanografica. Annuì alla propria immagine riflessa nello specchio.

Posò il binocolo e rivolse di nuovo l'attenzione alla radio. Accostò la cuffia a un orecchio e premette il pulsante del microfono.

«Black Angus Uno chiama Black Angus Due, passo.»

Quasi immediatamente rispose una voce con l'accento strascicato del sud. «Ehi, non abbiamo bisogno di filastrocche in codice. La sento benissimo, come se fosse Bing Crosby che canta *Bianco Natale*.»

«Preferirei che tagliasse corto», scattò Fawkes.

«Purché il pane sia buono, il capo è lei, capo.»

«Pronti? Distanza dal bersaglio?»

«Sì, siamo quasi in posizione.»

«Bene.» Fawkes diede un'occhiata all'orologio. «Cinque minuti e dieci secondi all'Hogmanay.»

«Hog... che cosa?»

«È il nome scozzese della baldoria di Capodanno.»

Fawkes spense il microfono e notò con sollievo che l'elicottero della NUMA aveva proseguito il volo verso Washington ed era scomparso al di là delle alture, verso monte.

Quasi nello stesso istante, Steiger regolò i comandi e portò il Minerva M-88 in un'ampia curva sopra la campagna del Maryland. Procedeva a bassa quota, sfiorando le cime degli alberi spogli, schivava le torri dell'acqua e ascoltava con una smorfia le comunicazioni che gli arrivavano nella cuffia.

« Cominciano a diventare cattivi », disse in tono disinvolto. « Il generale Nonsochì minaccia che ci farà abbattere se non ci allontaniamo dall'area. »

« Ricevuto », disse Pitt. « E risponda che obbedirò subito. »

« Chi devo dire che siamo? »

Pitt rifletté un momento. « Gli dica la verità. Siamo un elicottero della NUMA in missione speciale. »

Steiger alzò le spalle e cominciò a parlare nel microfono.

« Il vecchio generale Chissachì l'ha bevuta », disse poi. Girò la testa verso Pitt. « È meglio che si prepari. Mancano circa otto minuti al lancio. »

Pitt sganciò la cintura di sicurezza e attese fino a quando Sandecker non fece altrettanto, poi si spostò nella cabina di carico dell'elicottero. « Ci azzecchi la prima volta », disse all'orecchio di Steiger, « o farà una brutta macchia rossa sulla fiancata dell'*Iowa*. »

« Io sono un maniaco della pulizia », disse Steiger, accennando un sorriso. « Non dovrà far altro che tenersi forte e lasciar pilotare il vecchio Abe. Se dovrà lanciarsi in anticipo, farò in modo che abbia sotto il sedere un bel cuscino d'acqua profonda. »

« Ci conto. »

« Faremo il giro e arriveremo da ovest, per mimetizzare la nostra sagoma sullo sfondo di quel po' di oscurità che resta. » Steiger non staccava gli occhi dal parabrezza. « Ora spengo le luci di posizione. Buona fortuna! »

Pitt gli strinse il braccio, passò nel vano di carico del Minerva e chiuse il portello intercomunicante. C'era un freddo tremendo. Il portellone esterno era aperto e l'aria del mattino invernale fischiava in quella che sembrava una tomba d'alluminio vibrante. Sandecker gli passò l'imbracatura e Pitt la indossò.

L'ammiraglio fece per dire qualcosa, poi esitò. Finalmente, con la faccia ferrea contratta dall'emozione repressa, disse: «L'aspetto per colazione».

«Si ricordi che voglio le uova strapazzate», disse Pitt. Poi si lanciò nell'aria gelida.

Il tenente Alan Fergus, comandante delle squadre d'intervento dei SEAL, chiuse la lampo della tuta e imprecò contro i capricci del comando supremo. Meno di un'ora prima l'avevano svegliato mentre dormiva profondamente e gli avevano fornito le istruzioni per quella che gli sembrava l'esercitazione più stupida mai capitatagli in quei sette anni, da quando era entrato in Marina. Rialzò il cappuccio di gomma e infilò le orecchie sotto l'imbottitura. Poi si avvicinò all'uomo alto e robusto che stava seduto su una sedia da regista non proprio regolamentare, con i piedi appoggiati al parapetto e lo sguardo fisso sul Potomac.

«Che cos'è questa storia?» gli chiese.

Il tenente Oscar Kiebel, comandante della motovedetta della Guardia Costiera che trasportava Fergus e i suoi uomini, contrasse gli angoli della bocca in un'espressione di disgusto e alzò le spalle. «Sono confuso quanto lei.»

«Crede alla balla della corazzata?»

«No», rispose Kiebel con voce tonante. «Ho visto incrociatori da quattromila tonnellate risalire il fiume sino all'arsenale di Washington, ma una corazzata da cinquantamila tonnellate? Non è possibile.»

«Salire a bordo e occupare la poppa per le squadre d'assalto degli elicotteri dei Marine», disse Fergus in tono irritato. «Sono ordini pazzeschi, se vuol sapere come la penso.»

«Neanch'io sono entusiasta di questa gita», convenne

Kiebel. «Ma accetto i picnic come vengono.» Sorrise. «Forse è un party a sorpresa con alcool che scorre a fiumi e donne scatenate.»

«Alle sette del mattino non sarebbe molto interessante. Almeno all'aperto.»

«Fra poco lo sapremo. Fra tre chilometri doppieremo Sheridan Point. Allora dovremmo arrivare in vista dell'obiettivo...» Kiebel s'interruppe e ascoltò, inclinando la testa. «Ha sentito?»

Fergus tese l'orecchio e si voltò verso la scia della motovedetta. «Si direbbe un elicottero.»

«Sta arrivando a luci spente e alla velocità di un pipistrello scappato dall'inferno», soggiunse Kiebel.

«Mio Dio!» esclamò Fergus. «I Marine ci hanno preceduti. Si muovono in anticipo sulla tabella di marcia.»

Dopo un istante, tutti gli uomini a bordo della motovedetta alzarono la testa mentre un elicottero sfrecciava sopra di loro a una sessantina di metri di quota, un'ombra indistinta sullo sfondo del cielo grigio. Erano tutti così assorti nel seguire con lo sguardo l'apparecchio misterioso che non notarono la sagoma a traino fino a quando non passò sopra i ponti e non portò via le antenne radio.

«Che cosa diavolo era?» esclamò Kiebel in preda allo sbalordimento.

Pitt sarebbe stato ben felice di rispondere alla domanda, se ne avesse avuto il tempo. Bloccato nell'imbracatura, dondolava sotto l'elicottero della NUMA a non più di dieci metri dalla superficie del fiume. Riuscì appena in tempo a tendere le gambe in avanti mentre urtava le antenne della motovedetta. Furono i piedi ad assorbire in gran parte la botta; e per un colpo di fortuna, un grosso colpo di fortuna, i cavi non gli si aggrovigliarono addosso e non lo fecero a pezzi. Comunque, avrebbe portato per un pezzo un livido attraverso le natiche, dove un tubo aveva stabilito un breve contatto.

Il sole che stava sorgendo collaborò nascondendosi dietro una massa di basse nubi nere. La luce filtrata oscurava i particolari della campagna circostante. L'aria era pungente, carica dell'energia del freddo, un gelo polare che penetrava attraverso gli indumenti di Pitt. I suoi occhi lacrimavano, le guance e la fronte bruciavano con l'intensità di puntaspilli sovraccarichi.

Era una volata che nessun parco dei divertimenti poteva eguagliare. Il Potomac era un nastro indistinto mentre Pitt sfrecciava sopra la corrente a una velocità di oltre trecento chilometri orari. Gli alberi che orlavano le rive sembravano saettare come automobili su una superstrada di Los Angeles. Alzò gli occhi verso il cielo e scorse un piccolo ovale pallido contro lo sfondo nero del vano del portello dell'elicottero e riconobbe la faccia ansiosa dell'ammiraglio Sandecker.

Poi sentì un movimento laterale quando Steiger virò in un'ampia curva sul fiume. Il lungo cavo ombelicale che lo collegava a un argano del compartimento di carico si inarcò nella direzione opposta, e lo fece oscillare verso l'esterno. La forza d'inerzia lo fece girare di sbieco; si ritrovò a guardare dall'alto i prati di Mount Vernon. Poi il cavo si tese e la mole immane dell'*Iowa* apparve ai suoi occhi con i cannoni di prua puntati minacciosamente verso monte.

A bordo dell'elicottero, Steiger spostò la manetta e ridusse la velocità. Pitt sentì le cinghie dell'imbracatura premergli sul petto nella decelerazione e si preparò al lancio. La sovrastruttura della nave riempiva il parabrezza della cabina di pilotaggio quando Steiger portò dolcemente l'elicottero a librarsi sopra il lato di dritta della nave, dietro il ponte principale.

« Troppo veloce! Troppo veloce! » mormorò fra sé Steiger. Temeva che l'oscillazione scagliasse Pitt davanti all'elicottero come il peso di un pendolo.

Erano timori giustificati. Pitt era veramente lanciato in avanti in un movimento incontrollabile sopra il ponte principale dove aveva deciso di atterrare. Mancò di poco una torre fasulla e arrivò alla fine dell'arco. Ora o mai più. Prese una decisione, aprì la fibbia di sicurezza e si lasciò cadere, libero dall'imbracatura.

Dal portello dell'elicottero, Sandecker si sforzava di guardare nella semioscurità, con le viscere contratte, il respiro affannoso, mentre la figura raggomitolata di Pitt cadeva dietro la sovrastruttura di prua e scompariva. Poi scomparve anche l'*Iowa*, quando Steiger lanciò l'elicottero in una virata vertiginosa, con le pale dei rotori che azzannavano l'aria, poi discese verso la riva boscosa e si allontanò. Non appena l'apparecchio si riportò in assetto orizzontale, Sandecker si liberò della cintura di sicurezza e tornò in cabina di pilotaggio.

« È andato? » chiese ansiosamente Steiger.

« Sì, è sceso », rispose Sandecker.

« Tutto intero? »

« Possiamo soltanto sperarlo », disse Sandecker a voce così bassa che Steiger stentò a sentirlo nel rombo del motore. « Ormai non ci rimane altro. »

59.

FAWKES non si preoccupò troppo dell'elicottero, dato che era passato oltre. Non vide una figura umana che piombava dal crepuscolo mentre la sua attenzione era rivolta all'imbarcazione che si avvicinava a velocità elevata. Non aveva dubbi: era il comitato di benvenuto inviato dal governo degli Stati Uniti. Prese un microfono.

« Signor Shaba? »

« Signore? » rispose la voce gracchiante di Shaba.

« Si assicuri che i mitraglieri siano nelle loro postazioni, pronti a respingere un tentativo di abbordaggio. » Respingere un tentativo di abbordaggio... Mio Dio, pensò Fawkes. Quand'era stata l'ultima volta che il comandante di una nave aveva impartito quell'ordine?

« È un'esercitazione, signore? »

« No, signor Shaba, non è un'esercitazione. Temo che gli estremisti americani, sostenitori dei nemici del nostro paese, tenteranno di impadronirsi della nave. Dia ordine ai suoi uomini di sparare contro le persone, i natanti e gli aerei che minacciano la nave e il suo equipaggio. E, tanto per cominciare, respingete l'imbarcazione dei terroristi che si sta avvicinando da ovest. »

« Sì, comandante. » La radio non riusciva a nascondere l'eccitazione nella voce di Shaba.

Fawkes provava l'impulso di dare al suo equipaggio ignaro l'ordine di abbandonare l'*Iowa*. Ma non si decideva ad ammettere che stava assassinando sessantotto innocenti, uomini indotti con l'inganno a credere di servire un paese dov'erano trattati poco meglio delle bestie. Fawkes aveva un suo metodo per liberarsi dai freddi tentacoli del rimorso. Evocò l'immagine d'una fattoria incendiata e dei corpi carbonizzati della moglie e dei figli, e ritrovò la fermezza necessaria per svolgere il suo compito.

Riprese il microfono. «Batteria principale.»
«Batteria principale pronta, capitano.»
«Fuoco singolo al mio ordine.» Fawkes guardò di nuovo i calcoli sulla carta nautica. «Distanza, 21.750 metri. Direzione del bersaglio, zero uno quattro gradi.»

Fissò come ipnotizzato i tre cannoni da ventun metri che si protendevano dalla torre numero due. Ogni canna e il suo meccanismo pesavano 134 tonnellate e sollevavano obbedienti la bocca ciclopica con un alzo di quindici gradi. Poi le canne si fermarono, in attesa dell'ordine di scatenare la loro potenza terribile. Fawkes indugiò, trasse un respiro profondo e premette il tasto «trasmissione».

«È in posizione, Angus Due?»
«Non ha che da dare l'ordine», rispose l'osservatore.
«Signor Shaba?»
«Pronti a far fuoco, signore.»
Era venuto il momento. Il viaggio iniziato in una fattoria del Natal aveva compiuto il suo corso implacabile fino a quell'attimo. Fawkes uscì e innalzò la bandiera da combattimento dell'ERA su un pennone improvvisato. Poi tornò in plancia e pronunciò le parole fatidiche:
«Può sparare, signor Shaba».

Per gli uomini a bordo della motovedetta della Guardia Costiera fu come se si fossero avventurati in un olocausto. Anche se un solo cannone della torre aveva sparato direttamente sopra la prua dell'*Iowa*, l'esplosione creò una turbolenza e una grande lingua di gas incandescente si protese e avviluppò il piccolo natante. Quasi tutti gli uomini che erano in piedi finirono sulla tolda. Quelli che stavano rivolti verso l'*Iowa* al momento dello sparo ebbero strinati i capelli e per qualche attimo rimasero accecati dal lampo.

Ancora prima che gli effetti dell'esplosione finissero di dissiparsi, Kiebel prese il timone e lanciò la motovedetta in una brusca virata a S. Poi la vetrata della plancia andò in frantumi. Per una frazione di secondo ebbe l'impressione di essere attaccato da uno sciame di vespe. Sentì il ronzio mentre gli sfioravano le guance e i capelli. Solo quando il suo braccio destro fu strattonato lontano dalla ruota e, abbassando lo sguardo, vide i fori rossi nella manica della giacca, si rese conto di quel che succedeva.

«Dica ai suoi di buttarsi in acqua!» gridò a Fergus. «Quei bastardi ci sparano addosso!»

Non ebbe bisogno di ripetere il messaggio. Fergus si avviò sul ponte, gridando ordini e a volte spingendo fisicamente i suoi uomini nella dubbia sicurezza del fiume. Kiebel era stato l'unico a essere colpito. Solo sul ponte, era come se si trovasse su un podio, di fronte ai mitraglieri dell'*Iowa*.

Portò la motovedetta a fianco dello scafo della corazzata, così vicino che i parabordi laterali furono schiacciati contro l'immensa parete di acciaio e vennero strappati via. Era una mossa intelligente. I mitraglieri, dall'alto, non potevano abbassare la mira in modo da fare qualcosa di più che tranciare una parte dell'albero radar della motovedetta. Poi Kiebel virò bruscamente, con gli spruzzi sollevati dai proiettili che zampillavano a una quindicina di metri sulla dritta a riprova della pessima mira dei nemici sbalorditi. La distanza aumentò. Lanciò una rapida occhiata a poppa e vide con sollievo che Fergus e i suoi uomini erano spariti.

Aveva aiutato i SEAL con la sua manovra. Adesso toccava a loro. Kiebel lasciò il timone al suo secondo e rimase a guardare, scuro in volto, mentre un sottufficiale apriva un kit di pronto soccorso e cominciava a tagliargli la manica insanguinata della giacca.

«Figlio di puttana», borbottò Kiebel.

«Mi dispiace, signore, ma deve sopportare.»

«È facile dirlo», sbottò Kiebel. «Non è stato lei a pagare duecento dollari per questa giacca.»

Mentre faceva jogging sulla pista pedonale dell'Arlington Memorial Bridge, Donald Fisk, ispettore doganale, esalava l'aria frizzante in nuvolette di vapore.

Era nel tratto di ritorno e stava aggirando il monumento a Lincoln; non pensava a nulla, sopraffatto dalla noia dell'esercizio, quando un suono strano lo indusse a fermarsi. Quando il suono divenne più intenso, gli ricordò il rombo di un treno merci. Poi si trasformò in un *vuusc* urlante. All'improvviso un grande cratere si spalancò in mezzo alla Ventitreesima Strada, seguito da uno schianto tonante e da una pioggia di terriccio e di asfalto.

Fisk rimase immobile dopo l'esplosione, e si stupì d'essere rimasto indenne. Il proiettile era passato sopra di lui e aveva colpito la strada ad angolo, concentrando la potenza distruttiva più avanti della propria traiettoria.

A cento metri di distanza, un uomo che guidava un camioncino delle consegne vide il parabrezza implodere verso l'interno. Riuscì a fermare il veicolo e a scendere barcollando dalla cabina. Aveva la faccia ridotta a un hamburger.

Tese le mani davanti a sé e urlò: « Non ci vedo! Aiuto! Qualcuno mi aiuti! »

Fisk dominò il tremito dello shock e corse verso l'autista. Mancava ancora un'ora all'inizio del traffico intenso del mattino e la strada era deserta. Si chiese come poteva chiamare la polizia e un'ambulanza. L'unico altro veicolo che vedeva era una spazzatrice che risaliva tranquillamente Independence Avenue come se non fosse successo nulla.

« Angus Due », chiamò Fawkes. « Riferisca l'effetto del colpo. »

« Cribbio, ha sventrato la strada. »

« Limiti al minimo i commenti », disse irritato Fawkes. « Senza dubbio stanno localizzando la sua trasmissione. »

« Ho capito. Il tiro è più corto di settanta metri ed è centosessanta metri troppo a sinistra. »

« Ha sentito, signor Shaba? »

« Sto regolando il tiro, comandante. »

« Spari non appena avrà puntato, signor Shaba. »

« Sì, signore. »

Sepolti nella torre d'acciaio da diciassette tonnellate, gli artiglieri sudafricani sudavano e caricavano, e gridavano e imprecavano al ritmo del clangore del meccanismo di sollevamento, mentre cinque ponti più in basso le squadre del deposito munizioni facevano salire i proiettili e gli elementi della carica di lancio. Per prima cosa il proiettile a punta conica del peso di milleduecento chili venne spinto all'interno della culatta da un calcatoio idraulico, e fu seguito dalla carica di lancio del peso di duecentottanta chili. Poi venne chiuso l'enorme otturatore, in modo da formare un sigillo impermeabile al gas. Quindi, a un preciso comando, il grande cannone vomitò la sua veemenza devastante e rinculò di un metro e venti nella sua tana d'acciaio.

A una distanza di oltre ventidue chilometri, Donald Fisk stava aiutando l'autista ferito mentre il rombo del treno merci piombava dal cielo verso il monumento a Lincoln. In un millesimo di secondo l'ogiva balistica cava del proiettile si disintegrò in seguito allo schianto contro il marmo candido. Poi il pesante cilindro d'acciaio penetrò più a fondo ed esplose.

Fisk ebbe l'impressione che le trentasei colonne doriche si piegassero verso l'esterno come i petali di un fiore prima di sgretolarsi sul prato curatissimo. Il tetto e i muri interni crollarono, grandi frammenti di marmo rimbalzarono giù per la gradinata come i blocchi per le costruzioni giocattolo, e un turbine violento di polvere bianca salì a spirale verso il cielo.

Mentre il rombo dell'esplosione dilagava su Washington, Fisk si alzò in piedi, stordito e in preda allo sbalordimento.

« Che cos'è successo? » gridò l'autista accecato. « Per amor di Dio, mi dica quel che sta succedendo! »

« Stia calmo », raccomandò Fisk. « C'è stata un'altra esplosione. »

L'autista fece una smorfia e strinse i denti per la sofferenza. Una trentina di schegge di vetro gli erano penetrate nella faccia. Un occhio era pieno di sangue quasi coagulato, l'altro era perduto, squarciato fino alla retina.

Fisk si sfilò la maglietta e la mise nelle mani dell'autista. « La torca o la morda per resistere al dolore, ma tenga le mani lontane dalla faccia. Ora la lascerò per qualche istante. » S'interruppe quando sentì l'ululato delle sirene che si avvicinava. « Sta arrivando la polizia. E ci sarà anche un'ambulanza. »

L'autista annuì e sedette sul marciapiedi. Appallottolò la maglia e la strinse fino a quando non gli si sbiancarono le nocche. Fisk attraversò correndo la piazza. Si sentiva stranamente a disagio senza qualcosa per coprirsi il petto nudo. Aggirò i frammenti di marmo che costellavano la scalinata del monumento, e raggiunse correndo quello che era stato l'ingresso di fronte al Reflecting Pool.

All'improvviso s'irrigidì e si fermò, sorpreso.

In mezzo al mucchio di macerie e alla polvere che ricadeva, la statua di Abraham Lincoln era indenne. I muri e il tetto della costruzione si erano schiantati e sbriciolati, ed erano caduti tutti intorno alla figura alta quasi sei metri.

Illesa, la faccia malinconica di Lincoln guardava ancora solennemente l'infinito.

60.

Il generale Higgins sbatté il ricevitore sulla forcella. Era la prima volta che tradiva l'irritazione. «L'osservatore ci è scappato», disse amaramente. «Le nostre squadre di ricognizione hanno individuato il posto, ma era già volato via quando è arrivata la pattuglia più vicina.»

«Evidentemente era un'unità mobile», disse Timothy March. «Con tre macchine su quattro in circolazione che hanno una radio CB, sarà quasi impossibile identificare quel bastardo.»

«La nostra squadra delle forze speciali e la polizia municipale stanno disponendo posti di blocco agli incroci principali nell'area intorno al Campidoglio», disse Higgins. «Se riusciamo a impedire che l'osservatore ristabilisca un contatto visivo con i suoi bersagli, non potrà segnalare alla nave le correzioni di tiro. E Fawkes sparerà alla cieca.»

Il presidente fissava lo schermo e guardava tristemente l'immagine del monumento a Lincoln trasmessa dal satellite. «Un piano molto astuto da parte loro», mormorò. «Qualche morto non significherebbe più di un titolo di giornale per la maggioranza degli americani. Ma se distruggi un monumento nazionale venerato, allora tocchi tutti. State certi, signori: prima di sera una quantità di americani indignati cercherà un modo per sfogare la propria collera.»

«Se il prossimo proiettile conterrà l'MR...» Jarvis non terminò la frase.

«È come giocare alla roulette russa», constatò March. «Hanno sparato due colpi. Questo significa che le probabilità sono ridotte a due su trentasei.»

Higgins guardò l'ammiraglio Kemper. «Secondo lei, qual è la celerità di tiro dell'*Iowa*?»

« Fra i primi due proiettili c'è stato un intervallo di quattro minuti e dieci secondi », rispose Kemper. « Più lento della metà rispetto all'efficienza in tempo di guerra, ma rispettabile se si tiene conto che l'equipaggiamento è obsoleto e ha quarant'anni, e l'equipaggio è ridotto all'osso. »

« Quello che non capisco », osservò March, « è perché Fawkes usa soltanto il cannone centrale della torre. Sembra che non cerchi neppure di servirsi degli altri due. »

« Si attiene al manuale », spiegò Kemper. « Conserva le munizioni sparando un proiettile alla volta. Il secondo colpo è stato fortunato ed è arrivato sul bersaglio. La prossima volta che avrà la distanza esatta, scommetto che impiegherà i tre cannoni insieme. »

Il telefono davanti a Higgins trillò. Lo prese, ascoltò per un momento, cupo in volto. « Sta arrivando il terzo proiettile. »

La telecamera montata sul satellite cambiò inquadratura e mostrò la zona per un raggio di poco più di tre chilometri intorno alla Casa Bianca. Tutti gli occhi si posarono sulla città vista dall'alto, nel timore che il proiettile contenesse i microrganismi della Morte Rapida. Nello stesso tempo, i presenti cercavano di immaginare quale monumento fosse il bersaglio. Poi vi fu un'esplosione che disintegrò quindici metri di marciapiedi e due alberi sul lato nord di Constitution Avenue.

« Vuole colpire la sede degli Archivi Nazionali », disse il presidente in tono amaro. « Fawkes cerca di distruggere la Dichiarazione d'Indipendenza e la Costituzione. »

« Signor presidente, la prego di ordinare immediatamente un attacco nucleare contro l'*Iowa*. » Higgins, che di solito aveva le guance rosse, era diventato cinereo.

Il presidente aveva l'aria dell'uomo braccato e teneva le spalle curve come se fosse tormentato dal freddo. « No », disse con fermezza.

Higgins abbandonò le mani lungo i fianchi e si lasciò cadere di schianto sulla sedia. Kemper batté una matita sul tavolo e continuò a riflettere in silenzio.

« C'è un'altra soluzione », annunciò poi. « Mettiamo fuori uso la torre numero due dell'*Iowa*. »

« Mettere fuori uso la torre? » chiese Higgins con un'espressione scettica negli occhi.

« Alcuni degli F-120 Specter sono dotati di missili Satan a penetrazione », spiegò Kemper. « È così, generale Sayre? »

Il comandante dell'Aeronautica, generale Miles Sayre, annuì in segno di conferma. « Ogni aereo è armato di quattro Satan in grado di perforare tre metri di cemento. »

« Capisco », disse Higgins. « Ma c'è il problema della precisione. Se si sbaglia, si potrebbe scatenare l'MR. »

« È un'azione che può riuscire », sentenziò Sayre, che di solito era molto taciturno. « Appena i piloti lanciano i missili, passano il controllo della guida alle truppe di terra. I suoi uomini, generale Higgins, sono abbastanza vicini all'*Iowa* per far arrivare un Satan entro un diametro di sessanta centimetri. »

Higgins prese il telefono e guardò il presidente. « Se Fawkes continua a sparare con lo stesso ritmo, ci rimangono meno di due minuti. »

« Proceda », disse il presidente senza esitare.

Mentre Higgins impartiva istruzioni alle forze spiegate intorno all'*Iowa*, Kemper consultò un dossier sulla costruzione della corazzata.

« La torre è protetta da lastre d'acciaio che hanno uno spessore fra i diciassette e i quarantatré centimetri », comunicò poi. « Forse non riusciremo a distruggerla, ma di sicuro stordiremo gli artiglieri. »

« I SEAL », volle sapere il presidente. « È possibile avvertirli delle nostre intenzioni? »

Kemper era scuro in viso. « Lo faremmo, se potessimo. Ma non ci sono più stati contatti radio con loro da quando sono finiti in acqua. »

Fergus non poteva mettersi in contatto perché la radio gli era stata sbalzata dalle mani da una mitragliatrice dell'*Iowa*. Un proiettile gli aveva amputato il medio della mano sinistra prima di attraversare la trasmittente e il palmo della mano destra. Anche la radio di riserva non era più disponibile; era fissata alla cintura di un caposquadra che era stato centrato al petto e adesso, privo di vita, veniva trascinato a valle dalla corrente.

Fergus aveva perduto sei uomini su trenta nell'abbordaggio all'*Iowa*. Si erano inerpicati sulle fiancate dopo aver sparato e avvolto le sagole sottili alla poppa della nave per mezzo delle balestre. Le sagole erano fissate a scale di nylon, che erano state issate fino ai parapetti. Quando avevano raggiunto il ponte principale, i SEAL avevano incontrato un fuoco rabbioso. A gruppi o individualmente avevano incominciato a sparare a loro volta contro i difensori della nave.

Fergus era rimasto tagliato fuori dai suoi uomini, bloccato dietro il supporto che un tempo aveva retto la gru per gli aerei. La frustrazione era più forte del dolore alle mani ferite. Il tempo fuggiva. Aveva avuto l'ordine di impadronirsi della piattaforma di atterraggio prima che i sudafricani potessero aprire il fuoco. Gridò un'imprecazione quando l'eco della terza esplosione rombò lungo il fiume.

Vedeva, sopra le alture, gli elicotteri dei Marine che attendevano con impazienza il suo segnale per atterrare. Sporse guardingo la testa dal supporto della gru e scrutò davanti a sé. Le mitragliatrici protette dalle lastre di acciaio sul ponte principale lo ignorarono, per il momento, e si concentrarono sui suoi uomini che erano avanzati senza di lui.

Fergus bilanciò con un braccio la sua arma automatica, balzò in piedi e corse sul ponte scoperto, sparando per coprirsi. Era quasi arrivato sotto la torre di poppa quando gli uomini di Fawkes ricambiarono la sua attenzione e una pallottola gli trapassò il polpaccio sinistro.

Barcollò per qualche passo, cadde e rotolò sotto la mole della finta torre. La nuova ferita gli bruciava le terminazioni nervose della gamba. Rimase steso sulla tolda ad ascoltare gli spari e ad assimilare la sofferenza mentre due jet Specter piombavano dal sole del mattino ed espellevano il loro carico letale.

Se non fosse stato per l'indolenzimento sordo che attanagliava ogni centimetro del suo corpo, Pitt avrebbe giurato d'essere morto. Quasi con rammarico scacciò il grigiore dalla mente e aprì gli occhi a fatica.

Si passò le mani sulle gambe e sul corpo. A parte un'orda di lividi, scoprì due costole incrinate, forse tre. Si tastò la testa e sospirò di sollievo quando vide che non c'erano macchie di sangue sulle dita. Le schegge di legno che trovò piantate nella spalla destra lo sconcertarono.

Si sollevò a sedere, poi si girò puntellandosi sulle mani e sulle ginocchia. Tutti i muscoli obbedivano ai comandi. Fin lì, tutto bene. Trasse un respiro profondo e si alzò in piedi vacillando, soddisfatto da quella prodezza come se avesse scalato l'Everest. Una chiazza di sole filtrava da uno squarcio a poco più di un metro di distanza, e Pitt si mosse in quella direzione.

A poco a poco, la sua mente riprese a funzionare quasi normalmente, e analizzò la ragione per cui non era stato sfracellato quando era andato a sbattere contro la fiancata della sovrastruttura. I pannelli di compensato da sei millimetri, installati per sostituire le paratie d'acciaio, avevano attenuato l'impatto violento. Aveva sfondato un pannello esterno come una palla da cannone e aveva prodotto una grossa ammaccatura un attimo prima di finire in un corridoio davanti al quadrato ufficiali. E questo spiegava le misteriose schegge di legno.

Nonostante lo stordimento ricordava un grande boato e una vibrazione. I cannoni da 406 millimetri, pensò. Ma quante volte avevano sparato? Per quanto tempo era rimasto privo di sensi? Dall'esterno giungeva il crepitio di piccole armi da fuoco. Chi stava combattendo? Poi scacciò quei pensieri quasi nell'istante in cui si presentavano. In realtà non aveva alcuna importanza, e lui aveva il suo problema da risolvere.

Avanzò nel corridoio per qualche metro, si fermò, prese da una tasca la torcia elettrica e dall'altra una carta piegata che conteneva le planimetrie dei vari punti dell'*Iowa*. Impiegò quasi due minuti per scoprire qual era la sua posizione esatta. Guardare il labirinto che formava l'interno di una corazzata era come osservare lo spaccato d'un grattacielo adagiato sul fianco.

Trovò un percorso che portava al deposito munizioni, a prua, e si mosse senza far rumore. Aveva percorso una breve distanza quando la nave ondeggiò sotto un martellare di colpi violenti. La polvere accumulata nell'*Iowa* durante i lunghi anni di inattività eruppe in nubi soffocanti. Pitt allargò le braccia per non perdere l'equilibrio, vacillò e si afferrò all'intelaiatura di una porta che si era aperta provvidenzialmente. Rimase fermo a tossire mentre i sussulti si placavano.

E per poco non gli sfuggì. Gli sarebbe sfuggito se una curiosità indefinibile non avesse stimolato la sua mente. Non era una vera curiosità; piuttosto un'incongruenza notata con la coda dell'occhio. Puntò il fascio luminoso della torcia su una scarpa marrone, una scarpa lussuosa fatta a mano, e vide che era collegata alla gamba di un nero vestito di un elegante tre pezzi. Le mani erano legate dalle corde avvolte ai tubi sopra la sua testa.

61.

HIRAM LUSANA non riusciva a distinguere i lineamenti dell'uomo che era apparso sulla soglia della sua prigione. Era imponente, ma meno di Fawkes. Lusana non era in grado di capire altro. Il fascio luminoso della torcia elettrica stretta nelle mani dello sconosciuto lo accecava.

« Immagino che abbia perso il concorso di popolarità a bordo della nave », disse una voce che suonava più cordiale che ostile.

La sagoma scura dietro la luce si avvicinò e Lusana sentì che gli allentava i legami. « Dove mi porta? »

« In nessun posto. Ma se ci tiene ad arrivare alla tarda età, le consiglio di filarsela da questa barca prima che salti in aria. »

« Lei chi è? »

« Non ha molta importanza. Comunque mi chiamo Dirk Pitt. »

« Fa parte dell'equipaggio di Fawkes? »

« No, io lavoro in proprio. »

« Non capisco. »

Pitt slegò la mano sinistra di Lusana e cominciò a slegare anche l'altra senza rispondere.

« È americano », commentò Lusana, più confuso che mai. « Ha strappato la nave ai sudafricani? »

« Ci stiamo provando », disse Pitt. Era pentito di non aver portato un coltello.

« Allora non sa chi sono. »

« Dovrei saperlo? »

« Sono Hiram Lusana, il capo dell'Esercito Rivoluzionario Africano. »

Pitt finì di sciogliere l'ultimo nodo e indietreggiò, puntando la luce contro la faccia di Lusana. « Sì, adesso lo vedo. Lei che cosa c'entra? Credevo che fosse una messa in scena interamente sudafricana. »

« Sono stato sequestrato mentre salivo su un aereo per tornare in Africa. » Lusana scostò la torcia elettrica. Poi fu colpito da un pensiero. « Sa dell'Operazione Rosa Selvatica? » chiese.

« Lo so da ieri sera. Ma il mio governo era al corrente già da diversi mesi. »

« Impossibile », disse Lusana.

« La pensi come vuole. » Pitt si voltò e si avviò verso l'uscita. « Come ho detto, è meglio che abbandoni la nave prima che la festa sfugga al controllo. »

Lusana esitò per un secondo. « Aspetti! »

Pitt si voltò. « Mi dispiace, ma non ho tempo. »

« Mi ascolti, la prego. » Lusana si avvicinò. « Se il suo governo e i media scoprono la mia presenza qui, non potranno far altro che ignorare la verità e ritenermi responsabile. »

« E allora? »

« Lasci che dimostri la mia innocenza in questa brutta storia. Mi dica cosa posso fare per rendermi utile. »

Pitt comprese che Lusana era sincero. Si sfilò dalla cintura una vecchia Colt 45 automatica e gliela porse. « La prenda e mi copra le spalle. Ho bisogno di tutte e due le mani per reggere la torcia e leggere uno schema. »

Colto di sorpresa, Lusana prese la pistola. « Si fida a darla a me? »

« Sicuro », rispose Pitt in tono disinvolto. « Che ci guadagnerebbe se sparasse alla schiena di uno sconosciuto? »

Fece segno a Lusana di seguirlo e si avviò a passo svelto nel corridoio, verso la prua della nave.

La torre numero due aveva retto l'attacco dei missili Satan. La corazza d'acciaio era crivellata e deformata in otto punti diversi, ma non era stata sfondata. Il cannone di sinistra era spezzato alla base della torre.

Fawkes, stordito, osservava la scena attraverso i vetri infranti della plancia. Era rimasto miracolosamente illeso: si trovava dietro una delle poche paratie d'acciaio rimaste quando i Satan erano piombati infallibilmente sulla torre numero due. Azionò il microfono.

« Shaba, sono il comandante. Mi sente? »

L'unica risposta fu il crepitio smorzato di una scarica elettrica.

« Shaba! » gridò Fawkes. « Risponda! Voglio un rapporto sui danni. »

L'altoparlante riprese vita. « Comandante Fawkes? »

Era una voce sconosciuta. « Sì, sono il comandante. Dov'è Shaba? »

« Giù nel deposito, signore. Il meccanismo di sollevamento dei proiettili si è rotto, e lui è sceso a ripararlo. »

« Chi parla? »

« Obasi, comandante. Daniel Obasi. » La voce era quella di un adolescente.

« Shaba ti ha lasciato al suo posto? »

« Sì, signore », disse orgogliosamente Obasi.

« Quanti anni hai, figliolo? »

Si sentì tossire. « Mi scusi, comandante. C'è un fumo tremendo. » Altri colpi di tosse. « Diciassette. »

Mio Dio, pensò Fawkes. De Vaal avrebbe dovuto mandargli uomini esperti, e non ragazzini imberbi. Era al comando di un equipaggio completamente sconosciuto. Diciassette anni. Diciassette. Era un pensiero che gli dava la nausea. Ne valeva la pena? Dio, la sua vendetta personale valeva un prezzo tanto terribile?

Si fece forza. « Sei capace di far funzionare i cannoni, Obasi? »

« Credo di sì. Tutti e tre sono carichi e pronti. Ma gli uomini sono conciati male. Credo che sia commozione cerebrale. Molti perdono sangue dalle orecchie. »

« Dove sei, Obasi? »

« Nella postazione dell'ufficiale di tiro, signore. Fa un caldo spaventoso. Non so se gli uomini possono resistere ancora per molto. Certuni sono ancora svenuti e uno o due, forse, sono morti. Non riesco a capirlo. Immagino che i morti siano quelli che sanguinano dalla bocca. »

Fawkes strinse convulsamente l'impugnatura del microfono e rimase indeciso per un momento. Quando per la nave fosse venuta la fine, com'era inevitabile, voleva essere sul ponte di comando: l'ultimo comandante di una corazzata morto al posto di combattimento. Il silenzio della radio diventò tormentoso. Il velo si sollevò leggermente e Fawkes intravide le dimensioni spaventose delle sue azioni.

« Ora scendo. »

« Il portello esterno del ponte è bloccato, signore. Dovrà salire dai depositi. »

« Grazie, Obasi. Resta dove sei. » Fawkes si soffermò, si tolse il vecchio berretto della Marina britannica e si asciugò il sudore e la polvere dalla fronte. Guardò attraverso i vetri sfondati e osservò il fiume. Le nebbie fredde che salivano lungo le secche gli ricordavano i loch scozzesi nelle mattine come quella. La Scozia. Gli sembrava che fossero passati mille anni dall'ultima volta che aveva visto Aberdeen.

Rimise il berretto e parlò di nuovo nel microfono. « Angus Due, risponda, per favore. »

« La sento, Angus Uno. »

« Distanza? »

« Il tiro era troppo corto di ottanta metri, ma giusto sul bersaglio. Basta regolare per l'elevazione e ci siamo. »

« Il suo compito è terminato, Angus Due. Sia prudente. »

« Troppo tardi. Credo che i ragazzi in kaki stiano per portarmi via. Addio, amico. È stato piacevole. »

Fawkes fissò il microfono. Avrebbe voluto rivolgere qualche parola di apprezzamento all'uomo che non aveva mai visto, ringraziarlo perché aveva rischiato la vita, sia pure a pagamento. Chiunque fosse Angus Due, sarebbe passato molto tempo prima che potesse spendere il denaro depositato a suo nome su un conto in una banca straniera dal ministero della Difesa sudafricano.

« Una spazzatrice », sbuffò Higgins. « L'osservatore di Fawkes guidava una stramaledetta spazzatrice. La polizia lo sta
interrogando. »

« Ora si spiega perché poteva passare attraverso i posti
di blocco senza destare sospetti », disse March.

Sembrava che il presidente non sentisse. Fissava l'*Iowa*.
Riusciva a scorgere chiaramente le minuscole figure in muta nera che correvano da un riparo all'altro e si soffermavano solo per sparare prima di avvicinarsi ancora di più alle mitragliatrici che le falciavano. Il presidente contò dieci
SEAL immobili stesi sui ponti.

« Non possiamo far niente per aiutare quegli uomini? »

Higgins alzò le spalle, rassegnato. « Se aprissimo il fuoco
da terra, probabilmente uccideremmo più SEAL di quanti
potremmo salvarne. Temo che per il momento possiamo fare ben poco. »

« Perché non mandiamo le squadre d'assalto dei Marine? »

« Gli elicotteri sarebbero bersagli immobili non appena
si posassero sul ponte di poppa dell'*Iowa*. E ognuno trasporta cinquanta uomini. Sarebbe un massacro. Non otterremmo nulla. »

« Sono d'accordo con il generale », disse Kemper. « I
Satan ci hanno dato un po' di respiro. La torre numero
due sembra fuori uso. Possiamo lasciare ai SEAL un po' più
di tempo per liberare i ponti dai terroristi. »

Il presidente si appoggiò alla spalliera e guardò gli uomini che l'attorniavano. « Allora aspettiamo... È questo
che intendete dire? Aspettiamo mentre ci sono uomini che
muoiono in diretta sotto i nostri occhi su quel maledetto
teleschermo? »

« Sì, signore », rispose Higgins. « Aspettiamo. »

62.

PITT continuò a consultare lo schema della nave mentre
correva, conducendo infallibilmente Lusana lungo una serie di passaggi e corridoi bui, oltre vani umidi, e finalmente si fermò davanti a una porta. Appallottolò il foglio con
una mano e lo buttò sul pavimento. Lusana si fermò, ob-
bediente, e attese una spiegazione.

«Dove siamo?» chiese.

«Davanti al deposito munizioni», rispose Pitt. Si appoggiò con tutto il suo peso alla porta che scricchiolò e si
aprì per tre quarti. Pitt si affacciò in un locale fiocamente
illuminato e ascoltò. Tutti e due sentirono le voci di uomini che gridavano fra i clangori metallici degli apparati, lo
sferragliare dei nastri trasportatori, il ronzio dei motori
elettrici. I suoni sembravano provenire dall'alto. Cautamente, Pitt varcò la soglia.

I grandi proiettili capaci di trapassare le corazze d'acciaio erano disposti in ordine intorno all'elevatore elettroi-
draulico. Le testate coniche luccicavano minacciosamente
sotto due lampadine gialle. Pitt avanzò e guardò verso
l'alto.

Sul ponte sovrastante due neri si sporgevano nel vano
verticale e sferravano martellate e imprecazioni. Le esplo-
sioni che avevano squassato la nave avevano bloccato il
meccanismo di sollevamento. Pitt si tirò indietro e cominciò a esaminare i proiettili. Erano trentuno in totale, e uno
solo aveva la punta tondeggiante.

La seconda testata dell'MR non era lì.

Pitt si sganciò dalla cintura un kit di attrezzi e passò la
torcia elettrica a Lusana. «La tenga mentre lavoro.»

«Cos'ha intenzione di fare?»

«Disattivare un proiettile.»

«Se devo finire a pezzi», ribatté Lusana, «posso almeno sapere il perché?»

« No! » scattò Pitt. Si chinò e gli indicò di puntare la torcia elettrica. Cinse con le mani la testata del proiettile con la stessa delicatezza con cui uno scassinatore tocca le manopole di una cassaforte. Individuò le viti di bloccaggio, le svitò prudentemente con un cacciavite. Le filettature erano incastrate e resistevano a ogni torsione. Un po' di tempo, pensava disperato Pitt. Aveva bisogno di un po' di tempo prima che gli uomini di Fawkes riparassero l'elevatore e ritornassero nel deposito munizioni.

Pitt incominciò a disinnescare la carica esplosiva che aveva il compito di spaccare la testata e liberare le minuscole bombe contenenti il microrganismo della Morte Rapida. Era una procedura che non aveva nulla di difficile o di particolarmente rischioso. Pitt seguiva la teoria che una concentrazione eccessiva gli avrebbe fatto tremare le mani: perciò fischiettava sommessamente e ringraziava il cielo perché Lusana non lo tempestava di domande.

Pitt tagliò i cavi che portavano al radaraltimetro e rimosse il detonatore esplosivo. Si soffermò per un momento e prese dalla tasca un sacco per il trasporto del denaro. Lusana notò la scritta sulla tela: WHEATON SECURITY BANK.

« Non l'ho mai confessato ad anima viva », commentò Lusana. « Ma una volta ho rapinato un furgone blindato. »

« Allora dovrebbe sentirsi come a casa sua », rispose Pitt. Estrasse le piccole bombe dalla testata e le infilò delicatamente nel sacco.

« Un sistema maledettamente ingegnoso per contrabbandare qualcosa », osservò Lusana con un sorriso a denti stretti. « Eroina o diamanti? »

« Anche a me piacerebbe molto saperlo », disse Patrick Fawkes mentre si curvava per passare dal portello del deposito.

63.

IL primo impulso di Lusana fu quello di sparare a Fawkes. Si girò di scatto, si curvò e puntò la Colt. Era sicuro che non avrebbe potuto mancare un bersaglio così voluminoso, anche se intuiva che il comandante avrebbe avuto il vantaggio di poter sparare per primo.

Ma si trattenne in tempo. Fawkes era a mani vuote. Non era armato.

Mentre abbassava lentamente la Colt, Lusana guardò Pitt per vedere come affrontava la situazione. A quanto poteva vedere, Pitt non tradiva la minima reazione. Continuava a riempire il sacco come se non fosse successo niente.

« Ho l'onore di parlare a Patrick McKenzie Fawkes? » chiese finalmente Pitt senza alzare gli occhi.

« Sì, sono Fawkes. » Il comandante si avvicinò, incuriosito. « Cosa sta succedendo? »

« Mi scusi se non mi alzo », rispose Pitt con disinvoltura. « Ma sto disattivando una testata batteriologica. »

Passarono cinque secondi mentre Lusana e Fawkes assimilavano quella spiegazione. Si guardarono senza capire, poi tornarono a fissare Pitt.

« È pazzo! » esclamò Fawkes.

Pitt mostrò una delle minuscole bombe. « Questa le sembra una normale carica esplosiva? »

« No », ammise Fawkes.

« È una specie di gas nervino? » chiese Lusana.

« Molto peggio », rispose Pitt. « Un microrganismo patogeno d'una potenza mostruosa. Due proiettili contenenti il microrganismo sono finiti nel carico spedito dal mercante d'armi. »

Vi fu un lungo silenzio incredulo. Fawkes si chinò, esaminò il proiettile e la piccola bomba che Pitt teneva in mano. Anche Lusana si piegò per guardare, sebbene non sapesse esattamente che cosa aveva sotto gli occhi.

L'espressione scettica svanì lentamente dagli occhi di Fawkes. « Le credo », disse. « Ho visto abbastanza proiettili a gas per riconoscerli. » Poi fissò Pitt con aria interrogativa. « Le dispiace dirmi chi è e come è arrivato fin qui? »

« Dopo che avremo scoperto e disattivato l'altro proiettile », disse Pitt. « C'è un altro depositio come questo? »

Fawkes scosse la testa. « A parte i tre proiettili che abbiamo sparato, e che erano della varietà normale, questo è tutto... » S'interruppe di colpo. « La torre! Tutti i cannoni sono carichi e sono pronti per sparare. L'altro proiettile batteriologico deve essere là! »

« Pazzo! » urlò Lusana. « Pazzo assassino! »

Gli occhi di Fawkes tradivano l'angoscia. « Non è troppo tardi. I cannoni spareranno solo a un mio ordine. »

« Comandante, lei e io troveremo l'altra testata e la neutralizzeremo », decise Pitt. « Signor Lusana, se vuole avere la cortesia di buttare questo in acqua... » E gli porse il sacco pieno di piccole bombe cariche d'MR.

« Io? » esclamò Lusana. « Non ho la più vaga idea di come si faccia a uscire da questa bara galleggiante. Avrò bisogno di una guida. »

« Continui a salire », disse Pitt in tono sicuro. « Prima o poi uscirà all'aperto. E allora butti il sacco nella parte più profonda del fiume. »

Lusana stava per andarsene quando Fawkes gli posò una mano sulla spalla. « Più tardi sistemeremo il nostro conto in sospeso. »

Lusana ricambiò l'occhiata con fermezza. « Non vedo l'ora. »

Il capo dell'Esercito Rivoluzionario Africano sparì nell'oscurità come un'ombra.

Alla quota di seicento metri Steiger agì leggermente sui comandi. Il Minerva discese verso il monumento a Jefferson e attraversò il Tidal Basin per proseguire sopra Independence Avenue.

«C'è parecchia folla, quassù», commentò, indicando gli elicotteri dell'Esercito che stavano librati da un'estremità del Campidoglio all'altra come uno sciame di api infuriate.

Sandecker annuì. «È meglio tenerci a distanza. Quelli prima sparano e poi fanno domande.»

«Quanto è passato dall'ultimo tiro dell'*Iowa*?»

«Quasi diciotto minuti.»

«Forse è finita, allora», sospirò Steiger.

«Non atterreremo se prima non saremo sicuri», rispose Sandecker. «Come stiamo a carburante?»

«Ne abbiamo abbastanza per circa quattro ore di volo.»

Sandecker si assestò sul sedile per alleviare l'indolenzimento alle natiche. «Resti vicino il più possibile alla sede degli Archivi Nazionali. Se l'*Iowa* ricomincia a sparare, può scommettere che il bersaglio sarà quello.»

«Chissà come sarà andata a Pitt.»

Sandecker finse di non essere preoccupato. «Sa il fatto suo. Pitt è l'ultimo dei miei problemi.» Si voltò a guardare in modo che Steiger non scorgesse la sua espressione allarmata.

«Avrei dovuto andare io», disse Steiger. «È una faccenda esclusivamente militare. Un civile non deve rischiare la vita nel tentativo di fare un lavoro per il quale non è stato addestrato.»

«Come invece è stato addestrato lei, immagino.»

«Vorrà ammettere che le mie credenziali sono superiori a quelle di Pitt.»

Sandecker non nascose un sorriso. «Vuole scommettere?»

A Steiger non sfuggì il tono ironico. «Che cosa intende dire?»

«C'è cascato, colonnello. È caduto in trappola.»

«In trappola?»

« Pitt è maggiore dell'Aeronautica. »

Steiger si voltò a guardarlo e socchiuse le palpebre. « Significa che sa pilotare? »

« Più o meno tutti i mezzi che siano stati costruiti, incluso questo elicottero. »

« Ma aveva detto... »

« So benissimo che cosa aveva detto. »

Steiger aveva l'aria di non capire. « E lei è rimasto lì senza intervenire? »

« Colonnello, lei ha moglie e figli. E io sono troppo vecchio. Era logico che dovesse andare Dirk. »

Steiger vacillò leggermente. « Speriamo che ce la faccia », mormorò. « Per Dio, speriamo che ce la faccia. »

Pitt sarebbe stato felice di dare tutti i suoi risparmi per essere in qualunque altro posto, ma non lì ad arrampicarsi su una scala buia nelle viscere di una nave che da un momento all'altro poteva trasformarsi in un inferno. Aveva la fronte madida di sudore freddo come se fosse tormentato dalla febbre. All'improvviso Fawkes si fermò e Pitt lo urtò alle spalle, come un cieco che va a sbattere contro una quercia.

« Restate dove siete, signori. » La voce giungeva da una zona buia, qualche gradino più in alto. « Non potete vedermi, ma io vi vedo tutti e due, abbastanza per centrarvi al cuore. »

« Sono il comandante », scattò irritato Fawkes.

« Sì, il comandante Fawkes in carne e ossa. Molto opportuno. Cominciavo a temere che non sarei riuscito a stabilire il contatto. Non era sul ponte di comando come avevo immaginato. »

« Si identifichi! » ordinò Fawkes.

« Il mio nome è Emma. Non è molto maschile, lo ammetto, ma serve allo scopo. »

« La smetta con queste sciocchezze e ci lasci passare. » Fawkes salì due gradini, poi l'Hocker-Rodine sibilò e una pallottola gli sfrecciò vicino al collo, costringendolo a fermarsi. « Buon Dio, che cosa vuole? »

« Ammiro le mentalità pratiche, comandante. » Emma tacque un momento, poi soggiunse: « Ho l'ordine di ucciderla ».

Lentamente, Pitt, augurandosi di non essere notato dall'uomo che stava più in alto, scivolò sullo stomaco, protetto dalla mole del comandante. Poi incominciò a strisciare su per i gradini come un serpente.

« L'ordine? » chiese Fawkes. « L'ordine di chi? »

« Il nome del mio mandante non ha importanza. »

« E allora perché tante chiacchiere, maledizione? Perché non mi spara e non la fa finita? »

« Non agisco senza uno scopo, comandante Fawkes. È stato ingannato. Penso che abbia il diritto di saperlo. »

« Ingannato? » tuonò Fawkes. « Queste parole non mi dicono nulla. »

Nella mente di Emma incominciò a suonare un segnale d'allarme, affinato da una dozzina di anni passati a giocare a gatto e topo. Rimase in silenzio senza rispondere alla domanda, mentre i suoi sensi cercavano di captare un suono, un movimento.

« E l'uomo che sta dietro di me? » chiese Fawkes. « Lui non c'entra. Non ha senso assassinare un innocente. »

« Stia tranquillo, comandante », disse Emma. « Sono stato pagato per una sola vita. La sua. »

Con lentezza tormentosa, Pitt alzò la testa fino a quando i suoi occhi non furono al livello dei piedi dell'avversario. Adesso poteva vedere Emma. Non nei particolari, dato che la luce era troppo fioca. Ma riusciva a distinguere la chiazza pallida del volto e i contorni della figura.

Non attese altro. Immaginava che Emma avrebbe sparato allo stomaco di Fawkes a metà di una frase, dopo averlo distratto con le chiacchiere. Era un trucco vecchio ma efficace. Si puntellò con i piedi sui gradini, trasse un respiro profondo e si avventò rabbiosamente contro le gambe di Emma, mentre con le mani cercava di afferrare la pistola.

L'arma munita di silenziatore gli lampeggiò in faccia, e una fitta tremenda gli dilaniò il lato destro della testa mentre tentava di stringere il braccio di Emma. Dopo lo stordimento per lo sparo inatteso, precipitò nell'incoscienza e cominciò a cadere e cadere. Gli parve che trascorresse un'eternità prima che il vuoto abissale lo inghiottisse. Poi, più nulla.

64.

SPRONATO dall'intervento tempestivo di Pitt, Fawkes si lanciò alla carica su per la scala come un rinoceronte imbizzarrito e piombò con tutto il suo peso contro i due uomini. Pitt si accasciò e cadde da un lato. Emma lottò per puntare la pistola, ma Fawkes gliela sbalzò dalle mani come se fosse un giocattolo impugnato da un bambino. Poi Emma si scagliò contro l'inguine di Fawkes, gli strinse il pene e i testicoli con forza implacabile.

Ma fu una mossa sbagliata. Il comandante ruggì e, per una reazione istintiva, abbatté i pugni massicci, dall'alto in basso, sulla faccia di Emma, stritolando le cartilagini e dilaniando la pelle. Sorprendentemente, Emma non allentò la presa.

Anche se aveva la sensazione che l'inguine stesse per esplodergli con un dolore incandescente, Fawkes ebbe il buon senso di non cercare di strattonare le mani che lo stringevano come una morsa. Con calma, lucidamente, strinse la testa di Emma e cominciò a sbatterla contro il pavimento d'acciaio con tutta la forza delle sue braccia massicce. La pressione si attenuò; ma, dominato dalla rabbia scatenata dalla sofferenza, Fawkes continuò a insistere fino a quando l'occipite di Emma si spappolò. Quando finalmente il furore si esaurì, rotolò su se stesso, si massaggiò delicatamente l'inguine e gemette.

Dopo un paio di minuti si rialzò in piedi a fatica, afferrò per i colletti i due uomini inerti e li trascinò su per i gradini. Ancora una breve rampa, pochi metri lungo un corridoio: poi arrivò a un'apertura sulla fiancata di dritta dell'*Iowa*. Socchiuse il portello quanto bastava per lasciar filtrare la luce del giorno ed esaminò la ferita di Pitt.

La pallottola aveva scalfito la tempia sinistra. Non poteva aver causato danni più seri di una brutta lacerazione e di una leggera commozione cerebrale. Poi esaminò Emma. La pelle visibile attraverso la maschera di sangue del sicario stava diventando bluastra. Fawkes gli frugò nelle tasche e trovò soltanto un caricatore di riserva della Hocker-Rodine. Intorno al pesante maglione di lana era fissato un giubbotto salvagente gonfiabile.

« Non sapevi nuotare, eh? » commentò Fawkes con un sorriso. « Credo che questo non ti servirà più. »

Tolse il giubbotto a Emma e lo infilò addosso a Pitt. Si frugò nella tasca della giacca, prese un taccuino e scrisse qualcosa con un mozzicone di matita. Poi prese la borsa impermeabile del tabacco, la vuotò, vi inserì il taccuino e la mise sotto la camicia di Pitt. Tirò la cordicella della bombola di anidride carbonica e il giubbotto si gonfiò con un sibilo.

Fawkes tornò accanto a Emma, afferrò il cadavere per il maglione e lo trascinò verso il portello aperto. Il peso era troppo grande per riuscire a reggerlo, il maglione scivolò sopra la testa di Emma, e qualcosa attirò l'attenzione del capitano. Era una fasciatura di nylon che cingeva strettamente il petto. Incuriosito, Fawkes tolse un gancetto e il nailon ricadde, rivelando due piccoli seni dai capezzoli rosei.

Per un momento, Fawkes rimase impietrito.

« Santa Madre di Cristo », mormorò, sbalordito.

Emma era veramente una donna.

Dale Jarvis indicò lo schermo. « Là, sotto la torre numero due, sulla fiancata. »

« Che ne pensate? » chiese il presidente.

« Qualcuno ha aperto il portellone da carico di prua », rispose Kemper. Si rivolse al generale Higgins. « È meglio avvertire i suoi uomini: può darsi che l'equipaggio tenti la fuga. »

« Non faranno più di tre metri, una volta arrivati a terra », disse Higgins. Rimasero a osservare mentre il portellone si apriva verso l'interno e un colosso appariva nel vano per gettare in acqua qualcosa che sembrava un corpo. La forma piombò in acqua con uno spruzzo e scomparve. Poco dopo l'uomo tornò con un altro corpo, ma questa volta lo calò nella corrente con una cima, quasi con delicatezza, fino a che la figura inerte non ondeggiò sull'acqua e non si allontanò dalla nave. Poi la cima venne staccata e il portello si richiuse.

Kemper rivolse un cenno a un collaboratore. « Contatti la Guardia Costiera e dia l'ordine di ripescare quell'uomo che va alla deriva sulla corrente. »

« Cosa significava quella scena? » La domanda del presidente esprimeva i pensieri di tutti gli uomini seduti al tavolo per le conferenze.

« Il guaio è che forse non lo sapremo mai », rispose Kemper a voce bassa.

Dopo un'eternità, Hiram Lusana trovò un portello che dava sul ponte principale. Uscì barcollando, agghiacciato fino alle ossa nell'abito leggero, e continuò a stringere fra le mani il sacco con le piccole bombe. Il passaggio improvviso alla luce del giorno lo accecò. Si soffermò qualche istante per orientarsi.

Si accorse di essere uscito sotto la centrale di tiro di poppa, poco più avanti della torre numero tre. A bordo si sentiva il sibilo di armi portatili; ma lui pensava soltanto a liberarsi delle bombe della Morte Rapida e a nient'altro. Il fiume sembrava chiamarlo. Corse verso il parapetto che delimitava il ponte. Gli restavano da percorrere poco più di sei metri quando un uomo in muta nera da sommozzatore uscì dalle ombre della torre e gli puntò contro un'arma.

Il tenente Alan Fergus non sentiva più il dolore bruciante della ferita alla gamba, né l'angoscia di veder fatte a pezzi le sue squadre. Fremeva d'odio per i responsabili. Per lui non aveva importanza che l'uomo nel suo mirino indossasse un abito borghese anziché un'uniforme e sembrasse disarmato. Fergus vedeva soltanto un individuo che voleva assassinare i suoi amici.

Lusana si fermò di colpo e guardò Fergus. Non aveva mai visto tanta gelida ferocia sul volto di un uomo. Si fissarono negli occhi da meno di quattro metri di distanza, cercando di scambiarsi i pensieri in quel breve istante. Non pronunciarono una parola, ma fra loro passò una strana comprensione. Il tempo parve arrestarsi, e tutti i suoni si attutirono in un sottofondo confuso.

Hiram Lusana sapeva che la sua battaglia per sollevarsi dal fango della sua infanzia era culminata in quel momento e in quel luogo. Si era reso conto che non poteva dividere la guida di un popolo che non l'avrebbe mai accettato completamente. La sua strada era ormai tracciata. Poteva fare molto di più per gli africani oppressi diventando un martire della loro causa.

Lusana accettò l'invito della morte. Rivolse a Fergus un silenzioso sorriso di perdono e si lanciò verso il parapetto.

Fergus premette il grilletto, in una raffica di fuoco automatico. L'urto improvviso di tre pallottole nel fianco scagliò in avanti Lusana in un movimento convulso, quasi danzante, che gli svuotò l'aria dai polmoni. Rimase miracolosamente in piedi, continuando ad avanzare come un ubriaco.

Fergus sparò di nuovo.

Lusana cadde in ginocchio e continuò a lottare per raggiungere il parapetto. Fergus lo guardava con ammirazione distaccata, e si chiedeva vagamente che cosa spingesse quel nero abbigliato in modo incongruo a ignorare la dozzina di colpi che l'avevano trafitto.

Con gli occhi scuri resi vitrei dallo shock, e con la forza di volontà di cui era capace soltanto un uomo deciso a non arrendersi, Lusana si trascinò sul ponte stringendo il sacco di tela contro lo stomaco e lasciando dietro di sé un'ampia scia cremisi.

Il parapetto era a meno di un metro. Si avvicinò ancora

di più nonostante la tenebra che cominciava a offuscargli la vista, nonostante il sangue che gli sgorgava agli angoli della bocca. Chiamò a raccolta tutte le forze interiori nate dalla disperazione, e lanciò il sacco.

Per un istante che parve eterno, il sacco rimase appeso al parapetto, poi cadde nel fiume. Lusana si abbandonò con la faccia sulla tolda e sprofondò nell'oblio.

L'interno della torre puzzava di sudore e di sangue, di polvere da sparo e di olio surriscaldato. Quasi tutti gli uomini erano ancora in preda allo shock, con gli occhi vitrei, storditi dalla confusione e dalla paura. Gli altri giacevano fra i macchinari in pose innaturali, con il sangue che usciva dagli orecchi e dalle bocche. Un carnaio, pensò Fawkes, un maledetto carnaio. Dio, non sono migliore dei macellai che hanno massacrato la mia famiglia.

Guardò nel tunnel dell'elevatore centrale e vide, nel settore sottostante, Charles Shaba che batteva con il martello il supporto di un proiettile incastrato tre metri sotto la torre. I portelli che avevano lo scopo di impedire che un incidente comunicasse un lampo esplosivo ai depositi erano aperti, bloccati. Fawkes aveva la sensazione di guardare in un pozzo senza fondo. Poi il vuoto nero parve confondersi. All'improvviso si rese conto di quello che non andava. L'aria era troppo inquinata per respirarla. Coloro che erano sopravvissuti al violentissimo spostamento d'aria causato dal missile Satan stavano crollando per mancanza di ossigeno.

«Aprite il portello posteriore!» gridò. «Fate entrare un po' d'aria pura!»

«È incastrato, comandante», gracchiò una voce dal lato opposto della torre. «Non si apre.»

«I ventilatori! Perché non funzionano?»

«Sono saltati i circuiti», annunciò un altro, tossendo. «L'unica aria che abbiamo è quella che arriva attraverso i tubi del deposito munizioni.»

Nel buio soffocante, Fawkes riusciva appena a scorgere la figura dell'uomo che parlava. «Trovate qualcosa per forzare il portello. Dobbiamo aprire un passaggio per la ventilazione.»

Girò intorno ai corpi, superò l'enorme meccanismo di sparo del cannone e raggiunse il portello che dava sul ponte principale. Mentre guardava lo spessore d'acciaio di diciassette centimetri, sapeva bene con che cosa aveva a che fare. L'unico punto a suo favore erano le barre di chiusura spezzate e quel paio di centimetri di luce del giorno che si scorgeva in alto, dove il portello era stato distorto con violenza verso l'interno.

Qualcuno gli toccò la spalla e il comandante si voltò. Era Shaba.

«L'ho sentita attraverso il tubo del deposito, capitano. Ho pensato che questo le servisse.» E porse una pesante sbarra d'acciaio lunga oltre un metro e spessa almeno cinque centimetri.

Fawkes non perse tempo a ringraziarlo. Inserì la sbarra nell'apertura verso l'esterno e tirò. La faccia si arrossò per lo sforzo, le braccia possenti tremarono, ma il portello non si mosse.

Quella resistenza non era una sorpresa. Un vecchio adagio scozzese affermava che un uomo non la spuntava mai al primo tentativo. Chiuse gli occhi e aspirò profondamente, iperventilando. Ogni cellula si concentrò nel compito di attivare la forza imprigionata nel corpo colossale. Shaba assisteva, affascinato. Non aveva mai visto una simile concentrazione. Fawkes reinserì la sbarra, indugiò per qualche secondo e cominciò a premere. Shaba aveva l'impressione che il comandante si fosse trasformato in pietra: non c'era segno di fatica, non c'era tensione nei muscoli. Il sudore incominciò a sgorgare sulla fronte e i tendini del collo si gonfiarono e si tesero, ogni muscolo si indurì nella fatica. Poi lentamente, e parve incredibile, il portello stridette mentre l'acciaio strusciava contro l'acciaio.

Shaba non riusciva a credere che esistesse una forza

bruta tanto immensa. Non poteva conoscere il segreto che spronava Fawkes ben al di là dell'energia normale. Altri due centimetri di luce apparvero fra il portello e la corazza della torre. Poi sette centimetri... quindici... e di colpo l'acciaio torturato si contorse, si staccò dai cardini spezzati e cadde sul ponte con una grande eco metallica.

Quasi immediatamente il puzzo e il fumo si dispersero e lasciarono il posto all'aria fredda e umida. Fawkes si scostò e lanciò la sbarra oltre il portello. I suoi indumenti erano fradici di sudore; rabbrividiva mentre riprendeva il fiato e il cuore martellante ritornava alla normalità.

« Liberate le culatte e bloccate i cannoni », ordinò.

Shaba lo guardò senza capire. « Abbiamo perso la pressione idraulica del calcatoio. Non possiamo invertire l'azione per rimuovere i proiettili. »

« Al diavolo il calcatoio idraulico! » sbuffò Fawkes. « Adopera le mani. »

Shaba non rispose. Non ne ebbe il tempo. Dal portello aperto spuntò la canna di un fucile e una grandinata di pallottole rimbalzò tutto intorno nella casamatta corazzata. La raffica passò sibilando a fianco di Fawkes.

Shaba fu meno fortunato. Quattro pallottole gli penetrarono nel collo quasi simultaneamente. Crollò in ginocchio, fissando Fawkes con gli occhi sbarrati; poi mosse la bocca, ma non ne uscì neppure una parola, solo un fiotto di sangue che gli scorse sul petto.

Fawkes rimase immobile a guardare Shaba che moriva. Poi la rabbia lo assalì. Si voltò di scatto e afferrò la canna del mitragliatore. Il calore del metallo gli scottò le mani, ma ormai non avvertiva più le sensazioni del dolore. Fawkes strattonò con violenza e il SEAL, che stava fuori e che continuava a stringere l'arma, fu catapultato all'interno della stretta apertura e cadde, con l'indice ancora contratto sul grilletto.

Non c'è paura in un uomo il quale sa con certezza di essere sul punto di morire. Fawkes non aveva quella certezza. Il suo volto era bianco per la paura, la paura di essere ucciso prima che il proiettile della Morte Rapida inserito in uno dei tre cannoni potesse essere disattivato.

« Maledetto stupido », borbottò mentre il SEAL gli sferrava un calcio allo stomaco. « I cannoni... nei cannoni... la peste... »

Il SEAL si contorse con violenza e colpì la mascella di Fawkes con la mano libera. Mentre lottava per tenere lontano da sé la canna, Fawkes non poté far altro che assorbire il colpo. Le forze lo stavano abbandonando quando indietreggiò, barcollò e cadde attraverso il varco mentre tentava in un ultimo slancio di strappare l'arma dalla stretta del SEAL. Ma la carne gli si staccò dai palmi e dalle dita. Dovette lasciare la presa. Il SEAL spiccò un balzo a lato e abbassò la canna, puntandola con torturante lentezza allo stomaco di Fawkes.

Daniel Obasi, il ragazzo che stava all'interno della torre, rimase a guardare, inorridito e muto, quando l'indice del SEAL si contrasse sul grilletto. Tentò di urlare, di distrarre l'uccisore dalla muta nera, ma aveva la gola arida come la sabbia e dalle labbra gli uscì soltanto un sussurro stridulo. Per disperazione, in quella che pensava fosse la sua unica speranza di salvare la vita del comandante, Obasi premette il pulsante rosso.

65.

Non c'era modo di invertire il processo o di arrestare la sequenza dello sparo. Le cariche di lancio detonarono e due proiettili eruppero dalle canne al centro e a dritta. Tuttavia nella canna di sinistra la testata, incastrata nella frattura causata dai missili Satan, tratteneva i gas esplosivi alla base e impediva loro di fuoriuscire.

Un cannone nuovo avrebbe potuto resistere all'immane contraccolpo e alle pressioni terribili; ma la vecchia culatta arrugginita aveva ormai superato i suoi giorni migliori. Scoppiò e andò in pezzi. In meno di un secondo, un'eruzione vulcanica di fiamme si compresse all'interno della torre, divampò lungo il tubo dell'elevatore e fece deflagrare le cariche di lancio accatastate là sotto.

L'*Iowa* scoppiò.

Nell'istante fuggevole in cui fu scagliato attraverso il portello esterno Patrick Fawkes si rese conto dell'inutilità e della stupidità terribile delle sue azioni. Invocò Myrna e implorò il suo perdono mentre finiva sfracellato sulla superficie del ponte.

Il proiettile sparato dalla canna di dritta raggiunse lo zenit e piombò verso la cupola di calcare della sede degli Archivi Nazionali. Per uno scherzo del destino piombò accanto ai ventun piani di volumi e di documenti, sfondò il pavimento di granito della sala delle mostre a meno di tre metri dalla vetrina che conteneva la Dichiarazione d'Indipendenza e si fermò, affondato per circa metà della lunghezza, nel cemento del sotterraneo.

Il proiettile numero due fece cilecca.

Ma il terzo no.

Attivato dal minuscolo generatore, il radaraltimetro all'interno del blocco della Morte Rapida incominciò a trasmettere segnali a terra e a registrare la propria traiettoria discendente. La testata scendeva sempre più giù, sempre più giù, fino a quando, a cinquecento metri, un impulso elettrico liberò il paracadute e un ombrello di seta arancione fluorescente sbocciò contro lo sfondo del cielo azzurro. Stranamente, la stoffa vecchia di oltre trent'anni resse all'improvvisa tensione senza lacerarsi alle cuciture.

Molto più in basso delle vie di Washington, il presidente e i suoi consiglieri erano immobili sulle sedie, e battevano le palpebre seguendo la discesa ineluttabile del proiettile. In un primo momento, come i passeggeri del *Titanic* incapaci di credere che il colossale transatlantico stesse affondando, rimasero come ipnotizzati, senza riuscire ad afferrare la vera portata degli eventi che si svolgevano davanti a loro, e speravano che in un modo o nell'altro il meccanismo all'interno della testata non funzionasse e la facesse cadere sull'erba del mall senza causare danni.

Poi, con un trasalimento spaventoso, tutti cominciarono a sentirsi attanagliati dalla morsa della disperazione.

Una brezza leggera si levò da nord e sospinse il paracadute in direzione delle costruzioni dello Smithsonian Institut. I soldati che avevano bloccato le strade intorno al monumento di Lincoln e alla sede degli Archivi Nazionali e le folle dei dipendenti governativi coinvolti nel traffico mattutino guardavano intimiditi, mentre innumerevoli mani si protendevano verso l'alto.

Intorno al tavolo delle conferenze della sala situazioni sotterranee l'aria era resa irrespirabile dalla tensione. L'ansia crescente saliva verso vertici insopportabili. Jarvis non resistette più. Si nascose la faccia tra le mani. « Finiti », disse con voce rauca. « Siamo finiti. »

« Non è possibile fare qualcosa? » chiese il presidente, con gli occhi fissi sull'oggetto che scendeva lentamente sullo schermo.

Higgins alzò le spalle, rassegnato. « Se sparassimo a quel mostro riusciremmo soltanto a disperdere i batteri. A parte questo, temo che non possiamo far niente. »

Jarvis vide un lampo passare negli occhi del presidente, la constatazione agghiacciante di essere arrivati alla fine della strada. L'impossibile non poteva accadere, non poteva essere accettato. Ma si realizzava. La morte per milioni di persone era lontana pochi secondi e poche decine di metri.

Tutti osservavano la scena con tale intensità da non vedere un punto lontano che ingrandiva. L'ammiraglio Kemper fu il primo a scorgerlo: raramente gli sfuggiva qualcosa. Si alzò e scrutò lo schermo come se avesse raggi laser al posto degli occhi. Finalmente anche gli altri lo videro; il punto ingrandì e si trasformò in un elicottero che puntava direttamente verso la testata.

«In nome di Dio, che cosa...» mormorò Higgins.

«Sembra lo stesso pazzo che ha sorvolato l'*Iowa*», commentò Kemper.

«Questa volta lo faremo a pezzi», disse Higgins, e tese la mano verso il telefono.

Il sole basso batté sull'elicottero e per un momento lo trasformò in un bagliore sullo schermo. L'apparecchio ingrandì e molto presto divenne possibile distinguere le grosse lettere nere che spiccavano sul fianco.

«NUMA», bisbigliò Kemper. «È uno degli elicotteri della National Underwater and Marine Agency.»

Jarvis riabbassò le mani e alzò la testa come se si fosse svegliato all'improvviso da un sonno profondo. «Ha detto NUMA?»

«Guardi un po'», rispose Kemper, e indicò.

Jarvis guardò. Poi scattò come un pazzo, rovesciò la sedia, si protese sopra il tavolo e sbalzò il telefono dalle mani di Higgins. «No!»

Higgins rimase senza parole.

«Lo lasci stare!» gridò Jarvis. «Il pilota sa quello che fa.»

Jarvis aveva la certezza che dietro il dramma in atto sopra la capitale ci fosse Dirk Pitt. Un elicottero della NUMA e Pitt. Doveva esserci un legame. Un barlume di speranza si accese in lui mentre guardava ridursi la distanza fra l'elicottero e la testata batteriologica.

Il Minerva puntava verso il paracadute arancione come un toro lanciato alla carica contro la cappa del matador. Era una gara disperata. Steiger e Sandecker avevano sopravvalutato la traiettoria della testata della Morte Rapida e stavano librati nei pressi della sede degli Archivi Nazionali quando videro il paracadute che si spalancava in anticipo, a quattrocento metri dalla loro posizione. Persero tempo prezioso mentre Steiger faceva virare l'apparecchio in una rotta di avvicinamento, con una manovra disperatamente rischiosa ideata da Pitt poche ore prima.

«Sono passati dodici secondi», annunciò impassibile Sandecker dalla soglia della cabina.

Diciotto secondi alla detonazione, pensò Steiger.

«Pronto con il gancio e il verricello», disse Sandecker.

Steiger scosse la testa. «È troppo pericoloso. Possiamo permetterci un solo passaggio. Dobbiamo infilare le corde con il muso.»

«Le pale del rotore si impiglieranno.»

«È la nostra unica possibilità», rispose Steiger.

Sandecker non discusse. Si lasciò cadere sul sedile del secondo pilota e agganciò la cintura di sicurezza.

La testata era proprio davanti a loro. Steiger notò che era dipinta del blu regolamentare della Marina. Ridusse la velocità così bruscamente che i due uomini rabbrividirono, scagliati contro le imbracature di sicurezza.

«Sei secondi», disse Sandecker.

L'ombra dell'enorme paracadute scendeva sull'elicottero quando Steiger virò a destra. La manovra violenta mandò il muso appuntito del Minerva ad affondare fra le corde. La seta arancione si afflosciò e coprì il parabrezza nascondendo il sole. Tre delle corde si impigliarono e si avvolsero intorno all'asse del rotore prima che la stoffa vecchia e logora cedesse e si sbrindellasse. Le altre si attorsero intorno alla fusoliera, strattonarono il Minerva e quasi lo bloccarono quando si tesero e sostennero il peso del grosso proiettile.

«Due secondi», sibilò Sandecker, a denti stretti.

Il Minerva veniva trascinato verso il basso dal peso del proiettile. Steiger lo riportò in posizione orizzontale con la barra di comando dell'inclinazione, strattonò a fondo le manette e azionò la leva del passo collettivo in un turbine di movimenti frettolosi.

I due motori fremevano sotto il carico. Sandecker aveva smesso di contare. Il tempo era scaduto. L'ago dell'altimetro oscillava leggermente sui trecento metri di quota. L'ammiraglio si sporse da un finestrino aperto e, al di là della seta svolazzante, guardò la bomba che pendeva sotto la fusoliera. Si aspettava un'esplosione da un momento all'altro.

Le pale del Minerva schiaffeggiavano l'aria e causavano una successione di suoni secchi udibili in un raggio di molti chilometri sopra il mare delle facce ipnotizzate rivolte al cielo. Paracadute, proiettile ed elicottero erano librati insieme. Sandecker tornò a guardare l'altimetro: non si era mosso. Un velo di sudore gli coprì la fronte.

Trascorsero dieci secondi, e a Sandecker parvero anni. Steiger, assorto nel proprio compito, lottava con i comandi. L'ammiraglio non poteva fare altro che restare seduto. Era la prima volta, a quanto ricordava, che si sentiva totalmente inutile.

«Alzati, accidenti a te, alzati», disse Steiger al Minerva in tono supplichevole.

Sandecker continuava a fissare l'altimetro come se fosse ipnotizzato. Gli sembrò che l'ago facesse uno scatto infinitesimale al di sopra del segno dei trecento metri. Era uno scherzo dell'immaginazione, oppure lo strumento segnalava veramente una risalita? Poi, con estrema lentezza, l'ago si mosse.

«Stiamo salendo», riferì. Gli tremava la voce.

Steiger non rispose.

Il rateo di salita incominciò ad aumentare. Sandecker rimase in silenzio fino a quando non ebbe la certezza che gli occhi non stavano facendo strani scherzi alla sua mente. Ormai l'incertezza era svanita. L'ago saliva lentamente al di sopra di un'altra indicazione di quota.

66.

Il sollievo dei presenti nella sala situazioni dell'esecutivo era indescrivibile. Se qualcuno avesse chiesto la loro opinione, avrebbero ammesso all'unanimità di non aver mai visto niente di più splendido in tutta la loro vita. Persino l'austero generale Higgins sorrideva beato. La nube soffocante della minaccia ineluttabile s'era dileguata all'improvviso. Incominciarono tutti ad applaudire mentre il Minerva trainava il carico mortale verso una quota più sicura.

Il presidente si accasciò sulla poltroncina e accese un sigaro. Attraverso la nube di fumo, rivolse un cenno a Jarvis.

«A quanto pare, Dale, lei è un chiaroveggente.»

«È stata un'intuizione calcolata, signore», rispose Jarvis con un sorriso.

L'ammiraglio Kemper sollevò il ricevitore. «Mettetemi in comunicazione con l'elicottero della NUMA!» ordinò.

«La tempesta non è ancora superata», avvertì Higgins. «Quelli non possono restare in volo per l'eternità.»

«Siamo in contatto radio.» Dagli altoparlanti accanto allo schermo giunse l'annuncio in tono sbrigativo.

Kemper parlò al telefono senza distogliere gli occhi dal Minerva in volo. «Qui è l'ammiraglio Joseph Kemper dei capi di Stato Maggiore, elicottero NUMA. Si identifichi, prego.»

La voce che rispose era calma e nitida come se giungesse da un angolo della sala.

«Sono Jim Sandecker, Joe. Che cosa vuoi?»

Il presidente si tese. «Il direttore della NUMA?»

Kemper annuì. «Sai benissimo che cosa voglio!» disse seccamente nel ricevitore.

«Ah, sì, la testata della Morte Rapida. Immagino che sarai a conoscenza del suo potenziale.»

« Appunto. »

« E vuoi sapere che cosa ne farò. »

« Infatti ci ho pensato. »

« Appena avremo raggiunto la quota di millecinquecento metri », disse Sandecker, « il pilota, il colonnello Abe Steiger, e io punteremo in linea retta verso il mare e faremo cadere questa figlia di puttana alla massima distanza possibile dalla terra consentita dal carburante. »

« Quale distanza, secondo i suoi calcoli? » chiese Kemper.

Vi fu un breve silenzio mentre Sandecker si consultava con Steiger. « Approssimativamente mille chilometri a est della costa del Delaware. »

« Il proiettile è sicuro? »

« Sembra che sia agganciato saldamente. Certo, sarebbe meglio se non dovessimo affidarci agli strumenti e potessimo contemplare il paesaggio. »

« Prego? »

« Il paracadute si è attorcigliato intorno al nostro parabrezza. Possiamo guardare soltanto dall'alto in basso. »

« In che modo possiamo esservi utili? » chiese Kemper.

« In questo modo », rispose Sandecker. « Informa tutto il traffico aereo militare e commerciale di stare alla larga dalla nostra rotta verso il mare. »

« Consideralo già fatto », assicurò Kemper. « E manderò una nave per recuperarvi nei pressi del punto in cui finirete in mare. »

« Risposta negativa, Joe. Il colonnello Steiger e io apprezziamo il gesto, ma sarebbe da stupidi sprecare vite umane. Capisci? »

Kemper non rispose immediatamente. Nei suoi occhi apparve un'espressione di profonda tristezza. Poi disse: « Ho capito. Qui Kemper, chiudo ».

« Non è possibile salvarli? » chiese Jarvis.

Kemper scosse la testa. « Purtroppo quella dell'ammiraglio Sandecker e del colonnello Steiger è una missione suicida. L'elicottero finirà il carburante, precipiterà in mare e si trascinerà dietro il proiettile. Quando arriveranno a trecento metri, la testata disperderà i microrganismi della Morte Rapida. Il resto è sottinteso. »

« Ma potranno tagliare le corde del paracadute e allontanarsi fino a una distanza di sicurezza prima di precipitare », insistette Jarvis.

« Capisco il punto di vista dell'ammiraglio Kemper », disse Higgins. « La risposta è sul nostro schermo. Quel paracadute è il sudario dell'elicottero. Le corde sono intrecciate intorno alla base del rotore e pendono sul lato opposto a quello del portellone. Anche se l'elicottero si fermasse in un punto fisso, per un uomo sarebbe impossibile arrampicarsi fino a tagliare le corde con un coltello. »

« Potrebbero lanciarsi dall'elicottero prima che precipiti? » chiese Jarvis.

Il generale Sayre scosse la testa. « Diversamente dagli aerei convenzionali, gli elicotteri non hanno sistemi di comando automatici. Devono essere pilotati manualmente di secondo in secondo. Se l'equipaggio si lanciasse, l'elicottero gli cadrebbe addosso. »

« E lo stesso principio vale anche per un'operazione di recupero in volo », disse Kemper. « Potremmo portare al sicuro uno dei due, ma non entrambi. »

« Non possiamo far niente? » La voce di Jarvis era spezzata.

Il presidente fissò con aria desolata il piano laccato del tavolo. Alla fine disse: « Possiamo solo pregare che portino quella mostruosità lontano dalle nostre coste ».

« E se ce la faranno? »

« Allora resteremo ad assistere, impotenti, alla morte di due coraggiosi. »

L'acqua gelida fece riprendere i sensi a Pitt. Durante il primo minuto, mentre sbatteva gli occhi nella luce viva del giorno, cercò di rendersi conto della situazione, di capire perché stava andando alla deriva su un fiume freddo e sporco. Poi il dolore cominciò a ingigantire. La testa gli doleva come se qualcuno vi stesse piantando un chiodo.

Sentì una vibrazione dell'acqua, uno scoppiettio soffocato. Poco dopo una motovedetta della Guardia Costiera uscì dalla luce del sole e si fermò accanto a lui. Due uomini in muta si tuffarono e lo agganciarono in un'imbracatura. Poi diedero un segnale, e Pitt fu issato a bordo.

«È un po' presto per fare una nuotata», gli disse un colosso con il braccio al collo. «O si stava allenando per la traversata della Manica?»

Pitt si guardò intorno e vide i vetri infranti e le schegge di legno sul ponte di comando della motovedetta. «E lei da dove arriva? Dalla battaglia di Midway?»

L'uomo che sembrava un orso sorrise. «Eravamo diretti al nostro porto quando abbiamo ricevuto l'ordine di tornare indietro a ripescarla. Mi chiamo Kiebel, Oscar Kiebel, e sono il comandante di quella che una volta era la motovedetta più pulita dell'Inland Waterway.»

«Io sono Dirk Pitt. Della NUMA.»

Kiebel socchiuse gli occhi. «Come mai era a bordo della corazzata?»

Pitt alzò gli occhi. «Credo di esserle debitore di un'antenna radio.»

«È stato lei a sfasciarla?»

«Chiedo scusa se sono scappato via, ma non ho avuto il tempo di segnalare l'incidente.»

Kiebel gli indicò la plancia. «È meglio che entri e si lasci fasciare la testa. Deve aver preso una brutta botta.»

In quel momento Pitt vide la grande nuvola di fumo che saliva oltre un'ansa del Potomac. «L'*Iowa*», disse. «Che fine ha fatto l'*Iowa*?»

«È saltata in aria.»

Pitt si appoggiò al parapetto.

Kiebel gli passò il braccio illeso intorno alle spalle mentre uno dei suoi uomini portava una coperta. «Se la prenda calma e vada a sdraiarsi. Quando attraccheremo, ci sarà un dottore ad aspettarci.»

«Non ha importanza», disse Pitt. «Ormai non ha più importanza.»

Kiebel lo condusse in plancia e gli portò una tazza di caffè bollente. «Purtroppo non abbiamo alcolici a bordo. Colpa del regolamento. E comunque, è un po' presto per un cicchetto.» Si voltò e, attraverso la porta aperta, si rivolse all'ufficiale addetto alle comunicazioni. «Le ultime novità sull'elicottero?»

«Sta sorvolando la baia di Chesapeake, signore.»

Pitt alzò gli occhi. «Quale elicottero?»

«Uno dei vostri», rispose Kiebel. «È stranissimo. Un proiettile sparato nell'ultima salva dell'*Iowa* è sceso con il paracadute, e quell'idiota a bordo dell'elicottero della NUMA lo ha afferrato al volo.»

«Dio sia ringraziato!» esclamò Pitt, che aveva capito tutto. «Una radio. Mi presti la sua radio.»

Kiebel esitò. Leggeva l'urgenza negli occhi di Pitt. «Non è molto regolamentare permettere ai civili di servirsi degli apparecchi militari di comunicazione...»

Pitt alzò una mano per interromperlo. L'epidermide agghiacciata stava recuperando la sensibilità, e adesso sentiva qualcosa che gli premeva sullo stomaco, sotto la camicia. Estrasse un pacchetto e lo guardò con aria interrogativa.

«E questo da dove diavolo è arrivato?»

Steiger guardava l'indicatore della temperatura mentre l'ago avanzava lentamente verso il rosso. La costa dell'Atlantico era lontana ancora un centinaio di chilometri, e l'ultima cosa che voleva era un'avaria.

La spia di chiamata della radio cominciò a lampeggiare e l'ammiraglio premette il tasto «trasmissione». «Qui Sandecker. Vi ascolto.»

«Vorrei quelle uova strapazzate», disse Pitt. La sua voce crepitava attraverso la cuffia.

«Dirk!» esclamò Sandecker. «Tutto bene?»

«Sono un po' ammaccato, ma ancora vivo e vegeto.»

« E l'altra testata? » chiese ansiosamente Steiger.

« Disattivata », rispose Pitt.

« E l'agente della Morte Rapida? »

Il tono di Pitt non tradiva il minimo dubbio. « Buttato nella fogna. »

Pitt non aveva la certezza che Hiram Lusana avesse gettato nel fiume le minuscole bombe, ma non intendeva dire a Steiger e all'ammiraglio che forse i loro sforzi erano stati vani.

Sandecker riferì a Pitt circa l'aggancio del paracadute e gli spiegò che le prospettive non erano rosee. Pitt ascoltò senza interromperlo. Poi, quando l'ammiraglio ebbe terminato, gli rivolse una sola domanda.

« Per quanto tempo potete restare in aria? »

« Posso far durare il carburante per due ore, forse due e mezzo », rispose Steiger. « Il mio problema, per il momento, sono i motori. Non funzionano al meglio e si stanno surriscaldando. »

« Direi che il paracadute ha ostruito parzialmente le prese d'aria. »

« Accetto i suggerimenti ingegnosi. Ne ha qualcuno? »

« Oh, sì », rispose Pitt. « Non abbassate le orecchie. Mi rimetterò in contatto fra due ore. Intanto scaricate tutto quello che potete. Sedili, attrezzi, tutti gli elementi dell'elicottero che potete staccare, per alleggerire il peso. Fate quello che dovete, ma restate in aria fino a quando mi rifarò vivo. Qui Pitt, chiudo. »

Spense il microfono e si rivolse al tenente Kiebel. « Devo scendere a terra al più presto possibile. »

« Attraccheremo fra otto minuti. »

« Avrò bisogno d'un mezzo di trasporto. »

« Non ho ancora capito che cosa c'entri lei in questo pasticcio », disse Kiebel. « Per quel che ne so, dovrei arrestarla. »

« Non è il momento di giocare ai vigilantes », ribatté Pitt. « Cristo, possibile che debba fare tutto da solo? » Si chinò sull'operatore radio. « Mi metta in comunicazione con la sede centrale della NUMA e la Stransky Instrument Company, in quest'ordine. »

« Non le sembra di approfittare un po' troppo dei miei uomini e del mio equipaggiamento, eh? »

Pitt era sicuro che se Kiebel avesse avuto tutte e due le braccia funzionanti lo avrebbe scaraventato sul ponte. « Cosa devo fare per assicurarmi la sua collaborazione? »

Kiebel lo fissò con aria omicida. Poi, lentamente, gli occhi brillarono e la bocca si atteggiò a un sorriso. « Dica: 'Per piacere'. »

Pitt obbedì. Esattamente dodici minuti più tardi era a bordo di un elicottero della Guardia Costiera, diretto a Washington.

67.

PER Steiger e Sandecker le due ore trascorsero con lentezza torturante. Avevano superato la costa del Delaware a Slaughter Beach e adesso si trovavano sopra l'Atlantico, a ottocento chilometri dalla terraferma. Le condizioni meteorologiche si mantenevano abbastanza calme, e i pochi nembi temporaleschi erano fortunatamente lontani dalla loro rotta.

Tutto ciò che non era imbullonato, e anche alcuni oggetti che lo erano, era stato buttato in mare dal portellone della cabina principale. Sandecker calcolava di aver scaricato circa duecento chili di roba; e questo, unitamente alla perdita del peso per il carburante consumato, aveva impedito che i motori si surriscaldassero nello sforzo di tenere in volo il Minerva.

Sandecker era disteso con la schiena contro la paratia dell'abitacolo. Aveva rimosso tutti i sedili tranne quello di Steiger. Gli sforzi fisici delle ultime due ore lo avevano sfinito. Ansimava e aveva braccia e gambe indolenzite.

«Pitt si è fatto vivo?»

Steiger scosse la testa senza staccare gli occhi dagli strumenti. «Silenzio di tomba», disse. «Ma che cosa ci possiamo aspettare? Non è uno specialista di miracoli.»

«So che è riuscito spesso a fare cose che per gli altri erano impossibili.»

«So riconoscere un patetico tentativo di ispirare false speranze.» Steiger inclinò la testa verso l'orologio della plancia. «Sono passate due ore e otto minuti dall'ultimo contatto. Immagino che abbia rinunciato a tentare.»

Sandecker era troppo esausto per discutere. Tese la mano, mise la cuffia radio e chiuse gli occhi. Si stava abbandonando a una sensazione di pace quando una voce brusca lo ridestò di colpo.

« Ehi, vecchio pelato, vola proprio come sbatte. »

« Giordino! » ansimò Steiger.

Sandecker premette il tasto « transmit ». « Al, da dove chiama? Dove si trova? »

« Ottocento metri più indietro e sessanta metri sotto di voi. »

Sandecker e Steiger si scambiarono un'occhiata di stupore.

« Dovrebbe essere in ospedale », disse l'ammiraglio.

« Pitt mi ha fatto liberare sulla parola. »

« Dov'è Pitt? » chiese Steiger.

« La sto guardando di sotto in su, Abe », rispose Pitt. « Sono ai comandi del Catlin M-200 di Giordino. »

« È in ritardo », disse Steiger.

« Chiedo scusa, ma sono cose che richiedono tempo. Come state a carburante? »

« Stiamo succhiando il fondo del serbatoio », rispose Steiger. « Con un po' di fortuna, potrei reggere ancora per diciotto o venti minuti. »

« Un transatlantico norvegese è a un centinaio di chilometri da qui, direzione due-sette-zero gradi. Il comandante ha fatto allontanare i passeggeri dal ponte scoperto in attesa del vostro arrivo. Dovreste farcela... »

« È impazzito? » l'interruppe Steiger. « Un transatlantico, il ponte scoperto... di che cosa sta cianciando? »

Pitt continuò, imperturbabile. « Appena avremo staccato il proiettile, dirigetevi verso la nave da crociera. Non potete sbagliare. »

« Non sapete quanto vi invidio, voi due », interloquì Giordino. « Vi metterete tranquilli sul bordo della piscina a bere un martini. »

« A bere un martini? » ripeté Steiger. « Mio Dio, sono pazzi tutti e due! »

Pitt si rivolse a Giordino che stava sul sedile del secondo pilota, e indicò con un cenno l'ingessatura che gli inguainava una gamba. « Sei sicuro di poter far funzionare i comandi, con quell'arnese addosso? »

« L'unica cosa che non mi permette di fare », rispose Giordino battendo la mano sul gesso, « è grattarmi all'interno. »

« Allora lascio fare a te. »

Pitt staccò le mani dal volantino di comando, si alzò dal sedile e tornò nella stiva del Catlin. Dal portello aperto entrava sibilando l'aria fredda. Un uomo dalla carnagione chiarissima e dai lineamenti nordici che indossava una tuta da sci multicolore stava chino su un lungo oggetto nero rettangolare montato su un treppiede. Si capiva al primo colpo d'occhio che il dottor Paul Weir non era tagliato per girare nel cuore dell'inverno a bordo di aerei pieni di spifferi.

« Siamo in posizione », disse Pitt.

« Quasi pronto », rispose Weir. Le labbra gli stavano diventando bluastre. « Devo collegare i tubi di raffreddamento. Se non facciamo circolare l'acqua intorno alla testata e alla batteria, l'apparato andrà arrosto. »

« Non so perché, ma mi aspettavo qualcosa di più esotico », fu il commento di Pitt.

« I laser ad argon non vengono realizzati per i film di fantascienza, signor Pitt. » Il dottor Weir continuò a parlare mentre dava un'ultima controllata al connettore dei cavi. « Sono progettati per emettere un fascio di luce coerente per una quantità di applicazioni pratiche. »

« È abbastanza potente per fare il lavoro? »

Weir alzò le spalle. « Diciotto watt concentrati in un fascio minuscolo che libera appena due kilowatt d'energia non sembrano gran cosa, ma le assicuro che saranno più che sufficienti. »

« A che distanza dal proiettile dobbiamo portarci? »

« La divergenza del raggio rende indispensabile avvicinarci il più possibile. Meno di quindici metri. »

Pitt premette il pulsante dell'interfono. « Al? »

« Parla. »

« A meno di dodici metri dal proiettile. »

« A quella distanza verremo investiti dalla turbolenza prodotta dal rotore dell'elicottero. »

« Non possiamo far altro. »

Weir fece scattare l'interruttore principale del laser.

« Mi sente, Abe? » chiese Pitt.

« L'ascolto. »

« Adesso Giordino si avvicinerà quanto basta perché possiamo tranciare le funi del paracadute fissate al proiettile, usando un raggio laser. »

« Ah, è così », disse Sandecker.

« È così, ammiraglio. » La voce di Pitt era sommessa, quasi casuale. « Ora ci portiamo in posizione. Mantenete la direzione. Tenete incrociate tutte le dita che avete libere, e diamoci da fare. »

Giordino regolò i comandi con la precisione di un orologiaio e portò il Catlin a fianco del Minerva, leggermente più in basso. Incominciò a sentire l'aria smossa dall'elicottero che investiva le superfici di controllo, e strinse convulsamente le mani sul volantino. Nel compartimento di carico la scossa violenta fece tremare tutto ciò che non era ben fissato. Pitt girava di continuo lo sguardo dal proiettile a Weir.

Il fisico capo della Stransky Instrument si chinò sull'apparato laser. Non tradiva paura o ansia. Se mai, sembrava divertirsi.

« Non vedo nessun raggio », disse Pitt. « È sicuro che funzioni? »

« Mi dispiace contraddire le sue convinzioni », rispose Weir. « Ma il raggio laser ad argon è invisibile. »

« Allora come fa a puntarlo con precisione? »

« Con questo mirino telescopico da trenta dollari. » Weir batté la mano sul tubo cilindrico che era stato fissato frettolosamente al laser. « Non mi farà vincere il premio Nobel, ma per il nostro scopo dovrebbe bastare. »

Pitt si sdraiò bocconi e avanzò strisciando fino a sporgere la testa dal portello aperto. L'aria gelida gli strappò la fasciatura dalla testa e fece sventolare un'estremità della garza come una bandiera in un uragano. Il proiettile pendeva sotto l'elicottero, ed era leggermente inclinato verso il rotore di coda. Pitt stentava a credere che un universo di sofferenza e di morte potesse essere racchiuso in un contenitore tanto piccolo.

« Ancora più vicino », gridò Weir. « Più vicino di altri tre metri. »

« Avanti di tre metri », disse Pitt nell'interfono.

« Se ci avviciniamo ancora di più possiamo adoperare le forbici », borbottò Giordino. Era in preda all'ansia, ma non lo dava a vedere; il suo volto aveva un'espressione quasi insonnolita. Solo gli occhi ardenti tradivano la concentrazione necessaria per quelle manovre di precisione. Aveva l'impressione che il sudore esplodesse all'interno dell'ingessatura, mentre le terminazioni nervose della gamba urlavano la lora protesta.

Adesso Pitt riusciva a distinguere qualcosa... le funi al di sopra del proiettile cominciavano ad annerirsi. Il raggio invisibile era entrato in contatto e fondeva il nylon. Quante funi c'erano? si chiese Pitt. Forse una cinquantina.

« Si sta surriscaldando! » Tre parole che per un momento arrestarono il battito dei cuori. « Qui c'è troppo freddo con il portello aperto! » urlò Weir. « I tubi del raffreddamento si sono ghiacciati. »

Tornò a guardare attraverso il mirino telescopico. Pitt vide diverse funi che si spezzavano. Le estremità carbonizzate schizzavano via orizzontalmente e si agitavano nella corrente d'aria. L'odore acre dell'isolante bruciato cominciò a invadere la cabina.

« Il tubo non reggerà ancora per molto », disse Weir.

Altre sei funi del paracadute si spezzarono; ma le altre erano ancora tese, indenni. All'improvviso Weir si raddrizzò e si tolse i guanti bruciacchiati.

« Dio, mi dispiace! » gridò. « Il tubo è partito! »

Il proiettile della Morte Rapida pendeva ancora minacciosamente sotto il Minerva.

Trascorsero trenta secondi interminabili mentre Pitt restava disteso a fissare il proiettile mortale che ondeggiava nel cielo. Il suo volto rispecchiava soltanto un'intensa concentrazione. Poi ruppe il silenzio.

« Il laser è fuori uso », annunciò senza preamboli.

« Accidenti, accidenti, accidenti! » ringhiò Steiger. « La fortuna ci ha abbandonati! » La voce esprimeva amarezza e frustrazione.

« E adesso? » chiese con calma l'ammiraglio Sandecker.

« Adesso vi allontanate e lanciate in tuffo quel tacchino », rispose Pitt.

« Che cosa? »

« È l'ultima carta che ci resta da giocare. Scendete in picchiata. Quando avrete raggiunto una velocità sufficiente, risalite. Forse questa volta Abe avrà più fortuna, e il passeggero indesiderato si staccherà. »

« Sarà un problema », disse Steiger. « Dovrò farlo servendomi degli strumenti. Non vedo un accidente, con il paracadute che copre il parabrezza. »

« Vi staremo vicini », lo incoraggiò Giordino.

« Non avvicinatevi troppo, o prenderete il raffreddore », ribatté Steiger. Allontanò l'elicottero dall'aereo. « E preghiamo che il piccolo non sia costipato. » Poi spinse in avanti i comandi di volo.

Il Minerva s'inclinò verso il basso e scese a un angolo di settanta gradi. Sandecker puntò i piedi contro la base del sedile di Steiger e cercò di afferrarsi a qualcosa con le mani. Sotto gli occhi attenti degli uomini a bordo del Catlin, il muso dell'elicottero puntò verso la superficie del mare.

« Riducete l'angolo di discesa », suggerì Pitt. « Il proiettile comincia a scivolare all'indietro verso il rotore di coda. »

« Ho sentito », disse Steiger con voce tesa. « È come saltare dal tetto di un palazzo a occhi chiusi. »

« Mi pare che così andiate bene », fece Pitt in tono rassicurante. « Non troppo veloce. Se superate i sette g, perderete le pale del rotore. »

« Preferisco non pensarci. »

Milleduecento metri.

Giordino non tentò di conservare esattamente la distanza da Steiger. Rimase indietro e mantenne il Catlin in una picchiata poco profonda, scendendo a spirale dietro il Minerva. Il dottor Weir, che aveva terminato il suo lavoro, si avviò barcollando verso il tepore della cabina di pilotaggio.

La netta inclinazione del pavimento dell'elicottero dava all'ammiraglio Sandecker la sensazione di stare in piedi con la schiena contro un muro. Gli occhi di Steiger andavano dall'altimetro all'indicatore di velocità e al quadrante dell'orizzonte artificiale.

Novecento metri.

Pitt vide che il paracadute sbatteva nell'aria, pericolosamente vicino al rotore. Ma rimase in silenzio. Steiger aveva già anche troppe preoccupazioni, pensò, senza bisogno di altri lugubri avvertimenti. Guardò il mare che sembrava salire precipitosamente incontro al Minerva.

Steiger incominciò a notare una vibrazione crescente. Il rumore del vento diventava più forte con l'aumento della velocità. Per una frazione di secondo considerò la possibilità di tenere in posizione la barra del passo ciclico e di mettere fine alla tortura. Ma poi, per la prima volta in quel giorno, pensò alla moglie e ai figli, e il desiderio di rivederli riaccese in lui la volontà di vivere.

« Abe, adesso! » L'ordine di Pitt arrivò fragoroso attraverso la cuffia. « Risalga! »

Steiger tirò la barra del ciclico all'indietro.

Seicento metri.

Il Minerva vibrò sotto lo sforzo che aggrediva ogni rivetto della sua struttura. Rimase librato allo stesso modo del proiettile, reagendo alla forza di gravità come un peso all'estremità d'un pendolo gigantesco, inarcato verso l'esterno. Le ultime funi che avevano resistito al raggio laser si tesero come le corde di un banjo. E cominciarono a sfilacciarsi, a due o tre alla volta.

E il proiettile della Morte Rapida, nel momento in cui sembrava scagliarsi fulmineamente all'indietro e sfracellare l'elicottero, si staccò e precipitò verso l'oceano.

« È andato! » urlò Pitt.

Steiger era troppo esausto per rispondere. Sandecker lottò contro la tenebra che gli appannava la vista, si sollevò sulle ginocchia e scosse per la spalla il suo compagno.

« Si diriga verso il transatlantico in crociera », disse con voce stanca e sollevata.

Pitt non seguì con lo sguardo il Minerva che si allontanava virando e si dirigeva verso la salvezza. Guardò il proiettile fino a quando il cilindro blu non si confuse con il blu dell'acqua e scomparve.

Progettato per un rateo di discesa di cinque metri e mezzo al secondo, il proiettile precipitò per trecento metri senza far esplodere la testata. Il detonatore indugiò fino a che fu troppo tardi. A circa centodieci metri al secondo il microrganismo patogeno, con il suo potenziale di sterminio, piombò nell'abisso dell'oceano.

Pitt stava ancora guardando quando il minuscolo squarcio bianco dell'impatto con l'acqua venne richiuso dalle onde implacabili.

È sempre doloroso veder morire una nave gloriosa. Il presidente era commosso. Fissava le colonne turbinanti di fumo che salivano dall'*Iowa* mentre i mezzi antincendio si avvicinavano a quell'inferno nel futile tentativo di spegnere le fiamme.

Era in compagnia di Timothy March e di Dale Jarvis; i capi di Stato Maggiore erano tornati nei rispettivi uffici al Pentagono per dare l'avvio alle prevedibili inchieste, dettare i prevedibili rapporti e impartire le altrettanto prevedibili direttive. Entro poche ore lo shock si sarebbe attenuato e i media avrebbero incominciato a chiedere vendetta a spese di chiunque.

Il presidente aveva stabilito una linea d'azione. Bisognava placare l'esplosione di furore dell'opinione pubblica. Non sarebbe servito a nulla presentare il raid come un altro giorno d'infamia. Era opportuno nascondere i cocci sotto il tappeto della confusione con la massima delicatezza possibile.

« È appena arrivata la notizia che l'ammiraglio Bass è morto all'ospedale di Bethesda », annunciò Jarvis a voce sommessa.

« Doveva essere un uomo molto forte, se ha portato il peso terribile del segreto della Morte Rapida per tutti questi anni », commentò il presidente.

« Allora è finita », mormorò March.

« Resta l'isola di Rongelo », fece presente Jarvis.

« Sì », confermò il presidente. « Sì, c'è ancora quella. »

« Non possiamo permettere che rimanga traccia del microrganismo. »

Il presidente guardò Jarvis. « Lei che cosa propone? »

« Cancellare per sempre l'isola dalla faccia della terra », rispose quello.

« Impossibile », disse March. « I sovietici scatenerebbero un pandemonio se facessimo scoppiare una bomba. L'accordo sui test nucleari in superficie viene rispettato da entrambe le nazioni ormai da due decenni. »

Un sorriso forzato spuntò sulle labbra di Jarvis. « I cinesi non l'hanno ancora firmato, quell'accordo. »

« Quindi? »

« Prendiamo in prestito una pagina dell'Operazione Rosa Selvatica », spiegò Jarvis. « Mandiamo uno dei nostri sottomarini armati di missili il più possibile vicino al continente cinese, e gli ordiniamo di lanciare una testata nucleare contro l'isola di Rongelo. »

March e il presidente si scambiarono un'occhiata pensierosa. Poi si rivolsero di nuovo a Jarvis, in attesa di ascoltare il resto della proposta.

« Purché i preparativi americani per un test siano inesistenti e non ci siano nostri aerei o navi di superficie entro un raggio di tremila chilometri dall'area dell'esplosione, non ci saranno prove tangibili che i russi possano usare per accusarci. D'altra parte, ai loro satelliti spia non può sfuggire la traiettoria del missile, partito in apparenza dalla Cina continentale. »

« Potremmo farcela se giocassimo con molta prudenza », disse March che cominciava ad apprezzare il suggerimento. « Naturalmente i cinesi negherebbero di essere i
responsabili. E dopo le solite accuse rabbiose del Crem-
lino, il nostro Dipartimento di Stato e le altre nazioni indi-
gnate condanneranno Pechino, e l'intero episodio verrà
probabilmente dimenticato in meno di due settimane. »

Il presidente guardò nel vuoto. Lottava con la propria
coscienza. Per la prima volta in quasi otto anni si rendeva
conto della totale vulnerabilità della sua carica. La corazza
del potere era piena di incrinature sottilissime che potevano squarciarsi al primo scontro con l'imprevisto.

Finalmente, muovendosi con la lentezza di un uomo
molto più vecchio della sua età, si alzò.

« Prego Dio », disse con gli occhi colmi di tristezza, « di
essere l'ultimo uomo della storia a ordinare un attacco nucleare. »

Poi si avviò a passo lento verso l'ascensore che l'avrebbe riportato nel suo ufficio alla Casa Bianca.

L'ULTIMO RIPOSO

IL caldo del sole del mattino si faceva sentire mentre due uomini lasciavano scorrere dolcemente le funi fra le mani e calavano la bara di legno nella fossa. Poi le corde vennero liberate e frusciarono sommessamente mentre serpeggiavano intorno agli spigoli ruvidi della cassa.

« Vuole che la riempia io? » chiese un becchino dalla pelle d'ebano, mentre si avvolgeva la fune intorno a una spalla robusta.

« Grazie, farò da solo », disse Pitt, e gli porse un fascio di rand sudafricani.

« Non voglio essere pagato », protestò l'uomo. « Il comandante era un amico. Anche se scavassi cento tombe, non basterebbe a ripagare tutte le gentilezze che ha fatto alla mia famiglia quando era vivo. »

Pitt annuì. « Prendo in prestito la pala. »

Il becchino gliela passò, gli strinse energicamente la mano e sorrise. Poi si avviò lungo uno stretto sentiero che andava dal cimitero al villaggio.

Pitt si guardò intorno. Il paesaggio era lussureggiante ma aspro. Il vapore saliva dal sottobosco umido e ascendeva al di sopra delle piante mentre il sole si arrampicava nel cielo. Si passò la manica sulla fronte sudata e si sdraiò sotto una mimosa, studiando i fiori gialli lanuginosi e le lunghe spine bianche e ascoltando il grido lontano dei bucerotidi. Poi girò di nuovo lo sguardo sulla grande lapide di granito.

QUI GIACE LA FAMIGLIA FAWKES
Patrick McKenzie, Myrna Clarissa,
Patrick McKenzie, Jr., Jennifer Louise
uniti per l'eternità – 1988

Il comandante era dotato di facoltà profetiche, pensò Pitt. La lapide era stata interamente scolpita mesi prima che Fawkes morisse a bordo dell'*Iowa*. Scacciò una formica vagabonda e dormicchiò per due ore. Lo svegliò il rumore di una macchina.

L'autista che portava l'uniforme da sergente fermò la Bentley, lasciò il volante e andò ad aprire la portiera posteriore. Scese il colonnello Joris Zeegler, seguito dal ministro della Difesa Pieter De Vaal.

« Mi sembra tutto tranquillo », notò De Vaal.

« Il settore è sempre stato tranquillo, dopo il massacro della fattoria dei Fawkes », rispose Zeegler. « Credo che la tomba sia da questa parte, signore. »

Pitt si alzò e si spolverò mentre gli altri si avvicinavano. « Siete stati molto gentili a venire fin qui », disse, tendendo la mano.

« Non è stato uno sforzo, glielo assicuro », replicò De Vaal in tono arrogante. Finse di non vedere la mano tesa di Pitt e sedette sulla lapide dei Fawkes. « Per caso, il colonnello Zeegler aveva organizzato un giro d'ispezione nella provincia del Natal settentrionale. È stata una breve deviazione, un fuori programma di poco conto. Niente di male. »

« Non ci vorrà molto », assicurò Pitt, mentre con fare distratto si guardava gli occhiali neri per vedere se erano macchiati. « Conosceva il comandante Fawkes? »

« So che questa richiesta piuttosto strana d'incontrarsi con me in un cimitero rurale è stata inoltrata dal suo governo, ma voglio chiarire che sono venuto per cortesia, non per rispondere alle sue domande. »

« È chiarissimo », convenne Pitt.

« Sì, una volta ho incontrato il comandante Fawkes. » De Vaal guardò in lontananza. « Mi sembra che sia stato in ottobre. Poco dopo lo sterminio della sua famiglia. Gli ho presentato le mie condoglianze a nome del ministero della Difesa. »

« E Fawkes aveva accettato la proposta di comandare l'azione contro Washington? »

De Vaal non batté ciglio. «Sciocchezze. Quell'uomo era mentalmente squilibrato dopo la morte della moglie e dei figli. Ha progettato e compiuto l'attacco di sua iniziativa.»

«Davvero?»

«Nella mia posizione, non sono obbligato a tollerare certe scortesie.» De Vaal si alzò. «Buongiorno, signor Pitt.»

Pitt lasciò che si allontanasse per qualche metro, poi disse: «L'Operazione Rosa Selvatica, ministro. Il nostro servizio segreto ne era a conoscenza fin quasi dall'inizio».

De Vaal si fermò, voltandosi a guardare Pitt. «Lo sapevano?» Tornò indietro. «Sapevano di Rosa Selvatica?»

«La cosa non dovrebbe sorprenderla», disse affabilmente Pitt. «Dopotutto, è stato lei a informarli.»

L'altera compostezza di De Vaal s'incrinò. Guardò Zeegler per chiedere il suo appoggio. Gli occhi del colonnello erano fissi, la faccia sembrava una maschera di pietra. «Assurdo», disse De Vaal. «Sta lanciando un'accusa pazzesca e priva di fondamento.»

«Riconosco che c'è qualche buco nella rete», osservò Pitt. «Ma sono intervenuto un po' tardi nel gioco. Era un bel piano; e qualunque fosse il risultato, lei avrebbe vinto. Gettare sull'ERA la responsabilità dell'attacco per suscitare solidarietà nei confronti della minoranza bianca sudafricana era una cortina fumogena. Il vero scopo era mettere in una situazione difficile il partito del primo ministro Koertsmann e farlo cadere, in modo che il ministero della Difesa avesse una giustificazione per instaurare un governo militare presieduto da Pieter De Vaal.»

«Perché fa tutto questo?» chiese rabbiosamente De Vaal. «Che cosa spera di guadagnare?»

«Non mi piace veder trionfare i traditori», replicò Pitt. «A proposito, quanto avevate accumulato, fra lei ed Emma? Tre, quattro, cinque milioni di dollari?»

«Sta dando la caccia alle ombre, Pitt. Il colonnello Zeegler può spiegarle che Emma era un agente pagato dall'ERA.»

« Emma vendeva rapporti riveduti e corretti provenienti dal suo ministero a tutti i rivoluzionari neri abbastanza gonzi da pagarli. Poi divideva i guadagni con lei. Un'iniziativa molto lucrosa, De Vaal. »

« Non sono obbligato a rimanere ad ascoltare questi obbrobri », sibilò il ministro. Fece un cenno a Zeegler e indicò la Bentley ferma in attesa.

Zeegler non si mosse. « Mi dispiace, ministro, ma credo che sia opportuno ascoltare sino in fondo ciò che ha da dire il signor Pitt. »

De Vaal stava quasi soffocando per la rabbia. « Mi ha servito per dieci anni, Joris. Sa molto bene che punisco con durezza l'insubordinazione. »

« Lo so, signore; ma credo che dovremmo restare, soprattutto se teniamo conto delle circostanze. » Zeegler indicò un nero che si avvicinava passando fra le tombe. Aveva un'espressione cupa e decisa e indossava l'uniforme dell'ERA. Teneva in una mano un lungo coltello marocchino a lama curva.

« Il quarto attore del dramma », disse Pitt. « Mi permetta di presentare Thomas Machita, il nuovo capo dell'Esercito Rivoluzionario Africano. »

Anche se gli accompagnatori del ministro erano disarmati, Zeegler aveva l'aria di non preoccuparsi. De Vaal si voltò di scatto e indicò convulsamente Machita, gridando all'autista: « Sergente! Sparagli! Per amor di Dio, sparagli! »

Il sergente trapassò De Vaal con lo sguardo come se fosse trasparente. Il ministro si girò verso Zeegler, mentre i suoi occhi si riempivano di paura. « Joris! Che sta succedendo? »

Zeegler non rispose. Il suo viso era rimasto impassibile.

Pitt indicò la tomba aperta. « È stato il comandante Fawkes a rivelare la sua subdola commedia. Forse era impazzito dopo la morte dei familiari e accecato dal desiderio di vendetta; ma ha compreso di essere stato ingannato nel modo più ignobile quando lei ha mandato Emma a ucciderlo. Era una parte necessaria del piano. Se fosse stato catturato vivo avrebbe potuto rivelare il suo coinvolgimento diretto. E poi, lei non poteva permettere che Fawkes, magari, scoprisse chi era stato a organizzare l'assalto contro la fattoria. »

« No! » La protesta uscì stridente dalla gola di De Vaal.

« Il comandante Patrick McKenzie Fawkes era l'unico, in tutto il Sud Africa, capace di realizzare l'Operazione Rosa Selvatica. E lei ordinò di assassinargli la moglie e i figli, sapendo che, sopraffatto dall'angoscia, avrebbe tentato di vendicarsi. Il massacro fu una mossa molto astuta. Neppure i suoi collaboratori al ministero erano riusciti a collegare gli aggressori a una organizzazione ribelle. Nessuno di loro ha mai sospettato che fosse stato proprio il ministro a far arrivare clandestinamente dall'Angola una banda di mercenari neri. »

Gli occhi di De Vaal esprimevano sgomento e disperazione. « Com'è possibile che sappia tutto questo? »

« Da buon funzionario del servizio segreto, il colonnello Zeegler ha continuato a indagare fino a che non ha scoperto la verità », rispose Pitt. « E come molti capitani di mare, Fawkes teneva un diario. Ero presente quando Emma ha tentato di ucciderlo. Fawkes mi ha salvato la vita prima che la nave saltasse in aria. Ma prima ancora aveva inserito il suo diario, con qualche appunto sul suo conto, in una borsa impermeabile per tabacco, e me l'aveva infilata sotto la camicia. È stata una lettura molto interessante, soprattutto per il presidente degli Stati Uniti e il direttore dell'NSA.

« A proposito », continuò Pitt, « il messaggio fasullo che aveva inviato per implicare il primo ministro non è mai stato preso sul serio. La Casa Bianca sapeva che l'Operazione Rosa Selvatica era stata ideata e realizzata alle spalle di Koertsmann. Quindi il suo piano per impadronirsi del governo è crollato. È stato Fawkes a rovinarla, anche se è stata un'azione postuma. Gli altri particolari sono stati forniti dal maggiore Machita, che ha accettato una tregua con il colonnello Zeegler per il tempo necessario per togliere di mezzo lei. In quanto alla mia presenza... ho chiesto e ottenuto il ruolo di maestro delle cerimonie perché ho un debito nei confronti del comandante Fawkes. »

De Vaal fissò Pitt con aria sconfitta. Poi si rivolse a Zeegler. « Joris, è stato lei a prepararmi la trappola? »

« Nessuno può accettare di schierarsi con un traditore. »

« Se mai c'è stato un uomo che meritasse di morire, De Vaal, quello è lei », disse Machita. Sembrava trasudare odio da tutti i pori.

De Vaal non gli badò. « Non potete eliminare un uomo nella mia posizione. Ho diritto a un processo. »

« Il primo ministro Koertsmann non vuole scandali. » Zeegler parlò senza guardare negli occhi il suo superiore. « Ha suggerito che lei morisse nell'adempimento del suo dovere. »

« E quindi diventerei un martire. » De Vaal ritrovò una certa sicurezza. « Mi vede in questo ruolo? »

« No, signore. Per questo il primo ministro ha aderito alla mia proposta di darla per disperso. È sempre meglio un mistero dimenticato che un eroe nazionale. »

Troppo tardi, De Vaal scorse il lampo dell'acciaio quando il coltello di Machita si alzò in un arco fra l'inguine e l'ombelico. Gli occhi del ministro della Difesa parvero schizzare dalle orbite. Tentò di parlare. La bocca si mosse, ma l'unico suono che ne uscì fu un rantolo animalesco. Una macchia rossa si allargò sull'uniforme.

Machita continuò a impugnare il coltello mentre la morte piombava su De Vaal. Poi, quando il corpo barcollò, lo spinse all'indietro e lo fece cadere nella fossa aperta. I tre uomini si accostarono per guardare mentre rivoli di terriccio cadevano sulla figura riversa sul fondo.

« Una fine degna di uno come lui », borbottò Machita.

Zeegler era pallidissimo. Era abituato a vedere i morti sul campo di battaglia, ma questo era ben diverso. « Dirò all'autista di riempire la fossa. »

Pitt scosse la testa. «Non è necessario. Nel suo diario, Fawkes mi aveva rivolto un'ultima richiesta, e ho promesso a me stesso che l'avrei esaudita.»

«Come vuole.» Zeegler si voltò per andarsene. Machita sembrò sul punto di dire qualcosa. Poi cambiò idea e si avviò verso il sottobosco che circondava il cimitero.

«Un momento», li trattenne Pitt. «Nessuno di voi due può permettersi di sprecare questa occasione.»

«Quale occasione?» chiese Zeegler.

«Dopo aver collaborato per annientare un cancro, sareste stupidi se non discuteste le vostre divergenze.»

«Sarebbero parole sprecate», disse Zeegler in tono sprezzante. «Thomas Machita si esprime soltanto con la violenza.»

«Come tutti gli occidentali, signor Pitt, lei vede la nostra lotta con molta ingenuità», osservò Machita, impassibile. «Parlare non servirà a cambiare ciò che dovrà essere. Fra poco tempo il governo razzista sudafricano crollerà davanti ai neri.»

«Pagherete un prezzo molto alto prima che la vostra bandiera possa sventolare su Città del Capo», promise Zeegler.

«È una pazzia», disse Pitt. «State giocando entrambi una mossa pazzesca.»

Zeegler lo guardò. «Forse ai suoi occhi, signor Pitt. Ma per noi è una questione che nessun estraneo è in grado di sviscerare.»

Il colonnello proseguì per raggiungere la macchina e Machita si dileguò nella giungla.

La tregua era terminata. L'abisso era troppo ampio perché fosse possibile attraversarlo.

Un'ondata d'impotenza e di collera assalì Pitt. «Che importanza avrà tutto questo fra mille anni?» gridò ai due.

Prese la pala e, lentamente, cominciò a buttare terra nella fossa. Non trovava il coraggio di guardare De Vaal. Poco dopo sentì il terriccio che cadeva sul terriccio e comprese che nessuno avrebbe più rivisto il ministro della Difesa.

Quando ebbe finito ed ebbe pareggiato il tumulo, aprì una cassetta che stava sull'erba accanto alla lapide e ne tolse quattro piante fiorite. Le collocò a dimora nella terra agli angoli della tomba. Poi si rialzò e indietreggiò.

« Riposi in pace, comandante Fawkes. Spero che non sarà giudicato troppo severamente. »

Non provava rimorso né tristezza, ma piuttosto una specie di soddisfazione. Mise la cassetta sotto un braccio, si issò la pala sulla spalla e si incamminò verso il villaggio di Umkono.

Dietro di lui, le quattro bougainvillee tendevano i rami fioriti verso il sole africano.

OMEGA

Pacifico meridionale,
gennaio 1989

L'ISOLA di Rongelo, in realtà un piccolo atollo che di isola aveva soltanto il nome, era un frammento solitario di terra che affiorava in solitudine in mezzo a centinaia di migliaia di chilometri quadrati di oceano Pacifico. La sua massa s'innalzava per meno di due metri dalle onde, ed era così bassa che era impossibile vederla da quindici chilometri di distanza. Sospinti dal vento e dalle maree, i frangenti irrompevano sulla barriera fragile che circondava la fascia sottile di spiaggia candida, e si richiudevano sull'altro lato per poi proseguire la marcia per centinaia di chilometri prima di toccare nuovamente la terraferma.

L'isola era brulla, se si eccettuavano poche palme da cocco stroncate dai marosi dei tifoni. Al centro del punto più elevato gli scheletri del dottor Vetterly e dei suoi assistenti, sbiancati e porosi, giacevano sui coralli acuminati, con le occhiaie vuote rivolte verso l'alto, come in attesa della liberazione.

Al tramonto i nembi che si addensavano dietro Rongelo riflettevano i raggi della luce morente e balenavano di riflessi d'oro, mentre il missile scendeva silenzioso dallo spazio lasciandosi dietro il rombo del passaggio attraverso l'atmosfera.

All'improvviso un fulgore biancazzurro rischiarò il mare per centinaia di chilometri e una grande sfera di fuoco ingoiò l'atollo. In meno di un secondo la massa fiammeggiante eruppe e si gonfiò come una bolla mostruosa e sussultante. I colori abbaglianti della superficie passarono dall'arancio al rosa e infine al violaceo intenso. L'onda d'urto sferzò l'acqua come una folgore e spianò le increspature delle onde.

Poi la sfera di fuoco lasciò la presa sulla superficie e

ascese ribollendo verso il cielo, inghiottendo milioni di tonnellate di corallo prima di risputarle in un geyser vorticoso di vapore e detriti. La massa ingigantì, si dilatò fino a un diametro di otto chilometri e in meno di un minuto l'inferno fiammeggiante raggiunse l'altitudine di una trentina di chilometri, e rimase ad aleggiare e a raffreddarsi gradualmente in un'immensa nube scura che a poco a poco si spinse verso nord.

L'isola di Rongelo era scomparsa. Non restava altro che una depressione profonda cento metri e larga poco più di tre chilometri. L'oceano si avventò e coprì ogni traccia dello squarcio. Il sole aveva uno strano colore verdegiallastro mentre discendeva sotto l'orizzonte.

Il microrganismo della Morte Rapida aveva cessato di esistere.

INDICE

Finito di stampare
nel mese di aprile 2002
per conto della TEA S.p.A.
dal Nuovo Istituto d'Arti Grafiche - Bergamo
Printed in Italy

TEADUE
Periodico settimanale del 4.10.1995
Direttore responsabile: Stefano Mauri
Registrazione del Tribunale di Milano n. 565 del 10.7.1989